# Chemins de ce Temps-là

De mémoire d'Essénien
Tome 2

Anne et Daniel Meurois-Givaudan

# Chemins de ce Temps-là

## De mémoire d'Essénien
## Tome 2

ÉDITIONS ARISTA

# QUELQUES TITRES CHEZ LE MEME ÉDITEUR :

**UN AN PARMI LES YOGIS DE L'INDE ET DU TIBET**
de Lily Eversdijk Smulders
**KUNDALINI ET RETOUR DU CHRIST**
d'Aster Barnwell
**LA SCIENCE SPIRITUELLE DU KRIYA YOGA**
de Goswami Kriyananda
**GIORDANO BRUNO — LE VOLCAN DE VENISE**
de Yvonne Caroutch
**ENTERRE MON COEUR**
de Dee Brown
**AUTOGUÉRISON, MA VIE, MA VISION**
de Meir Schneider
**LE ZEN EN CHAIR ET EN OS**
de Paul Reps
**TANTRA, YOGA ET MÉDITATION**
de Erik Bruijn
**D'ÉTOILE EN ÉTOILE**
de Serge Reiver
**RENCONTRE AVEC L'AGNI YOGA**
de Vicente Beltran Anglada
**LA MÉMOIRE DES CHOSES**
de Jean Prieur

Le Catalogue des éditions Arista est adressé franco sur simple demande
Éditions ARISTA
24580 Plazac-Rouffignac
Tél. 53 50 79 54

A Hildrec, Belsat et Lérina
A tous ceux qui, de retour sur
le même chemin, ont cessé
de se dire Esséniens parce
que "maintenant" est leur
nourriture.

# Sommaire

## LIVRE I

## LIVRE II

## QUELQUES MOTS GUIDES...

Cinq ans après la publication de "De Mémoire d'Essénien", beaucoup de fleurs se sont épanouies. Aussi, ce n'est pas sans émotion que nous te présentons aujourd'hui, ami-lecteur, ce second tome d'un travail, fruit lui aussi d'un grand nombre de "lectures" dans les Annales Akashiques, grand livre du Temps auquel nous accédons par "décorporation".

Plus qu'une suite du premier, il en est le développement. L'approfondissement qu'il constitue nous a amenés à pénétrer à nouveau dans la Gaule des quelques années faisant suite à la crucifixion, sur les traces de Joseph d'Arimathie et de Marie-Madeleine.

Pas plus qu'auparavant les personnalités de Myriam et de Simon ne doivent constituer le pivot de ce récit. Hier comme aujourd'hui, elles sont les témoins de réalités méconnues — ou totalement ignorées — à qui est confiée la tâche de s'exprimer. De ce fait, rien de ce qui suit n'a été romancé ou déformé de quelque façon que ce soit. Il s'agit donc d'un reportage aussi précis que possible, en quelque sorte le "journal de voyage" de deux êtres qui ont traversé la Gaule du premier siècle. Les Annales Akashiques que nous n'avons pu feuilleter qu'avec beaucoup de respect nous y parlent d'un temps où le concept de spiritualité n'existait pas réellement puisque le sacré y était quotidien. Il ne s'agissait surtout pas, selon l'expression consacrée, de "noircir du papier" mais au contraire de l'éclairer.

Une telle tâche suppose une responsabilité dont nous restons bien persuadés eu égard aux événements et aux êtres évoqués dans les pages qui suivent. Le but d'un tel ouvrage, précisons-le n'est pas d'entretenir un peu plus la nostalgie stérile d'un temps combien beau et fort mais si rude à vivre. Il a au contraire pour objectif d'actualiser un propos que trop de nos contemporains considèrent à tort comme archaïque.

Après cette plongée de deux mille ans dans le "passé" il nous semble que ce que l'on appelle "les temps évangéliques" ne sont pas de l'Histoire ancienne juste bonne à servir certaines imageries. Il nous apparait au contraire que l'énergie qui les anima et qui les grava — que nous le voulions ou non — jusque dans nos cellules, est aujourd'hui plus que jamais présente. Nous ne parlons pas des faits marquants ou même apparemment de second ordre cités dans cet ouvrage et qui ont pu influencer l'histoire de nos civilisations. (Un certain nombre d'entre eux, d'ailleurs, seront sans doute de nature à faire se cabrer historiens et théologiens.) Nous parlons bien d'énergie, tout autant en ce qui concerne les êtres à nouveau présents dans notre monde, qu'en ce qui concerne un "air du temps" porteur d'un Souffle identique.

Les chapitres que nous nous sommes appliqués à retranscrire n'ont donc pas, soulignons-le à nouveau, vocation passéiste. Ils présentent des situations d'hier qui, à maints égards, survivent dans celles d'aujourd'hui et sont susceptibles de mieux nous pointer du doigt, de mieux nous préparer à l'imminence d'une gigantesque prise de conscience.

En quelques mots, ils n'ont d'autre intention que de privilégier et de servir la prodigieuse énergie d'Amour qui nous tend aujourd'hui la main avec insistance.

Les Esséniens, Nazarites, Nazaréens et chefs celtes qui se montrèrent à leur façon les artisans de cette époque, sont bien morts en tant que tels, n'en doutons pas. Ce qu'ils furent d'ailleurs au juste importe peu. Nous devrions tous être las des querelles intellectuelles et doctrinales. Ce sont leurs forces, leurs âmes, qui sont présentes aujourd'hui et c'est par elles que nous devons nous réconcilier avec les visages multiples de la Vie Une.

Si de ce livre naît, non seulement un peu plus d'éveil, mais aussi un peu plus d'action et de volonté dans l'Eternel Présent, alors il n'aura pas été vain.

# LIVRE I

## CHAPITRE I

## Dans la magie d'une nuit

C e matin-là, alors que nous fouillions à tâtons le fond de notre hutte pour rassembler nos quelques affaires, le soleil rougeoyait à peine à l'horizon. Par l'embrasure de la porte de ce qui avait été notre première habitation sur la terre de Kal, on voyait juste de longues langues de brume s'effilocher parmi le peuple des joncs. C'étaient autant de manteaux blancs qui se déroulaient langoureusement à la surface de l'eau. A leur fraîcheur humide venait encore se mêler par instants l'odeur de l'immense feu que bon nombre d'entre nous s'étaient efforcés de nourrir toute la nuit. Lorsque Simon et moi, nous nous profilâmes sur la précaire passerelle de bois menant à la terre ferme, un lit de braises, ardent comme le rubis, continuait de vivre... Quelques silhouettes humaines se mouvaient autour, lentement en des gestes méditatifs. C'étaient celles de nos compagnons. Probablement certains d'entre eux avaient-ils tenu à passer la fin de la nuit là, enroulés dans leur manteau, afin de mieux entretenir la force que les récentes paroles de Joseph[1] avaient tenté d'insuffler en nos cœurs.

Le sac de grosse toile et de laine au côté, nous nous dirigeâmes vers eux d'un pas vif comme pour nous secouer de la torpeur d'un sommeil trop bref et trop froid. Les paroles reçues et échangées tard dans la nuit autour des flammes semblant s'élancer jusqu'aux cieux vibraient encore en ce lieu.

Aujourd'hui, il fallait partir, prendre le risque de briser la chaîne magique qui nous unissait tous et suscitait presque une sensation d'invulnérablilité. Cette nuit au milieu du crépitement du grand feu, une voix nous l'avait dit, nous l'avait répété, avait insisté. C'était celle de Joseph et à travers la fermeté de ses intonations nous avions un peu cru reconnaître le langage du Maître.

Aujourd'hui, il fallait donc nous éparpiller et l'attente de cet instant nous était si pesante que Simon et moi-même ne souhaitions guère la voir durer. Nous allions nous diriger vers le Couchant sans tarder, ainsi que cela nous avait été demandé la veille. Simplement, avant de prendre la route, nous désirions prendre encore tous ensemble, une dernière fois, une bouffée de silence et de paix. Lorsque nous nous approchâmes du petit groupe, nous découvrîmes Myriam de Magdala à la place où nous l'avions quittée quelques heures auparavant. Adossée à une souche, elle paraissait n'avoir pas bougé, fouillant d'un long bâton, l'épaisseur

---

1— Joseph d'Arimathie

écarlate des dernières braises. Elle sourit doucement avec un petit hochement de tête. Sans doute fut-ce sa façon de saluer notre soudain empressement à vouloir partir.

D'un geste décidé elle plongea alors la main dans un sac de mauvaise toile déposé sur le sol à ses côtés. Elle en tira une bonne pincée de grains résineux qu'elle jeta immédiatement sur les restes du brasier. Simon m'attira vers lui et nous nous assîmes tous deux non loin de là. De l'autre côté des braises, un frère, dont nous ne distinguions que la silhouette un peu frêle, se mit à jouer de la flûte.

C'était le son aigrelet de ces flûtes des collines de Galilée qui chantaient la lumière des amandiers et les champs de lin bleus. Comme par réflexe face aux paroles qui résonnaient encore en mon âme j'en refusai toute la nostalgie et je me surpris à répéter deux ou trois fois : "non... non", à voix basse.

Ce qui vivait en moi, en nous deux, ce matin là, c'était le visage grave et fort de Joseph, lorsqu'il s'était levé parmi nous au milieu de la nuit, brisant le cours des discussions. Je le revois toujours avec ses yeux aux épais sourcils presque aussi blancs que neige, avec sa puissante barbe qui volait aux vents des bords de mer. Bien qu'il fût beaucoup plus âgé que la plupart d'entre nous, il paraissait manifester en lui plus de feu que toute notre assemblée réunie.

"Allons donc, mes amis, s'était-il écrié, comme pour couper court au foisonnement des interrogations qui circulaient, je crois bien que cette terre de Kal attend maintenant quelque chose de nous. Toutes ces nuits j'ai longtemps fouillé en mon cœur et il est clair que notre temps ici est désormais révolu. Sans doute vous êtes-vous préparés à cet instant et à ces paroles depuis quelques semaines déjà... J'aurais souhaité qu'elles viennent de vous... mais il est clair que le Maître m'a confié une tâche et que je ne puis m'y soustraire. Voilà pourquoi je vous dis : c'est maintenant... c'est maintenant qu'il nous faut nous répandre à la surface de ce monde. Les hommes de ce lieu nous ont accueillis, nous vivons à présent parmi eux, presque comme eux ; chaque jour leur langue devient nôtre un peu plus. Que pouvons-nous attendre encore ? Un signe du Sans-Nom ? Je vous le dis, que la douceur de nos jours depuis que nous sommes en cette contrée ne nous rende pas sourds et aveugles, qu'elle ne verrouille pas les portes du dépôt dont nous avons la charge. Elle est aisée à acquérir puis à entretenir, la bonne conscience de ceux qui savent ou qui disent savoir ! Ainsi demain, moi-même je partirai. J'irai là où Il m'envoie... non pas comme un conquérant mais comme le prêtre que je suis dans mon cœur... je veux dire, comprenez-moi bien, comme le témoin d'une force..."

Joseph avait baissé les yeux quelques instants et nous vîmes qu'il était saisi d'une étonnante émotion, d'un trouble que nous n'étions pas accoutumés à percevoir chez lui.

"...Le témoin de la Force dont chaque homme est l'héritier reprit-il en se ressaisissant. Je ne vous cache pas que la tâche qui nous attend est difficile mais sachez pourtant que sa difficulté sera toujours proportionnelle à la clarté avec laquelle nous saurons entretenir la vision du but, dans nos esprits. Si ce que nous voulons demeure limpide, frères et sœurs, si cette volonté ne se laisse pas supplanter par notre vouloir individuel, alors, nous serons fidèles aux paroles du Maître, alors nous n'enracinerons pas une autre religion dans le cœur des hommes et des femmes de Kal... car je vous l'assure, ainsi qu'il m'a été dit, l'embûche est là !

Jusqu'à présent, je n'ai pu vous fournir que très peu d'indications concernant notre travail. Vous m'avez pressé de questions lorsqu'à la suite du Maître je vous ai demandé de me suivre au-delà des mers. Je n'ai su répondre à certains et peut-être même ai-je mal répondu aux autres, alors vous avez marché à mes côtés sans chercher à savoir plus mais à comprendre mieux. Pour cela je vous remercie mais je vous dis aussi... écoutez. Ecoutez ce que maintenant je parviens enfin à vous dire et qu'il m'a fallu des mois à mettre en ordre en mon esprit et sur ma langue.

Nous avons à ouvrir les cœurs, nous avons à ensemencer les consciences, nous avons aussi et enfin à faire de cette terre qui nous accueille le tremplin d'un monde dont nos frères d'Héliopolis connaissent la finalité. Ce monde, sachez-le bien, sera aussi un monde répondant aux hommes de chair..."

A cet instant précis, il me souvient que nous nous sommes regardés les uns les autres. Joseph était devenu énigmatique ; au lieu d'apporter la clarté dans nos esprits, il les troublait.

"Souvenez-vous, enchaîna-t-il tout en tournant les yeux vers son âme, souvenez-vous de cet objet que, quelques instants, j'ai porté à vos regards alors que nous voguions ensemble vers cette côte. Eh bien, frères, je vous le dis, cet objet n'en est pas un... Il est simplement l'ombre portée par une lumière capable de soutenir bien des cœurs. C'est une ombre du soleil, une ombre que j'ai pour mission de faire cheminer jusqu'à un point précis. Ne vous étonnez pas de ce langage et comprenez dès cet instant que nous avons navigué vers cette terre pour mener à bien une double tâche... une selon la parole du Maître, l'autre selon celle de nos grands Frères d'Héliopolis. La première d'entre elles consiste, vous le savez, à faire germer sur les vastes étendues qui nous attendent, les grands principes dont nous avons été nourris jusqu'ici. Dites-vous qu'il s'agit d'un travail de laboureur et non de moissonneur ! La seconde concerne une autre élaboration tout aussi lente, mais d'une nature différente. Elle s'appelle dynamisation et s'adresse au corps de cette terre de Kal... dynamisation de son corps de chair, car n'en doutez pas, vous tous qui m'écoutez, cette contrée est telle un être avec ses viscères et son cœur. Dès aujourd'hui, elle se prépare à rayonner différemment car cet objet qui n'en est pas un, cette ombre du Soleil que je porte chaque jour à mes côtés a pour fonction de laisser une longue trace sur les routes de ce pays... Non pas sur les routes que nous foulerons de nos pieds mais sur les vraies routes de son corps, celles où ondoie le feu d'un certain serpent... Pourquoi cela ? Afin qu'au fil des âges des hommes puissent se souvenir et s'alimenter constamment d'un miel qui les aidera à ôter les écorces de la terre.

Ainsi, les empreintes que nous tenterons de laisser sur ces arpents doivent-elles également servir d'assise à une force concrète par laquelle le peuple des hommes verra son avance éclairée.

Le royaume que le Maître a réveillé en nos poitrines, échappe encore à notre vue, mais soyez certains que cet autre royaume que nos pieds chaque jour parcourent, si nous en comprenons le sens, ne lui est pas opposé. A nous d'en faire le pont qu'il est destiné à être.

Je ne puis vous en dire beaucoup plus en termes clairs, mes amis. Je ne m'en sens pas le droit. Votre vie est semblable à une mosaïque ; vous avez eu le bonheur d'en découvrir la pièce maîtresse, laissez maintenant à votre amour et aux cailloux des chemins le soin d'en rassembler les autres éléments."

Sur ces mots Joseph avait, un instant, cherché à s'asseoir à nouveau. Un nouvel éclair commença cependant d'illuminer son regard alors que sa voix s'était faite plus douce, plus chaude. Il avait ajouté :

"N'oubliez pas que la force du Kristos n'a pas dédaigné la matière de ce monde, n'oubliez pas qu'elle a souhaité emprunter un corps pour s'exprimer.

Si nous nous déplaçons selon les veines du pays de Kal, alors nous saurons prolonger les bras de ce corps."

Nous étions restés longtemps muets aux paroles de Joseph ; elles nous renvoyaient des années en arrière aux portes de Gennesareth tandis que nous recevions des conseils du Maître lui-même.

"Lorsque les royaumes d'ici bas renverront l'image du Royaume de mon Père, alors les hommes sauront que quelque chose est mûr en leur cœur. Mon corps est comme mon âme et mon âme demeure semblable à mon esprit. Si l'un haïssait l'autre comment pourrais-je vivre ? Ainsi je vous l'affirme, que votre main droite n'ignore pas votre main gauche et que le souffle qui anime votre poitrine apprenne à bénir la plante poussiéreuse de vos pieds. Il n'est pas une pierre dont l'ultime but ne soit de s'élancer vers mon Père..."

J'avais été tirée de mes souvenirs par des froissements de tissu, Simon et les autres s'étaient levés. De l'autre côté du brasier, se mêlant à la danse crépitante des flammes, la silhouette de Joseph avait esquissé de petits gestes mesurés comme pour nous inviter à nous rapprocher de lui. Lorsque nous nous étions regroupé à ses côtés il avait rabattu sur son visage, selon la coutûme de notre peuple, le large voile de lin blanc recouvrant le sommet de son crâne. C'était le signe que le dépôt qu'il nous confiait prenait l'apparence du sacré ou faisait partie d'un secret à préserver. Seule Myriam de Magdala était demeurée à l'écart de notre groupe. Elle s'était pourtant levée mais son unique préoccupation semblait être d'attiser le feu en y jetant avec détermination quelques épais branchages.

"Il est temps que vous le sachiez, avait dit Joseph d'une voix neutre, ce qui a du être caché pour de multiples raisons n'a plus lieu de vous être scellé. Celle que vous voyez ici et qui se nomme Myriam du village de Migdal est ma fille selon l'esprit mais aussi selon la chair. J'ai toujours craint qu'un jour ma tâche ne m'expose aux représailles du pouvoir romain et que mes enfants en soient les premiers inquiétés. Ce secret, rares sont ceux qui l'ont partagé jusqu'à cette nuit, plus rares encore sont ceux qui auraient dû en être dépositaires. J'en ai pris l'initiative avec le Maître il y a bien longtemps de façon à ce que tout s'accomplisse. Si je vous confie cela, c'est parce que la tâche de Myriam n'est pas moins lourde que la mienne et que vous aurez à fortifier son avance en pleine connaissance de cause."

Ainsi qu'il fallait s'y attendre, un murmure croissant s'était élevé de notre petite assemblée. Seuls trois ou quatre d'entre nous dont le vieux Zachée, comme s'ils fussent déjà informés de tout cela, ne laissèrent échapper de leur visage que les rides d'un léger sourire. Maîtrise sur eux-mêmes ou simple complicité... peu nous avait importé, trop occupés que nous étions à nous demander si nous avions bien compris. Un moment s'était écoulé ainsi puis quelques rires avaient fusé auxquels chacun s'était enfin mêlé. Nous avions la sensation qu'une petite graine de bonheur tout neuf circulait soudainement parmi nous. Myriam toujours debout près du feu s'était mise à rire également, heureuse comme une gamine qui vient de jouer un bon tour.

"Mais, Joseph, Joseph, s'était écrié Simon qui, saisissant ma main, tentait de couvrir le bruit causé par nos amusements.. Joseph... n'as-tu pas parlé de tes enfants ? Y a-t-il donc quelqu'un d'autre parmi nous dont tu sois le père ?...

"Non, Simon... pas parmi nous, mais j'ai bien un fils également et vous le connaissez tous... "

A nouveau les regards s'étaient tendus vers Joseph et, en une fraction de seconde, comme si le rire laissait place à la gravité, comme si chacun comprenait que les conséquences de ses paroles pouvaient ne pas être anodines, chacun écouta...

"Il s'agit d'Eliazar, mes amis."

Cette fois plus aucune manifestation bruyante ne jaillit de notre petit groupe. La conscience d'une trame soigneusement organisée par des êtres dont nous supposions à peine l'existence était remontée à la surface de nos âmes, ainsi que des années auparavant.

Eliazar, m'étais je dit... voilà donc pourquoi autrefois nous avions pu mal interpréter certaines de ses attitudes auprès de Myriam, alors que nous séjournions à Béthanie chez Marthe ! Eliazar... celui que le Maître avait très vite voulu appeler Jean.

Nul n'avait osé en demander plus. Non pas que nous n'eussions mille questions à formuler, nos yeux les traduisaient trop bien, mais parce qu'une émotion s'était emparée de nous. C'était un sentiment étroitement mêlé de respect et d'admiration envers Joseph. Combien de choses gardait-il encore ainsi scellées au fond de lui-même et qui pouvaient peut-être modifier le cours de nos destinées, nous ouvrir des portes ou en cadenasser d'autres ? Il est certain que nous n'avions pas compris grand chose au pourquoi de sa révélation, à ses implications futures. Confusément, nous avions simplement pressenti...

Le vent de la mer chargé de tous ses embruns s'était alors progressivement levé. Il s'était mis à jouer avec les hautes herbes et les joncs, nous sussurant de temps à autre le chant irrégulier d'un oiseau nocturne.

"Si cette nuit est la dernière où nous devons vivre rassemblés de la sorte, parle-nous encore, Joseph, avait enfin dit le vieux Zachée, enseigne-nous..."

Tandis qu'il avait prononcé ces mots, les rides de son visage longtemps buriné par les souffles du désert s'étaient extraordinairement emplies de vie. Lorsque je les revois en mon âme aujourd'hui, il me semble qu'elles savaient traduire à elles seules toutes nos soifs, nos craintes, notre volonté.

"Ce sont les hommes de Kal qui vous enseigneront dès demain, avait répondu Joseph. Ne croyez pas qu'ils n'aient jamais bu à la source qui coule en votre esprit. Le soleil ne réchauffe-t-il que nos montagnes de Judée ? Il existe une sagesse gravée depuis des temps immémoriaux sur le plus petit arpent de cette contrée et c'est une sagesse dont le Maître lui-même ne dédaigna pas l'étude. Alors qu'il était encore jeune et avant qu'il ne parte pour les royaumes d'Orient, il me pria de lui faire découvrir les horizons qui seront vôtres dès demain. Gardez toujours présente en vous cette vérité : vous êtes les éternels disciples de l'UN. Vous en êtes élèves à perpétuité !"

"Mais le Maître n'a-t-il pas dit maintes fois que tous les hommes de la terre étaient appelés à devenir semblables à lui, à agir comme lui ?" s'était écrié l'un de nous.

"Frère, frère, apprend à écouter... Combien de fois le Maître lui-même n'a-t-il pas annoncé aussi qu'il demeurait à jamais, l'éternel disciple de son Père, l'infatigable pèlerin de la Grande Conscience ? Aucune forme de vie sous ce soleil ou sous un autre ne stoppe un jour sa croissance. Toute manifestation de vie, je veux dire par cela toute germination d'amour consciente d'elle ou pas joue la double fonction d'un vase qui reçoit et d'une coupe qui désaltère. Mes frères et sœurs à qui je parle, nul n'échappe à la règle, si nous sommes tous les initiés de quelques-uns, nous demeurons sans cesse les élèves de quelques autres.

Qui sera votre maître désormais ? Non pas tant le Maître aux côtés duquel nous avons tous marché et dont nous avons partagé les repas, que cet oiseau que vous recueillerez peut-être demain sur le bord du sentier ou encore que ces poignées de simples dont vous prendrez un peu de la substance de vie.

Ces paroles vous choquent, je le sais. Prenez garde à ce que votre langue ne se trompe point de cible ! Ne pétrifiez pas votre avance derrière l'effigie rigide du Maître qui s'est offert à nous. Lui-même nous l'a affirmé des jours entiers. Son nom seul est si peu. Ce qui demande à croître, c'est plutôt le principe évoqué par lui, c'est l'inaltérable force d'Amour qu'il véhicule. Ce joyau-là est le véritable maître de chacun, le massiah de tous les cœurs et de tous les royaumes. N'avez-vous pas compris que le Maître Jésus dont nous avons embrassé les pieds ne pointait pas tant son doigt vers lui-même que vers ce qui sommeille en vous ?

Je vous le répète, ne vous trompez pas de cible. C'est l'essence de Kristos qui doit être stimulée jusque dans la matière de cette terre.

Approchez-vous maintenant car il ne sera pas dit que nos pas se sépareront avant d'avoir partagé la lumière ensemble, une ultime fois."

Joseph avait alors soulevé un coin de son voile puis tiré soigneusement du sac de laine posé à ses côtés, l'objet qu'il avait déjà porté à notre vue en pleine mer. Cependant, il ne le découvrit point entièrement. Il ne nous laissa deviner de lui que ses sobres contours à travers les plis d'une pièce de lin blanc.

Comme nous nous étions approchés un peu plus de lui, il s'était levé sans dire mot et avait tenté de se frayer un chemin entre nous tous, rituellement assis sur les talons, les genoux au sol. Devant chacun de nous il avait fait une brève halte puis posé en un geste humble la petite boule de lin blanc au sommet des têtes qui s'inclinaient vers lui. Le vent soufflait de plus belle et lorsqu'était venu mon tour, je m'étais déjà faite à l'idée que mon âme tout entière allait s'emplir d'une vague de paix pour les éternités à venir. Il n'en fut rien, j'avais simplement ressenti une petite pression au sommet de mon crâne et une brise fraîche parcourir mon corps. Immédiatement j'avais voulu me relever et mes yeux avaient rencontré ceux de Joseph.

"Myriam, parurent-ils murmurer, stoppe la ronde de tes pensées ; toi qui a déjà tant reçu, cesse d'attendre encore, car c'est maintenant que s'approche l'heure de donner..."

Le message avait été limpide, si limpide que ses mots déroulaient toujours leur lumière en mon cœur lorsque ce matin-là, nous nous étions à nouveau assis près des braises.

Le son de la flûte me tira enfin de mes rêveries avec autant de facilités qu'il les avait fait éclore. Le jour s'était levé et dans le ciel tout de rose vêtu, de longues bandes d'oiseaux s'élançaient en semant des chants plaintifs.

Myriam de Magdala se leva après quelques instants et, comme elle nous avait vus les sacs au côté, se dirigea vers un grand panier de roseaux tressés. Elle en tira une galette et un petit bloc de matière grise, du sel. Venant dans notre direction, elle fit ensuite halte près d'une cruche où, à l'aide d'un gobelet de terre, elle puisa un peu d'eau.

"Voici, dit-elle simplement lorsqu'elle fut à deux pas de nous, voici un peu de pain, de sel et d'eau ; selon la coutume du peuple d'Essania, partagez-le avec nous. Ce sera la façon de bénir ce jour et de nous réjouir de toutes les aubes qui nous attendent désormais..."

Myriam avait prononcé le mot, le seul mot qu'il fallait précisément à nos coeurs et à nos corps : se réjouir. Même à travers le mutisme qu'elle avait observé une bonne partie de la nuit, cette joie, elle l'avait toujours portée en elle, comme une présence qui la rendait plus légère et plus forte.

Elle qui, avec quelques autres femmes de notre peuple préparait depuis toujours les huiles et les baumes selon nos coutumes ancestrales, n'avait jamais mieux mérité ce nom de "fille de la joie" attribué par les anciens de notre race à celles chargées d'insuffler le feu subtil des plantes jusque dans la matière épaisse du monde. Ce nom était aussi celui que des rituels secrets donnaient à celles qui consacraient leur vie à l'énergie de Lune-Soleil.

Nul ne pouvait nier qu'il s'exprimait à travers tout son être. Ainsi, c'est la joie au coeur que nous rompîmes le pain, que nous fîmes circuler le sel et que nous partageâmes enfin l'eau au même gobelet de terre.

Quelques frères en blanc du pays de Kal, sans doute attirés par les plaisanteries qui commençaient à jaillir des poitrines, vinrent dès lors grossir notre nombre et nous nous trouvâmes rapidement une trentaine à avoir la sensation de festoyer.

Le vent n'avait pas cessé de balayer la côte. Il avait chassé la brume, faisait ployer de plus belle la multitude des joncs et s'engouffrait dans nos chevelures. Peut-être était-ce un peu lui aussi qui nous poussa à saisir plus vite nos sacs de grosse toile et à emprunter la petite sente dont on devinait la trace parmi les hautes broussailles. Les bras se croisèrent sur les poitrines dans un commun élan... et les adieux furent brefs.

Il est des moments où la nature participe aux actions des hommes. Il est des jours où son souffle ne demande qu'à attiser le feu des volontés les plus folles chez celui qui sait en recueillir le secret appel. Les mots qu'il prononce sont des images que tissent les pensées des hommes afin que ceux-ci se souviennent de leurs promesses.

Simon avait pris fermement ma main. Lorsque nous nous fûmes suffisamment enfoncés dans les hautes herbes et que l'étroit sentier se fut bientôt évanoui, seulement alors nous osâmes nous retourner. Au-dessus de la tête des joncs battus par la tempête, les frêles silhouettes des huttes avaient déjà disparu. Il n'y avait plus rien à voir, plus rien que le bleu d'encre du ciel, comme débarrassé des incertitudes de la nuit. Etrange instant que celui-là où une soudaine sensation à la fois de vide et de trop plein gagnait tout notre être.

C'est ainsi que nous commençâmes à marcher sur la terre allant d'un pas résolu vers les plaines de l'Ouest.

## CHAPITRE II

# Les hommes de Benjamin

**B**ien longtemps, les langues de terre sur lesquelles nous cheminions restèrent marécageuses, rendant notre avance difficile et de ce fait très lente. Les roseaux et les joncs faisaient tantôt place à de grands arbres élancés, tantôt à de gros épineux au travers desquels nous nous égarions. Il y avait là des myriades d'oiseaux, si inattendus, si étranges à nos yeux que nous nous attardions souvent à les contempler. Le deuxième soir de notre départ, nous atteignîmes enfin un sol ferme. C'était un sable mêlé de terre, c'était surtout une chaleur nouvelle sous la plante de nos pieds. La pauvre végétation qui tentait d'y pousser nous fit songer à celle des collines de notre enfance : les mêmes petites touffes d'herbe rase, les mêmes broussailles au feuillage vert tendre et dont il fallait sans cesse dégager nos robes, enfin les mêmes bouquets de fleurs bleues et jaunes, comme écrasées de soleil.

Ce qui nous avait attirés là, c'était une fumée, un long serpentin que pendant des heures nous avions vu s'étirer dans le ciel. Il devait y avoir un village, un campement peut-être... et si c'était celui des nôtres, de ceux qui nous avaient quittés devançant de quelques jours l'appel de Joseph ? Vain espoir sans doute, espoir qu'il nous fallait combattre. Derrière un bosquet nous ne parvînmes enfin à ne découvrir que trois ou quatre mauvaises huttes de branchages construites à la hâte et un cercle de cendres encore tièdes.

L'idée d'abandonner un campement à l'heure où chacun songe à s'enquérir d'un gîte nous parut étrange. Les empreintes laissées sur le sol témoignaient de l'activité d'une bonne dizaine d'hommes et de quelques chevaux. Comme par réflexe, les images suggestives de silhouettes armées s'animèrent en nous, souvenirs de ces petits détachements romains que, des années durant, nous avions cherché à éviter. Le lieu ne nous plaisait guère mais nos robes mouillées et nos muscles ankylosés nous ordonnèrent de passer la nuit là. Certes, le campement valait mieux que les simples broussailles de la veille mais les pensées de ceux qui l'avaient occupé peu de temps auparavant vivaient encore autour de nous, épaississant l'atmosphère.

Pour la première fois au pays de Kal, nous nous sentions réellement en terre étrangère. Cette sensation nouvelle avait néanmoins quelque chose de stimulant. C'était comme si, enfin, nous nous trouvions face à notre propre destinée, seuls avec dans les mains et dans le cœur tout l'or du monde à partager. Sous un précaire toit de branchages et de feuilles sèches disposées pêle-mêle, la nuit nous ouvrit ses bras. Des senteurs inconnues se mirent à monter du sol et les rayons de la lune proposèrent leurs jeux aux mille toiles que les araignées avaient tendues deci-delà. Nous dormîmes peu, trop habités par cette ardeur que Joseph avait réveillée en nous et par cette proximité de l'inconnu où le Maître, nous en étions persuadés, marcherait sans cesse à nos côtés. De longues heures s'écoulèrent en discussion à voix basse.

"Comme elle était folle cette tâche, disait Simon, où il nous incombait de parler d'un maître qui prétendait ne pas en être un, mais où il fallait néanmoins imprimer sa parole en lettres d'or dans tous les cœurs..."

"Quelle singulière entreprise, ajoutait-il, que celle de s'attaquer aux racines du cœur humain, de vouloir les débarrasser une à une des scories de l'habitude. Crois-tu Myriam que nous puissions parler du Maître sans dire "le Maître", que nous soyons capables de parler en son nom sans pétrifier ses paroles...

Crois-tu que nous puissions répandre le soleil de son amour sans dicter une nouvelle loi ? Nous devons fuir la Lettre coûte que coûte. Même s'il nous faut changer d'abri pour chacune de nos nuits, la force qui nous habite doit refuser l'immobilité... Soyons donc semblables au ruisseau qui ne veut pas se faire prendre par les glaces. J'ignore où cela doit nous mener en cette vie, vois-tu, mais je sais maintenant où il ne faut pas que nous allions..."

Deux ou trois jours passèrent sans que nous ne rencontrions plus que quelques familles cultivant un lopin de terre, ou des bergers menant leur troupeau. Nous croisâmes également un groupe d'hommes en armes. Ceux-ci, juchés sur de petits chevaux trapus, s'arrêtèrent un instant non loin de nous, probablement pour mieux nous observer. Ils étaient bardés de lanières de cuir et couverts de somptueuses peaux aux reflets fauves. A leur ceinture rutilaient les lames d'énormes coutelas. Etaient-ce des chasseurs ou des guerriers ? Probablement les deux à la fois. Je fus frappée par la noblesse de leur maintien et aussi par l'abondance de leurs cheveux qui évoquaient ceux de notre peuple. Ils s'éloignèrent enfin de nous comme ils s'en étaient approchés, à petits pas, sans nous adresser le moindre mot.

Un matin, des murs de terre, de briques et de pierres appuyés au creux d'un large vallon pelé attirèrent nos regards. En nous en rapprochant, nous décrouvrîmes qu'ils étaient nombreux au point de former une véritable ville, une ville en partie fortifiée. Le sentier incertain que nous avions trouvé rejoignait une voie assez large manifestement bien entretenue et recouverte par endroits de belles dalles de pierre. C'était à n'en pas douter l'œuvre des Romains, le type même de réalisation qui suscitait inévitablement chez nous un sentiment quelque peu ambigu d'admiration mais aussi de méfiance. Ces voies que nous avions jadis connues à l'entrée de Capharnaüm, de Tibériade ou de Jérusalem, nous avions toujours évité au maximum de les emprunter, redoutant quelque contrôle. S'ils concevaient fort bien qu'elles rendent les déplacement plus aisés, ceux de notre peuple ne pouvaient s'empêcher d'y voir une forme de rigidité, le symbole d'une volonté de réglementer la vie. Nous disions tous qu'elles ne battaient pas au rythme de notre cœur, qu'elles étaient trop dissemblables aux chemins de traverse chers à notre âme.

Lorsqu'à l'entrée de la grosse bourgade nous posâmes enfin les pieds sur les larges dalles, c'est presque un vieux goût de crainte oublié, que nous redécouvrîmes. La ville était de grande importance. Dès ses abords de lourds attelages tirés par des bœufs commencèrent à nous croiser. Cela nous mit quelque peu en joie, nous gardions encore en mémoire les silhouettes trottinantes et nerveuses des ânes de Judée... Les clameurs d'un marché montèrent bientôt jusqu'à nos oreilles. Simon et moi nous nous attendions à être abordés par le peuple de plus en plus nombreux des paysans et des marchands qui se pressaient à l'entrée de la bourgade, mais il n'en fut rien. Chacun s'affairait sans s'occuper du voisin. C'était à qui pousserait au mieux son chargement de grain et à qui presserait le plus ses chevaux porteurs de coffres ! Contrairement à la majorité des constructions, la porte par laquelle nous pénétrâmes dans l'enceinte était flanquée de deux tours massives tout en bois et de hautes palissades. L'ensemble créait un singulier compromis entre la vision romaine du monde et celle que nous pressentions déjà comme caractérisant les hommes de Kal.

Dès nos premiers pas dans la ville nous fûmes surpris par la richesse des bâtiments. Les rues étaient plus larges que toutes celles que nous avions jamais connues et la plupart des habitations étaient de belles pierres ou de briques soigneusement façonnées. Des hommes en armes, couverts de métaux et d'épais tissus circulaient en tous sens, presqu'aussi nombreux que les marchands. Nous comprîmes rapidement pourquoi notre présence n'intriguait personne : le mélange des races et des peuples était si présent qu'il ne pouvait en être autrement.

Avant que nous ne le quittions, Joseph nous avait expressément demandé de trouver la première grande ville dans la direction du soleil couchant car dans ses murs résidait selon lui, une vieille communauté d'hommes fidèles à la loi de Moïse. Ceux-ci, nous avait-il précisé, étaient installés là depuis plusieurs générations et seraient peut-être susceptibles de faciliter notre tâche ; il fallait également leur remettre un épais recueil parcheminé propice à hâter le rapprochement. Il nous restait à trouver ces hommes puis à laisser s'exprimer notre cœur afin que ceux-ci sentent le regard du Maître tourné vers le leur. La chose devait être aisée et il y avait tout à parier qu'ils seraient même heureux de voir venir à eux, deux de leurs frères lointains.

En vérité, nous étions bien naïfs dans nos longues robes maculées par la boue des marécages et avec notre chevelure porteuse de tous les parfums sauvages de la nature. Nous dûmes sans doute faire davantage figure de mendiants hirsutes que de réels ambassadeurs.

A force de questionner la foule, au fil des ruelles et des places, nous finîmes par arriver dans une grande cour, propriété, nous avait-on assuré, d'un important Collège de rabbis. Autour de nous s'élevaient de hauts murs couleur de terre. Ils nous donnèrent l'impression d'être de grands remparts dressés là pour protéger quelque secret trésor. Les bâtiments étaient noyés de soleil, de ce grand soleil blanc qui fait plisser les yeux. L'ensemble de la construction présentait de rares fenêtres, toujours minuscules, qui semblaient toutes obturées de l'intérieur par de lourdes tentures. N'osant appeler, la main placée sur le visage afin de protéger notre regard des éclats du jour, nous scrutâmes l'un après l'autre tout endroit où la vie pouvait se manifester. Enfin un bruit de gond se fit entendre. Nous nous retournâmes et dans l'embrasure d'une porte basse se découpèrent les silhouettes de trois hommes. Instantanément et avec une joie non dissimulée nous posâmes la main sur le cœur. Rien chez les trois hommes ne bougea, pas un sourcil, pas un pan de leur robe d'un bleu intense.

"Frères, hasarda Simon un peu décontenancé, nous sommes venus de fort loin afin de vous rencontrer. Consentez-vous à nous recevoir ?"

De longues barbes brunes s'agitèrent et les silhouettes daignèrent amorcer quelques pas dans notre direction. C'étaient des hommes à l'âge mûr, à la peau étrangement lisse, comme si elle avait été depuis toujours protégée des ardeurs du soleil.

"Que voulez-vous au juste ?" fit impassiblement l'un d'eux tout en nous toisant de pied en cap avec un regard métallique.

"Nous arrivons de la terre de Judée, au-delà des mers et nous sommes mandatés par Joseph de la famille d'Arimathie pour vous annoncer de grandes choses..."

Simon avait prononcé ces mots d'un seul trait, pris à nouveau par un enthousiasme qui avait dissipé sa première hésitation. Quant à moi, je me contentais d'observer le plus grand silence. Les hommes qui suivaient la loi de Moïse mais qui n'appartenaient pas au peuple d'Essania n'appréciaient guère qu'une femme prît les devants lors d'une conversation. Le moment ne me semblait pas opportun pour enfreindre la règle...

"Je ne connais pas cet homme dont tu parles, répondit assez sèchement celui qui nous avait déjà adressé la parole. A en juger par vos vêtements vous avez pourtant bien parcouru une longue route. Otez vos sandales et entrez."

A dire vrai, la chose fut rapidement faite car nous avions gardé l'habitude de voyager pieds nus, persuadés de mieux sentir ainsi le profond respir de la terre.

Nous passâmes devant les trois silhouettes droites et en nous courbant pour franchir le seuil de la petite porte indiquée nous remarquâmes juste les pans de leur robe magnifiquement disposés. Nos regards furent ensuite accrochés par de nombreux ornements dont la forme rappelait très précisément celle des glands.

La pièce était sombre et presque nue. Seuls deux coffres d'un bois assez ouvragé en meublaient un angle. On nous fit rapidement passer dans une seconde salle tout aussi peu habitée puis dans une troisième d'où partait un petit escalier de pierre grise donnant accès à un niveau supérieur. Quelque chose, peut-être une qualité de lumière, peut-être un discret parfum nous amena à songer à certaines maisons sadducéennes des ruelles de Gennesareth ou de Béthanie.

A l'étage, le décor s'avéra tout autre. Une bonne partie des murs était tendue de lourds tissus d'un bleu profond, parfois presque indigo. Des sièges sculptés, de petits bancs de bois soigneusement polis, une splendide et longue table basse couverte de motifs étranges était également disposés là dans un ordre manifestement calculé. A cela venaient s'ajouter une multitude de coussins, de nattes, tous plus riches les uns que les autres. Au milieu d'autant de biens, une seule chose nous était familière : dans la pénombre, cousu sur une tenture, vivait étrangement un carré de tissu peint sur lequel se détachaient les contours d'un grand arbre de la Création de tous les peuples de notre race. Il était là, comme un emblème discret mais fort d'implications, preuve ultime que nous avions frappé à la bonne porte et que nous allions peut-être parler le même langage.

36

Les trois hommes dont la rigidité fit peu à peu place à une plus grande courtoisie nous menèrent enfin dans une pièce proche où étaient disposées sur le sol quelques larges coupelles de métal et une énorme cruche. On nous y laissa afin d'accomplir nos ablutions et de revêtir la robe plus fraîche que nous tenions chacun méticuleusement roulée au fond de notre sac. Lorsque tout cela fut achevé, nous nous présentâmes à nouveau dans la belle salle richement pourvue de tentures.

Ce n'étaient pas trois hommes qui nous y attendaient mais une bonne dizaine s'adonnant à des discussions apparemment fort animées bien qu'entretenues à mi-voix. Avec un ensemble étonnant, les regards, à la fois curieux et acides, se tournèrent sans plus attendre vers moi. Je crus comprendre alors que ma présence en ces lieux n'était pas du goût de tous. Nul ne fit cependant de remarque et nous nous assîmes sur d'épais coussins disposés intentionnellement. Des doigts passèrent dans de longues barbes brunes et blanches et quelques voiles se rabattirent sur des visages. Ce fut l'homme qui nous avait reçus quelques instants plus tôt qui engagea le dialogue.

"Bienvenue à vous deux, dit-il d'une voix sonore et d'un ton suggérant presque le reproche. Je ne vous cache pas que seule la langue que vous parlez et qui est en vérité fort proche de celle que nous employons dans ces murs vous vaut d'être ici. Nous n'avons guère coutume de recevoir des étrangers, j'entends des étrangers à notre science et à notre savoir. Ce lieu se doit de demeurer un lieu d'étude et de prière pour ceux qui veulent rester fidèles à la loi de l'Eternel... Quel est donc votre but en pénétrant ici ? Quelle est votre parole si vous avez voyagé autant de lunes que vous le dites ?

"La Parole de l'Eternel..." répliqua audacieusement Simon.

"La Parole de l'Eternel est ici... dit sèchement un homme encore jeune tout en posant la main sur un ensemble de rouleaux réunis par une étoffe. Prétendez-vous être capables d'apporter quelque chose de plus à cette parole ?"

"Non pas, mais le Maître qui dirige nos pas, l'éclaire du soleil de la sienne..."

"Est-ce ce Joseph dont tu nous parlais tout à l'heure... nous ne le connaissons pas... Quel est ton maître pour oser commenter, selon toi, nos textes sacrés ?"

Je baissai les yeux, commençant à pressentir la difficulté de la tâche et l'agressivité qu'elle risquait de susciter. J'entendis Simon prendre longuement sa respiration, comme s'il allait y puiser toutes ses forces.

"Frères, fit-il, nous n'avons pas de maître au sens où tu le crois et celui dont nous voulons t'entretenir ne commente pas les anciens écrits, sa parole les vivifie, elle vient s'y greffer ainsi qu'un rameau nouveau."

Il y eut quelques éclats de rire, à peine contenus et l'homme jeune qui s'était adressé à Simon releva la tête en arrière avec un large sourire narquois.

"Comment peux-tu nous appeler frères, toi qui semble avoir une compréhension si étrange de la parole des prophètes ? Saches que la loi de l'Eternel est écrite à jamais ; nul ne peut en retrancher ou y ajouter ne fût-ce qu'un iota.. Certainement pas ce Joseph dont la renommée n'est pas venue jusqu'à nous."

Le jeune rabbi avait prononcé ce "y ajouter" avec une telle pointe d'ironie que je crus un instant qu'il ne restait plus qu'à nous lever et à partir.

"Yacub ! dit alors sèchement celui qui nous avait autorisé à pénétrer dans les lieux. Laisse-les s'exprimer. S'il y a sacrilège ou hérésie, cela doit se manifester en toute clarté."

"Frère, reprit rapidement Simon profitant d'une acalmie générale, si je tiens à vous appeler frères, c'est que nos pères le sont et si nous voulons vous conter l'histoire du Maître qui ne se veut pas maître ce n'est nullement pour vous combattre et jeter le trouble en votre cœur. Voici ce qui nous anime : les Ecritures s'accomplissent et c'est ce qui a poussé nos pas jusqu'à vous. Permettez-nous donc de nous exprimer librement car celui qui nous habite se nomme Jeshua, dans la lignée de David. Il a prêté son corps et son âme à l'accomplissement de ces rouleaux que je vois près de vous... Ecoutez..."

Simon entreprit alors de narrer la longue histoire de notre existence aux côtés du Maître.

Et dans la pénombre de la pièce, comme sous l'éclat de cent paires d'yeux scrutateurs, se mirent à revivre les chemins de Samarie, de Galilée et de Judée, les veillées avec le Grand Rabbi Blanc, les prodiges qu'il accomplissait, ceux plus grands encore qu'il formulait, l'incompréhension des hommes et enfin le mystère du Kristos. Cette histoire nous en avions mille fois répété les articulations dans le silence de nos nuits. Nous en avions mesuré toute la magie simplement en disant, voici ce que j'ai vu, voici ce que j'ai entendu et dont mon cœur est gonflé... Et le Maître parlerait à chacun...

Dès que Simon eût terminé, un des hommes se leva et quitta la pièce. Les sourires avaient disparu des visages, les sourcils s'étaient froncés et les traits s'étaient durcis.

Une voix s'échappa soudain de dessous un voile blanc rabattu depuis le début sur un visage incliné. C'était une voix âgée mais ferme encore. Elle tomba tel un couperet.

"Etes-vous venus nous dire que le massiah de tous les peuples d'Israël se nomme Jeshua et qu'il est votre maître ? Est-ce pour cela que vous avez accompli ce voyage ? Je préférerais avoir mal compris, étrangers, vos dires n'ont rien de commun avec la parole de Moïse et des prophètes. Le roi qui nous rassemblera tous sonnera de sa trompette par tous les vents de la terre, il déchaînera les tempêtes sur nos ennemis et dictera les volontés de l'Eternel à tous les hommes purs. Vous rendez-vous compte que vous souillez ces lieux en prononçant des paroles infâmes ? La loi est formelle et vous bafouez la loi !"

"Mais de quelle loi parlez-vous, hasardai-je enfin, résignée à me battre, de la loi des hommes ou de celle de l'Eternel, de votre loi ou de celle du Sans Nom ?"

J'avais déclenché l'orage. Un tonnerre de rires et de cris réprobateurs emplit la salle et se déversa dans ma direction. Cette fois, c'en était trop pour eux. Comment une femme osait-elle prendre la parole dans un débat qui prenait une tournure doctrinale ?

Persuadée que nous n'avions plus rien à perdre, je poursuivis sous l'œil inquiet de Simon.

"Frères, qu'avons-nous tous sur cette terre à toujours vivre la parole de l'Un aux temps du passé et de l'avenir ?

Pourquoi ceux qui véhiculent les mots de vérité seraient-ils éternellement l'apanage des jours anciens ou des époques futures ?

Pourquoi figer la Lettre alors que l'Esprit du Père nous inonde sans trêve ?

Dites moi enfin qui est votre maître à vous ? Comment se nomme-t-il ? Est-ce que ce sont quelques tablettes de pierre, un rouleau de parchemin ou l'amour dont le soleil se propose quotidiennement de vous emplir le cœur ? Quant à nous, nous avons choisi. Il y a une sagesse à laquelle nous avons résolu de boire chaque matin de notre vie. Elle ne contredit en rien nos antiques connaissances, elle en est au contraire le feu, l'origine et le devenir !

Le Maître dont nous sommes venus répandre la force est avant tout roi dans notre cœur. Il s'y confond avec la source de toute vie. L'essence qui l'anime c'est la beauté qui sommeille au fond de chacun de nous. Croyez-moi, il n'a que faire de chevaucher à la tête des armées humaines. Est-ce après un semblable souverain que vous courez ? Ne me dites pas que votre sagesse se trouve ainsi piègée ! En franchissant cette porte, c'étaient des petits fils de Jacob, des fils de Benjamin que nous voulions trouver, des hommes qui avaient maintenu le contact direct avec la lumière du Sans Nom et voilà que vous pétrifiez la flamme..."

"D'où tiens-tu ce que tu dis ? Qui t'a donné cet enseignement ?"

L'homme jeune, la stupéfaction dans les yeux s'était brutalement levé.

"Oui, dis-nous qui t'a parlé des fils de Benjamin" murmura plus posément un vieillard qui ne s'était pas manifesté jusqu'alors.

Dans son intonation, je devinai la première trace de bienveillance rencontrée dans ces murs. Par réflexe, dans l'espoir aussi d'y trouver quelque allié, je cherchai son regard.. Mais c'était un regard qui fuyait, qui se dissimulait à chaque instant, un peu perdu sous les broussailles d'épais

41

sourcils blancs. J'eus sans doute la sensation de m'être exprimée trop franchement et devinant mon hésitation, c'est Simon qui répondit à la question.

"Notre frère Joseph, avec qui nous avons franchi la mer, nous a longuement entretenu de vous, de l'origine qui est vôtre et de votre raison de vivre sur cette terrre de Kal. Il y a bien longtemps, le peuple d'Essania dont nous sommes issus, a conclu une alliance avec les fils de David. David et Benjamin étaient frères du même sang, ne soyez donc pas étonnés qu'un savoir vous concernant ait pu nous être transmis."

"Cesse ces stupidités ! reprit l'homme jeune avec un haussement d'épaules et une pointe d'acidité dans le ton. Comment pouvez-vous prétendre connaître nos pères et la raison de notre présence ici quand nous-mêmes cherchons à percer les desseins de l'Eternel à ce sujet ? Nous croyons que l'étude de la Parole sacrée est notre lot et il n'y a pas de lieu privilégié pour mener cette étude."

"Vous tous qui vénérez les textes des prophètes, sachez pourtant que les hommes de notre Tradition ont dans les temps immémoriaux, consigné par écrit l'histoire de quelques-uns de vos pères et le but de vos longues marches jusqu'à ces rivages."

"Faites-les sortir, nous n'entendrons pas plus longtemps pareilles histoires !"

Trois autres hommes venaient à leur tour de se lever, les poings crispés. Les longs pans soigneusement plissés de leur robe bleue s'agitaient avec frénésie. Désormais nous lisions la moquerie et la colère dans tous les regards. Simon se dressa aussi sans plus attendre et comme il se baissait pour ramasser son sac de toile, l'être à la forte

42

barbe brune qui nous avait introduits là, l'agrippa fermement par l'épaule, le poussant ainsi vers la porte.

J'eus l'impression qu'un lourd fardeau glacé pesait sur ma tête. Comment se pouvait-il que nous échouions dans ce rapprochement ? En une fraction de seconde, je revis la silhouette blanche du Maître s'exprimer avec fougue face aux prêtres du grand temple de Jerusalem. Etait-elle bien dans notre cœur cette énergie qu'il avait tant voulu nous communiquer ? Nous étions venus parler de rapprochement, d'amour et de lumière et nous commencions par récolter la haine !

Je me levai à mon tour avec le reste de l'assemblée et m'empressai de rejoindre Simon qui tentait à nouveau de s'exprimer au milieu du tumulte grandissant.

"Par pitié, frères, fit-il, daignez nous écouter encore quelques instants, nous venons les mains nues vous parler de ce qu'il y a de plus pur en l'homme..."

Il n'eut pas achevé de prononcer ces mots que l'homme jeune fendit le groupe de ses compagnons pour l'empoigner par le col de sa robe et le plaquer brutalement contre le mur de pierre.

"Pars, murmura-t-il d'une voix qui se voulait calme mais où l'on devinait une hargne mal contenue, ton monde n'est pas le nôtre et tu n'as rien à faire ici !"

"Qu'avons-nous pu vous montrer de vous et que vous n'acceptez pas ? Si ton cœur est désormais sec, mon frère, que fais-tu dans l'étude des écrits de nos Pères ? Je te disais tout à l'heure que nous n'étions pas venus jeter le trouble dans vos âmes mais, je t'affirme maintenant que si nous l'avons fait je m'en réjouis. Ne crois pas que ce soit la rancœur qui me pousse à te dire cela, c'est parce que je sais

43

qu'une conscience qui se repose est une conscience qui s'endort et se flétrit... Parce qu'un homme qui sommeille à l'ombre de son savoir est semblable à un épi de blé qui sèche sur pied. La violence que me transmet ta main m'enseigne à quel point ton cœur a mal... Et de quoi aurait-il mal sinon de ne pas connaître le soleil ? Si nous l'avons blessé, je te le répète, je m'en réjouis, car sa blessure n'est pas plus grave que celle de la terre qui reçoit la marque de la charrue."

Sur ces paroles, Simon se dégagea lentement de l'étreinte et ramassa une seconde fois son sac tombé au sol. Je le rejoignis sans attendre et nous nous dirigeâmes l'un et l'autre sans rien ajouter vers l'escalier de pierre qui menait au rez de chaussée. La petite assemblée était restée sans voix et c'est dans un silence pesant que nous passâmes d'une pièce à l'autre pour rejoindre la cour et ses hauts murs.

Avant de franchir le seuil étroit et bas qui y menait, tout au fond d'une pièce, nos regards captèrent un réduit mal dissimulé par une épaisse tenture de couleur pourpre. C'était comme une sorte de minuscule oratoire et dans une des parois de celui-ci une niche de forme rectangulaire avait été aménagée, une niche où reposait le crâne doré et incroyablement cornu d'un taureau. La vision fut brève mais suffisante pour nous faire songer à ces sculptures rituelliques que nous avions respectueusement observées na-guère dans les profondeurs du temple d'Héliopolis. C'était le taureau Méro dont les prêtres de la Terre Rouge avaient fait le symbole de la fonction terrienne de Lune-Soleil ; c'était l'énergie fécondité suggérée par la ligne du croissant des deux cornes de l'animal.

Les questions que cette présence suscita immédiatement en nous achevèrent de troubler nos âmes et lorsque nous fûmes à nouveau dans la cour muette et baignée de soleil, nos pas ne savaient où se diriger. Sans tarder nous nous engouffrâmes dans la ruelle déserte ; nos regards complices ne trahissaient plus qu'un désir commun de trouver quelqu'endroit afin de nous y recueillir.

L'agitation des échoppes montait déjà jusqu'à nous en un concert de cris et d'odeurs mêlés. Notre allure fut cependant bien vite stoppée par la présence d'une silhouette courbée sous la voûte d'une porte puissamment ferrée. Son maintien, les traits caractéristiques de son visage ne nous trompèrent point. Il s'agissait de l'un des rabbis qui venaient de nous malmener, le seul d'entre eux qui nous eût manifesté tant soit peu de bienveillance et d'écoute réelle. Nous n'eûmes pas le loisir de nous demander comment il s'y était pris pour se tenir là, à l'ombre discrète de cette porte car d'un geste de la main il nous engageait à nous approcher de lui.

"Amis, se mit-il à chuchoter tout en agrippant Simon par un pan de sa robe, j'ignore vos noms, je ne sais exactement d'où vous venez, mais je sens que quelque chose en vous dit vrai. Ne blâmez pas trop mes semblables ; depuis des générations que notre peuple a fait souche dans cette contrée, tant de choses se sont perdues et d'autres se sont déformées. C'est parce qu'ils ont pris conscience de cela que les miens ont durci leur attitude, afin de préserver ce qui reste d'une vieille science que les hommes d'un autre monde nous ont léguée. Leur cœur s'est peut-être asséché comme vous le leur avez dit mais la force de ce que vous avez conté a secoué la terre sous leurs pieds... Comprenez-le. Je sais moi-même par les récits de mes maîtres que nous sommes tous issus de la lignée de Benjamin, mais tout cela se perd dans la nuit des temps et nous nous sommes mêlés à tant de peuples en cheminant par les royaumes de l'Est. On dit que des tribus de rudes guerriers à la peau très blanche ont jadis épousé nos femmes et sont venus grossir notre rang. Ainsi, nous ne savons plus exactement mais je crois bien que dans les veines des hommes de cette ville et des plaines voisines circule encore un peu du sang de Benjamin[1].

Je sais que quelques-uns des chefs guerriers qui gouvernent la contrée observent assez fidèlement la loi de Moïse. N'est-ce pas un signe ?...

Mais dites-moi quant à vous, hormis le teint de votre peau vous ressemblez fort à ces prêtres d'Esus qui vivent à l'écart dans nos montagnes et visitent parfois la ville par groupes de deux ou trois. D'où venez-vous exactement ? Avez-vous dit vrai ?"

"Nous avons dit vrai" répondis-je simplement.

"Puisqu'il en est ainsi, parlez-moi donc de votre maître... Dites-moi, comment un maître peut-il refuser d'en être un ?..."

Alors, tout en murmurant ces paroles, le vieillard aux épais sourcils blancs nous attira un peu plus vers lui ; sans doute craignait-il un regard indiscret et quelque langue acerbe.

Je perçus enfin ses yeux, petites perles fatiguées mais cependant pétillantes de curiosité. Je crois bien que ce

---

1— Ainsi serait née   la tribu des Sicambres

jour-là, ce sont eux qui appliquèrent un peu de baume en mon cœur troublé.

Pendant quelques secondes, Simon parut chercher en lui de nouvelles forces puis il s'exprima ainsi :

"Peux-tu concevoir l'image d'un maître qui n'a pas de serviteur ? Il n'a pas de serviteur puisqu'il n'a pas besoin d'être obéi. Peux-tu simplement concevoir l'image d'un maître dont l'unique dessein n'est pas d'être honoré et servi, mais de s'emplir lui-même d'amour, de s'identifier à tel point à cet amour qu'il ne veut qu'une chose, partager sa vie.

Il y a dans l'infinité des mondes, frère, une source de Paix qui ne porte pas de nom. Elle est la force qui fait germer la vie et se partage entre le cœur de chacun tout en demeurant une et indivisible. C'est cette source d'éternité que notre Frère Jésus a appelé à s'exprimer en lui, lui permettant de prendre une telle dimension que l'énergie du Kristos l'a anobli. Tel est l'enseignement qui nous fut donné, tel est aussi le chemin proposé à ceux pour qui l'amour est meilleur guide que la crainte, pour qu'aussi, l'expérience de cet amour vivifie les mille signes de ce que les hommes appellent la Loi. Voilà ce qui nous fut enseigné... qu'il sert si peu de croire... mais bien plutôt d'apprendre à connaître. Il y a beaucoup plus à donner qu'à recevoir, car qui a vu Kristos en lui même ne peut épuiser son trésor.

Nous ne voulons pas te convaincre, ni toi ni ceux de cette ville car ce qui commence à fleurir en nous sait fort bien que l'on n'impose pas la volonté d'aimer à un cœur comme on hurle un ordre à une cohorte. Le corps peut obéir et le cœur faire mine d'obéir mais en vérité tant que l'un et l'autre n'auront pas souhaité ne faire qu'Un... il n'y aura pas de porte ouverte et pas de paix..."

"Oui, dit le vieillard, oui... si tout cela est vrai et sans fourberie que ferons-nous donc des livres... ?"

"Peut-être l'heure est-elle venue pour vous de ne plus les apprendre mais de commencer à les lire, peut-être même ne vous faut-il plus les lire mais les écouter. Est-ce seulement à vos yeux qu'ils veulent parler, mon frère ?"

Le vieil homme ne réagit pas ; son regard sembla plutôt se perdre dans le vague tandis que derrière lui sa main chercha le bois de la porte. Il recula d'un pas et du poids de tout son corps en fit grincer les gonds. Alors, nous vîmes sa silhouette courbée s'estomper lentement entre les vantaux entrebâillés, nous laissant à peine deviner derrière elle un îlot de verdure et de fleurs écarlates.

Nous nous retrouvâmes seuls avec au cœur un peu plus de silence, un peu plus d'hésitation, d'interrogations. La main sur le sac qui lui pendait au côté, Simon serrait de façon contractée la masse des écrits que nous avait confiés Joseph. Qu'en ferions-nous à présent que rien ne s'enchaînait comme dans nos rêves ?

Il ne nous restait plus qu'à nous faufiler parmi les échoppes, et à affronter la vie d'un peuple bruyant.

En parcourant la ville à la recherche de nous ne savions au juste qu'elle direction, nous eûmes ce jour-là la sensation d'être agressés par son opulence ; ce n'étaient que métaux précieux, fines poteries et lourds tissus. Etaient-ce les Romains dont les casques et les glaives rutilaient dans toutes les ruelles qui avaient donné le goût de cette richesse aux hommes de Kal ou ceux-ci la portaient-ils déjà en eux-mêmes ?

Sur une placette, à côté d'un tas de légumineuses dont nous ignorions le nom, un garçonnet s'amusait sous l'œil

de la foule avec une chèvre à laquelle il paraissait s'être in-
génié à apprendre quelques tours. En voyant l'animal
danser sur ses pattes arrière, emportés par l'ambiance
générale, nous nous prîmes à rire... Et ce rire était sans
doute une façon de ne plus penser, une façon de commencer à partager la vie de ces hommes et de ces femmes
dont nous ne savions plus s'ils daigneraient même nous
écouter.

Une petite chanson de notre village si mit alors à trotti-
ner dans ma mémoire, elle disait à peu près ceci : "D'où
vient leur joie mon père, est-ce de regarder leur soleil, est-
ce de contempler l'Eternel ? D'où vient ta soif mon fils,
est-ce d'écouter ton corps ou est-ce d'entendre ton cœur ?"

Et comme le jour avançait dans sa course nous résolû-
mes de franchir en sens inverse les portes de la ville afin
de trouver quelque bosquet pour la nuit.

# CHAPITRE III

# Sur les chemins intérieurs

N ous marchâmes toute la journée du lendemain en direction du Nord. A vrai dire, nous ne savions au juste quelle route nous empruntions ; en nous demeurait simplement la sensation que toutes nos forces s'enfuyaient les unes après les autres. Nos pas étaient lents et plus nous nous enfonçions dans la ligne bleue et ondulée des montagnes, plus nous nous trouvions seuls. Nous partageâmes pourtant le repas frugal d'un berger qui gardait ses chèvres puis celui d'un couple de vieillards qui cultivaient un lopin de terre caillouteux à flanc de coteau, rien n'y faisait... car en vérité, c'était notre cœur qui avait froid, faim et soif.

Une bonne partie du jour, nous fûmes protégés des éclats du soleil par de longues et hautes bandes de pins ombreux qui s'étiraient sur les pentes des montagnes. Leur fraîcheur nous procurait un peu de la paix dont nous avions besoin et nous aida à rassembler les quelques idées qui nous restaient mais qui s'étaient soudainement éparpillées comme les membres d'une armée en déroute.

Comme les membres d'une armée en déroute !... Cette étrange comparaison m'était venue spontanément et recèlait, semblait-il, une des clefs de la peine que nous portions. Ce n'est qu'avec l'arrivée du soir que nous vîmes un peu plus clair en nous et que nous pûmes, tout en poursuivant notre marche, faire véritablement le point sur ce que nous étions en train de faire. Nous ne possédions pas de carte du pays ; à peine d'ailleurs avions-nous pu observer à la hâte les contours succincts de la Terre de Kal des mois auparavant avant de prendre la mer... Joseph, nous avait seulement dit : "Vous devez absolument conformer votre avance aux veines de la terre que vous foulerez et cela une fois que les grandes directions vous auront été suggérées".

C'était ce que nous avions fait, nous efforçant à chacun de nos réveils d'écouter un langage intraduisible, un langage que deux mille ans de pérégrinations paraissent avoir totalement gommé du souvenir des hommes. Il se manifestait comme une espèce d'instinct sacré qui faisait que nous savions tous que la terre avait besoin de nous et que nous avions besoin d'elle vers tel point précis de l'horizon et non vers tel autre. Le Maître lui-même n'avait pas agi autrement et n'avait cessé de nous enseigner ce principe durant de longues années.

"Vous appartenez plus à la terre qu'elle ne vous appartient, avait-il fréquemment répété, voilà pourquoi c'est à un mariage avec ses forces que je vous convie, voilà pourquoi aussi je vous dis, soyez comme le flux qui coule dans ses veines. Qu'elles serpentent dans le sable, qu'elles affleurent le limon ou s'enfoncent dans les crevasses des montagnes, ces veines sont semblables à une nourrice qui sait comment faire grandir ou décroître la race des hommes."

Nous avions cherché à vivre cela jusqu'à cette ville, jusqu'à ces murs et à ce cercle de rabbis. Mais le remords commençait de nous tenailler... Peut-être n'avions nous pas été à la hauteur de la tâche, peut-être aussi, cette marche vers les montagnes du Nord était-elle plus la conséquence d'une fuite que d'un appel ?

C'est sur ces pauvres idées qui balayaient en notre cœur comme un vent d'automne tout ce qui nous restait de confiance que nous trouvâmes de hautes fougères à l'abri d'une forêt de châtaigners. Harassés, nous posâmes là nos sacs, nos manteaux et fîmes notre couche. Blottis l'un contre l'autre, la nuit passa d'un trait, engourdissant les réflexions que nous voulions prolonger dans son silence et ankylosant nos muscles dans un voile d'humidité.

Une étrange lueur nous tira de notre sommeil, une lumière blanche, si blanche que nous fûmes d'abord éblouis par sa pureté au travers de nos paupières. Avant même que j'ouvris les yeux, j'eus la sensation indicible qu'elle venait à la fois du dedans de notre corps et d'une source extérieure à lui. Alertés par une douceur si puissante, nous nous assîmes presque simultanément sur notre lit de fougères, les yeux plissés, pressentant confusément quelque chose.

Mais ce n'était pas le soleil qui nous caressait ainsi, le velours de ses rayons n'avait jamais manifesté un éclat si serein...

Un être en longue robe se tenait debout dans les herbes à quelques pas de nous. Il était nimbé d'une telle auréole de paix, son sourire était si doux que je ne pus empêcher quelques larmes de noyer mes yeux. Il se dressait là, muet et c'était brusquement comme si la forêt n'existait plus. J'entendis simplement Simon qui murmurait à peine ces mots : "... le Maître !"

En un éclair alors, je pris une grande inspiration et je sentis mes yeux vivre autrement. Les troncs forts des châtaigners, leurs épaisses ramures m'apparurent à nouveau... Le Maître était bien là au pied de l'un d'eux... il nous regardait tel un soleil qui nous lavait de tout ce qui était étranger à nos êtres. Sans doute dans le but de nous prouver la réalité de sa présence, sa haute silhouette fit quelques pas vers nous et nous vîmes les longues tiges des fougères s'écarter sur son passage.

"Mes amis, entendîmes-nous sans que ses lèvres aient même remué, mes amis, pourquoi autant de bruit en vos cœurs ?"

Nous ne sûmes que dire. Depuis les poignants regards échangés dans une petite bergerie de Galilée, tant et tant d'années s'étaient écoulées dans l'attente de l'or d'un tel instant... Et il fallait que ce fût là, au moment même où nous nous en sentions le moins dignes !

Le corps de lumière densifié du Maître s'approcha encore un peu de nous ; sa manifestation était si nette que la rosée se mit à former sur chacun de ses pieds une arabesque de joyaux irisés.

"Mes amis, reprit-il, quelle raison avez-vous donc de vous laisser dévorer par tant de tumulte ? J'ai cru lire en vous le regard craintif de soldats en déroute... Faut-il que je comprenne que vous avez pris les armes pour parler ma langue aux hommes et aux femmes de cette terre ? En vérité pourtant, sachez-le bien, si c'est une guerre que vous menez, vous en serez les éternels vaincus. Je vous le dis pour les éternités à venir : celui qui s'exprimera en mon nom écrira sur du sable s'il agit avec l'âme d'un conquérant. Celui qui emprunte ma langue est l'éternel disciple ; jamais il ne développe le regard de celui qui sait et qui impose son savoir. Seule la loi des hommes peut-être imposée. Quant à moi, je n'en ai pas d'autre que celle d'Amour et cette loi-là ne se dicte pas, elle se sème et s'entretient lentement ; ne voyez pas en elle la fleur née d'un rêve humain, mes frères, elle est la réalité qui croît lorsque le reste s'effrite.

Ainsi, croyez-moi, il n'y a nulle conquête à accomplir en mon nom ou en celui de mon Père, que ce soit dans ce royaume ou dans d'autres mondes. Celui qui revêt l'armure, fut-il en possession d'un rayon de soleil, combat avant tout pour sa propre gloire, il ajoute une carapace de plus à la multitude des écorces de son âme incarnée. Sachez-le bien, mes amis, que le rythme de votre marche, celui de l'avance des fils de Kristos, ne soit jamais pour vous, pour eux, semblable à une affaire personnelle à résoudre où à mener à bien.

L'orgueil de l'homme est l'adversaire le plus rusé dont celui-ci ait à se défier. Il se loge dans les interstices les plus secrets de sa personnalité et se repaît des mille choses quotidiennes qui la composent. Je vous le dis et ainsi le dirai-je dans l'éternité des temps : *qui* parle en l'homme ? Est-ce un masque qui veut "bien faire" ou est-ce la Force qui est au-delà des forces ? Que ceux qui empruntent la langue du Soleil abandonnent ainsi leur propre langue car ils ne voient pas qu'elle contribue à tisser la dualité des mondes. Il n'y a ni échec ni victoire sur le chemin qui est mien car en vérité ce chemin se confond avec le Kristos ; il ne se conforme à aucune des réalités qui sculptent les personnalités de chair, il est la Réalité.

Mes amis, ne parlez pas tant de mon nom qu'en mon nom, car en lui est une essence de liberté, un feu pour dissoudre les chaînes. Nul ne saura jamais faire don d'une telle essence car elle est la fleur d'acceptation de la grandeur du cœur vrai. Le but fleurit dans le chemin qui y mène et l'initiation que je vous offre est ce chemin lui-même.

Vous deux, Myriam, Simon, vous vous étudiez, vous vous étudiez comme des millions d'êtres l'ont fait et comme des millions d'êtres le feront encore. Mais comprenez-le, celui qui s'analyse le fait toujours de l'extérieur, il pèse, il juge ; en réalité croyez-moi, il n'est pas en lui-même. Ne transmet l'éternel Amour que celui qui demeure en lui, que celui qui fait une seule mélodie de son esprit, de son âme et de son corps. Ainsi, comprenez qu'en vous comme en tous ceux qui veulent que germe l'essence de Vie, ce sont les joyaux du Soleil, de la Lune et de la Terre qu'il convient d'unir. Ce mariage forgera la noblesse des hommes de la Grande Paix. Il laissera agir la volonté de mon Père jusque dans leurs corps, il brisera les désirs du masque, saura lire derrière la visage illusoire des événements.

Dites-moi mes frères, ce qui s'exprime en vous tandis que vos cœurs sont gonflés de peine. Pleurez-vous votre impuissance à faire plier les événements à ce que vous croyez bon ou pleurez vous l'ignorance de celui qui dort en corps ? Dans les deux cas sachez que votre souffrance est illusoire car n'a-t-il pas mieux à faire, celui qui se lamente sur lui-même et sur les autres ? Chacun, ne l'oubliez pas, en mémoire de cette heure où votre fardeau vous semble pesant, chacun est l'ignorant d'un autre... Sommeil et éveil ne sont que mirages, c'est une aube véritable qu'il vous faut chercher et montrer du bout du cœur. Une aube qui n'est pas de ce monde mais qu'il faudra faire fleurir en ce monde. Cette humanité est encore comme une racine qui ignore la fleur qui l'a fait naître. Hissez-vous dès à présent jusqu'en haut de vous-mêmes, jusqu'au calice où vous êtes tels qu'en vous-mêmes. Souvenez-vous, frères, souvenez-vous de la seule Paix qui soit, celle que l'on n'impose pas !"

Le Maître se tut et le silence qu'il déposa alors en nous fit éclater une joie dont nous ne nous croyions plus capables. Nous restâmes ainsi longtemps, me sembla-t-il, à le contempler immobile, faisant vibrer de millions de gouttelettes d'or ce petit coin de forêt où nous avions élu domicile pour une nuit. Je ne vis bientôt plus que son sourire qui s'incrustait en mon âme puis mes yeux se fermèrent d'eux-mêmes comme si l'image en eût été trop puissante.

A ce moment précis, quelques mots se glissèrent en nos cœurs :

"A quelques pas d'ici, en amont du torrent que vous allez rencontrer, vous trouverez aisément une antique construction adossée au rocher. Cherchez dans ses profondeurs ; ce que vous en ramenerez vous servira de présent pour le prochain village où vous pénétrerez... Allez maintenant..."

Lorsque j'ouvris les yeux, la silhouette du Maître avait disparu. Il n'y avait plus désormais autour de nous que le silence cristallin de la forêt qui dormait encore. A mes côtés Simon venait de poser le front sur le sol et sa respiration saccadée témoignait de son émotion intense.

"Myriam !" fit-il soudain en se redressant. Et sans qu'il fût besoin d'ajouter quoi que ce soit, submergés par un flot de joie, nous nous empressâmes de rassembler nos quelques affaires.

Les manteaux jetés à la hâte sur les épaules, nous entamâmes une marche effrénée dans la direction indiquée. Il me souvient encore que le bonheur qui nous emplissait avait développé en nous une sorte d'état hypnotique. Nos esprits tendus vers un seul but avec une conscience aiguë du seul instant présent, décuplaient la précision de nos gestes, paraissant anesthésier nos membres. Ainsi, nous courions de fossés en rochers et nous nous enfoncions dans les taillis sans en ressentir la moindre douleur ni même subir le plus petit ralentissement dans notre allure. Il nous semblait que nos corps ne nous appartenaient plus, que c'était quelque chose de plus que nous-mêmes qui en tiraient les fils et leur distillait un incroyable influx. Tandis que je courais, j'avais conscience de cet état merveilleux et lorsqu'il prit fin parmi les éboulis d'un petit torrent rugissant, ma première pensée alla vers le vieux Zérah de mon enfance.

"Vois-tu, m'avait-il dit un jour, lorsque l'esprit humain entre en contact spontané avec une source divine, ses relations avec son corps peuvent devenir celles d'un créateur avec sa création. Il parvient à le dynamiser à un point que tu imagines mal. Les Anciens disaient que si un membre était tranché alors que l'esprit qui l'anime s'incarne à ce point dans sa matière, il peut se voir immédiatement régénéré. Pour ma part, je n'ai jamais assisté à cela mais je crois la chose fort possible. Sais-tu bien, Myriam, que le corps humain que tu vois n'est que le maillon le plus grossier de ce qui compose l'homme ? Honore-le puisqu'il est le vaisseau par lequel tu connais l'un des visages du Sans Nom mais n'oublie jamais que le soleil qui brille en lui en est l'artisan illimité. On dit qu'autrefois, les hommes qui formaient notre peuple étaient capables d'accomplir de très grandes distances, de faire des sauts prodigieux lors de circonstances importantes. On dit aussi, vois-tu, que c'était à la suite d'un patient travail par lequel leur âme humaine s'extrayait à demi de leur corps..."

Le torrent près duquel nous avions fait soudainement halte s'annonçait plus important que nous ne l'avions imaginé. C'était une multitude de petites cascades bondissantes parmi un chaos de pierres grises extraordinairement polies. Tout cela se faufilait comme une large banderole féline et argentée au milieu des pins. Nous n'étions guère essoufflés et sans prendre garde à nos robes déjà mouillées par ses éclats, nous entreprîmes d'en remonter le cours, le temps qu'il le faudrait. Un sourire, quelques regards échangés, une main tendue nous suffirent. Tout nous paraissait avoir été déjà dit ce matin-là !

Cette fois pourtant, nos muscles nous signalèrent leur existence et l'escalade parmi les rochers luisants de gouttelettes d'eau et entassés pêle-mêle s'avéra plus difficile...

Nous comprîmes alors que notre propre énergie avait déjà repris le dessus... Mais peu importait, notre mémoire était lavée et c'était l'Essentiel qui venait à nouveau nous habiter. De toute mon âme je priais pour que cette force demeure et je n'entrevoyais plus que des jours heureux quand bien même on nous eût lapidés !

L'escalade fut d'assez courte durée. Bientôt sur notre rive, encastré dans d'énormes blocs rocheux se mêlant à des arbres noueux, quelques pans de murailles lézardées retinrent notre attention. Nous nous en approchâmes. La nature avait sans doute depuis fort longtemps déjà repris possession des lieux.

La bâtisse, ou plutôt ce qu'il en restait, était adossée à ce qui évoquait l'entrée d'une grotte. Elle se composait de trois petites pièces communiquant par des portes basses et les plantes grimpantes ; les herbes et les essences les plus diverses s'y développaient avec le plus parfait bonheur. Dès que nous en franchîmes le seuil, nous y perçûmes une vie intense, une présence aussi apaisante que celle que l'on ressent parfois au cœur de certains sanctuaires. Les hommes du peuple d'Essania croyaient dans l'existence de ce qu'ils appelaient, les anges de la Nature. C'étaient pour eux des êtres créés pour aider à la vie de la Terre, des êtres nés par la force de pensée d'une race bien antérieure à la nôtre, d'une force d'amour qui n'avait jamais vécu dans notre monde et demeurait à proximité du soleil.

"Peu importent les mots avec lesquels vous comprenez et expliquez tout cela, nous avait-on enseigné à ce sujet ; lorsque l'on aborde les forces de la Nature, l'essentiel est d'abandonner cette idée de plus en plus présente chez certains d'entre nous que seule l'intelligence humaine s'y déplace. Que l'on appelle âme une force, esprit une énergie n'est que jeu de langage. La seule chose à ne jamais oublier est que la Vie, pensante et ordonnée baigne tout l'univers et que l'homme ne saurait mépriser ce qui lui semble la plus infime de ses manifestations sans se couper un peu de ce qui lui permet de demeurer lui-même."

Dès les premiers branchages écartés et la paix du lieu respirée à pleins poumons, nous commençâmes à nous y déplacer avec respect. Outre cette atmosphère magique qui subsistait, rien ne paraissait vouloir attirer là notre attention. Dans la petite salle centrale, en avant d'un mur qui dissimulait partiellement l'accès à une cavité dans le rocher, ne restait qu'une table basse carrée, toute de pierre. Celle-ci était fendue par le milieu et couverte de mousse. Tout naturellement nous nous sentîmes attirés vers le creux du rocher et contournâmes le reste de la paroi de pierre qui s'y appuyait. La grotte interdisait que l'on s'y tint debout. Nous souvenant des paroles du Maître encore toutes vibrantes en nous, nous commençâmes d'en inspecter les murs, le sol, essayant non sans peine d'y accoutumer notre regard. Mais, rien... rien si ce n'était deux ou trois chauves-souris et un foisonnement d'araignées. La roche offrait partout un visage lisse et excluait l'hypothèse selon laquelle quelque chose avait pu y être dissimulé.

Pas un seul instant, le doute ne nous assaillit pourtant sur la réalité de ce que nous avions vécu. Nous en palpitions encore, bouillant d'une certitude inébranlable. Nous échangeâmes quelques phrases hâtives déjà prêts à faire le serment de demeurer là jusqu'à ce que notre résolution fût récompensée, jusqu'à ce qu'aussi, peut-être, nous fussions plus dignes du présent qui nous avait été fait.

Que nous fallait-il dans ce temple de verdure et de pierre ?De la patience, de la confiance ou un peu de sagacité ?

Nous n'eûmes pas le temps d'analyser réellement la situation. C'est la nature elle même qui se chargea de guider nos regards. Un petit rongeur se faufilant furtivement entre les feuilles mortes et les branchages épars qui jonchaient le sol retint notre attention quelques instants puis sembla disparaître dans le sol, exactement sous la table de pierre carrée. Il n'en fallut pas plus à Simon, qui s'était assis sur les vestiges d'un muret pour se diriger aussitôt vers elle puis basculer l'une après l'autre les deux parties de son plateau brisé.

Je sens encore nos mains un peu fiévreuses dégager le sol entre ses quatre pieds. Il y avait là dissimulée sous la mousse et la terre amassée par les vents, une petite dalle de pierre informe. Sur l'un de ses côtés, elle s'était affaissée légèrement laissant apparaître un interstice dans lequel avait dû glisser le petit animal. Les doigts de Simon y cherchèrent immédiatement prise et, après quelques tentatives, le bloc fut soulevé puis basculé sur le côté. Nous tressaillîmes, une cavité pratiquée dans la terre et le roc venait d'apparaître, une cavité soigneusement aménagée et suffisamment grande pour qu'un enfant pût s'y blottir. Au milieu de celle-ci, nous vîmes une masse grisâtre et poussiéreuse qui nous parut d'abord totalement informe. C'était un paquet de grosse toile en lambeaux, rongé et dégageant une terrible odeur d'humus. Nous restâmes là, quelques instants, sans oser y toucher, tentant simplement de comprendre... Parmi les morceaux de toile désagrégée, nous remarquâmes enfin quelque chose qui nous fit songer à des ramures. La poussière qui les recouvrait était d'une teinte étrange ; il ne me semblait pas qu'elle fût celle des bois d'un animal... dont je n'avais d'ailleurs pas idée. Agenouillée au bord du trou, je hasardai alors un bras dans sa direction et laissai un doigt en caresser le contour. Sous la couche de poussière, une belle et chaude couleur dorée se mit alors à lancer un éclat. Et par ce simple geste, tout changea, c'était comme si notre trouvaille tout entière acquérait vie...

D'une main, Simon saisit alors fermement l'ensemble du paquet et le hissa jusqu'à la surface du sol dans une volée de terre et de feuilles découpées. Ce qui restait de grosse toile n'y résista pas. Nous n'avions plus sous les yeux que le crâne déjà jauni d'un cervidé aux imposantes ramures, aux fantastiques ramures méticuleusement recouvertes d'un métal doré...

En cet instant, je crois bien que nos esprits fusionnèrent... Je n'eus qu'une pensée reliée à une source précise, une idée que Simon vint à exprimer en un seul mot jaillissant de ses lèvres : "Cernunnos" !

Cernunnos, la grande force de régénération que les peuples du septentrion avaient divinisée sous les traits d'un cerf... Il ne nous souvenait pas avoir aperçu semblable animal mais les descriptions que le Maître nous avait fait de ses représentations achevèrent de nous conforter dans notre première impression.

"Simon, fis-je, voici l'image d'un dieu qui, pour les hommes de ce pays et selon les enseignements du Maître, représente tout ce que l'univers porte en lui de force de résurrection. Le dieu aux grandes ramures signifie sur cette terre, la loi de l'éternelle renaissance. Tous ceux qui se désaltèrent avec la sève en circulation dans son corps métamorphosent eux-mêmes en coupe d'immortalité... Te souviens-tu ?"

Il nous était difficile de calmer notre émotion... Tous deux nous décidâmes alors de nous asseoir là quelque temps afin de méditer et de nettoyer comme il se devait le crâne aux fonctions sacrées.

La matinée s'annonçait fraîche et une pluie fine qui se mit à tomber nous obligea bientôt à nous abriter dans un renfoncement du rocher.

"Comme tout est clair, désormais, murmura Simon, tandis qu'il polissait avec précaution l'or de l'un des bois. Par ce présent, le Maître nous rappelle une fois de plus que la tâche qu'il nous confie s'inscrit dans une continuité, qu'à aucun prix nous ne devons briser pour reconstruire, mais au contraire apporter une couronne à ce qui est déjà bâti. Nous l'avons bien vu, Myriam, l'espoir en l'ultime régénération de l'être, la connaissance intuitive de cette possibilité est présente aux tréfonds de tous les cœurs humains. Souviens-toi des paroles de Joseph sur les hauteurs de Jérusalem et vois comme notre peuple lui-même a déjà remodelé, selon son ardent désir, le récit de la régénération du Maître. Ce crâne nous confronte une fois de plus à l'évidence : la certitude de l'éternel retour vers notre frère le Soleil est le vrai bâton de pèlerin qui facilite la marche des habitants de tous les royaumes de ce monde. Nous savons que ce n'est pas un rêve.

C'est la confirmation de cette connaissance que tous ceux dont le bonheur est semblable au nôtre doivent apporter aux êtres qui croisent leur chemin. Rien d'autre, vois-tu, n'est demandé aux hommes portant un peu du regard de Kristos en leur âme !"

"Je le sais, repris-je comme si quelque chose de plus fort que moi m'obligeait à tout formuler à haute voix et plus clairement que jamais, comme si enfin le son de ma propre voix devait jouer en ma conscience, le rôle d'un ciseleur. Je sais aussi que le temps est révolu de dire aux hommes de croire pour croire, parce que la simple croyance est souvent la mère des dogmes trop humains, puis la sœur des superstitions. Il faut désormais que notre travail, que celui de tous ceux dont le cœur est une fenêtre vers l'amour, soit avant tout une clé pour la connaissance. Et, souviens-t'en, cette connaissance n'est rien d'autre que l'expérience directe avec l'Unique Lumière intérieure !

Le corps a besoin de reconnaître son propre esprit, de renouer avec lui plutôt que d'accomplir des rites dont la force initiale s'effrite au fil des âges.

Combien d'hommes, combien de femmes, peux-tu me le dire, Simon, ne croient en l'Eternel Soleil, ou en tous les attributs qu'il revêt d'un peuple à l'autre, que parce que leur père, parce que leur mère y ont cru avant eux ? Ceux-là font de leur croyance une statue... Ou une forteresse inexpugnable à l'intérieur de laquelle ils ne veulent pas s'aventurer eux-mêmes..."

"Ils ne veulent pas s'y aventurer de peur de s'y découvrir... mais tout aussi nombreux sont ceux qui ignorent simplement qu'ils peuvent y accomplir un bout de chemin. Myriam, je te l'ai dit, il me semble maintenant que tout s'éclaire. Il faut que nous parlions du laboureur que l'homme se doit d'être envers lui-même. Il faut que chacun comprenne que sa tâche ici-bas est de pétrir la glaise de son corps et de son âme. Nous avons tous oublié que la lumière du Sans Nom ne se révèle pas à grands renforts de litanies. Il n'est pas l'accomplissement d'un rite, pas le respect d'un dogme qui puisse ouvrir les portes du séjour de Paix tant que notre esprit n'a pas ensemencé la matière par laquelle nous vivons en ce monde... et cela jusque dans son acte le plus insignifiant !

Ne demeurons plus comme des terres en friche Myriam. Récolte celui qui a bien voulu semer et ne sème en lui que celui qui a laissé pénétrer en son cœur le sillon d'une charrue. Nous devons tout faire pour transmettre cela, je ne parle pas de l'enseigner... car ce que je comprends de Kristos est que sa paix ne se délivre pas telle une recette !

Les grands symboles dont la terre entière est parsemée y aident simplement en réveillant, en dérangeant souvent nos mémoires enfouies... ainsi ce crâne. Regarde comme le dessin de ses cornes suggère à la fois la germination, l'élan vers le domaine céleste et un réceptacle, une véritable coupe. Le Maître disait aussi voir dans de telles ramures un lieu d'échange privilégié entre les influences à la fois grossières et subtiles. Pour les hommes de ce pays, elles constituent, si ma mémoire est fidèle, une promesse d'affranchissement possible, un peu comme la réponse imagée à un appel vers le haut que la nature porte en elle-même depuis l'aube des temps. Je crois que Cernunnos est un des symboles de l'homme divinisable, Myriam ! Et, n'est-ce pas justement de cela dont nous venons parler aux habitants de Kal ?"

La pluie cessa. Nous sortîmes alors de notre abri, nous glissant avec mille précautions parmi les éboulis de pierres moussues. Les rugissements du torrent firent à nouveau irruption en nous. Nous venions de vivre de tels instants dans notre univers intérieur que sa présence s'était en fait totalement estompée.

"Plus j'avance sur ces terres, ajouta Simon, en s'agrippant à une poignée de branchages secs, plus je sais que la parole que le Maître attend de nous tous est une éclatante révolte contre l'ordre de ce monde.

"L'énergie d'amour que je vous incite à retrouver passe par la pensée, les mots et les actes. Le mot est à la frontière entre la pensée et l'acte. Il est comme une force qui chevauche la réalité de deux mondes. Perpétuellement, vous apprendrez donc à en maîtriser l'utilisation car perpétuellement face aux hommes de ce royaume vous comprendrez que la difficulté est de parler de Paix en des termes à peine voilés de révolte. La Paix que je vous donne est nécessairement un glaive, frères, même si celui-ci offre un fil de lumière !"

Il est étrange que cet enseignement du Maître puisse me revenir avec une telle acuité aujourd'hui, Myriam. Peut-être n'ai-je jamais pu en appréhender réellement toute la portée avant cette heure... ?

La journée se passa ainsi, nous passions de réflexion en réflexion, de souvenirs en exaltations, prêts à tout affronter, à tout pardonner.

Elles étaient belles ces montagnes que nous foulions. La douceur des premiers jours d'automne les caressait, s'y attardait. Plus d'une fois nous nous mêlâmes à de petits groupes d'hommes et de femmes qui paraissaient vivre comme des nomades, à la tête d'une poignée de chevaux fougueux chargés d'une multitude d'ustensiles.

La plupart arboraient d'épaisses chevelures tressées et couvertes de cendres. L'air un peu gauche dans leurs amples tuniques de peau mal tânée, ils manifestèrent une certaine curiosité à notre encontre. Le crâne de cerf que nous portions avec un infini respect et qu'il nous était impossible de dissimuler ne parut quant à lui, rien leur évoquer.

Combien de jours avons nous ainsi marché avant d'apercevoir ce qui pouvait ressembler au village annoncé ? Je ne saurais le dire. Mon âme garde juste en mémoire la vue d'un grand brasier odorant à l'entrée d'une forêt puis d'un groupe d'humbles habitations de terre et de bois, d'où montaient des beuglements.

C'est là par un petit matin brumeux, que nos sacs se posèrent enfin au milieu d'une nuée d'enfants...

# CHAPITRE IV

# Ceux de Kur

S ack hare, sack hare... ! hurlait la voix rocailleuse d'un homme qui marchait vers nous d'un pas énergique. Et comme il n'en finissait pas de répéter ces mots, il se baissa soudain pour ramasser une poignée de cailloux dont il jeta une volée à la débandade d'enfants qui accouraient encore vers nous.

Mais rien n'y fit et très vite nous ne pûmes plus avancer un pas devant l'autre. C'était à celui qui toucherait nos vêtements au plus près, à celle qui palperait le plus habilement le contenu de nos sacs, à grands renforts de piaillements. Les regards étaient avides de curiosité et les sourires laissaient filtrer malice et tendresse...

L'homme nous avait rejoints et tentait maintenant d'éparpiller tout ce petit monde. Fort heureusement quelques femmes et deux ou trois vieillards apparurent bientôt comme par enchantement l'aidant enfin dans son entreprise. Les mots qui s'échappèrent de leurs bouches pendant ce temps calmèrent rapidement notre dernière inquiétude : leur langue était très semblable à celle que nous nous étions efforcés d'apprendre à la hâte ; à peine se montrait-elle plus âpre, moins mélodieuse.

Dès que nous eûmes retrouvé un peu plus de calme, ce furent les adultes, d'abord surpris que nous comprenions leur parler, qui nous assaillirent de questions. Nous ne savions que répondre à tous ces visages qui se tendaient vers nous. C'étaient ceux, pour la plupart émaciés, d'êtres qui devaient travailler la terre rudement. Les sillons de leurs visages, les prunelles sombres de leurs yeux parlaient de pauvreté mais aussi de profonde gaieté, de bonheur discret.

Immédiatement, bien que submergés par l'exhubérance d'un tel accueil, nous nous sentîmes en confiance, presque chez nous.

Au milieu d'une simplicité extrême et d'une spontanéité sans retenue, nous devinâmes beaucoup de dignité.

Fendant la foule qui commençait à s'agglutiner autour de nous, un homme de corpulence assez forte ne tarda pas à nous rejoindre. C'était manifestement le chef du village à en juger par son assurance et le calme que son apparition imposa peu à peu. Il était simplement vêtu d'une culotte de gros tissu brun, serrée aux chevilles par des lanières de cuir. Cependant sur sa poitrine velue scintillait seul un gros médaillon de teinte cuivrée et frappé de signes pour nous incompréhensibles. l'homme dont les cheveux étaient sommairement tressés de chaque côté du visage, ruisselait de sueur et respirait avec difficulté comme au sortir d'un labeur pénible. Contrairement aux autres, son regard laissait exprimer une sorte de gêne ; il se dérobait sans cesse.

Hâtivement et avec des mots maladroits il nous souhaita la bienvenue puis nous pria de le suivre jusque chez lui. Chacun alors s'effaça avec promptitude et nous lui emboitâmes le pas dans un dédale de maisonnettes ou plutôt de grosses huttes parmi les chiens et les cochons.

Partout le bois et la pierre étaient étonnamment mariés. Certains pans de murs semblaient être faits de végétaux tressés sur lesquels on avait peint à l'ocre quelque signes mystérieux. Nous fûmes frappés par l'extrémité des bois qui constituaient les charpentes. Sur chaque habitation elle était habilement sculptée en forme de visages mi-végétaux, mi-animaux. De dessous les brandes et les épaisses couches de feuillages qui formaient les toitures surgissaient ainsi, çà et là, d'étranges profils aux regards fantastiques. Il nous semblait que le monde de la forêt, pauvre et sec sur des lieues autour du village, s'était donné rendez-vous là dans une sorte de pacte avec chaque demeure. Enfin nous arrivâmes devant une grande hutte dont les soubassements avaient été bâtis de pierre sèche. Assourdis par les jappements d'une bonne dizaine de chiens nous franchîmes sa porte très basse dont les charnières de roseau tressé grincèrent longuement.

La pièce que nous découvrîmes était unique et vaste. Contre le mur du fond, tout de pierre et de terre séchée et sous un large orifice pratiqué dans le toit, crépitaient quelques flammes.

Là, une fragile silhouette sombre qui nous tournait le dos s'affairait autour d'un petit chaudron pansu. C'était celle d'une femme, sans doute la compagne de notre hôte ; elle portait une longue robe d'un bleu profond. Derrière l'épaisse masse de sa chevelure, nous n'eûmes pas le temps de deviner les traits de son visage : comme un animal craintif, elle se faufila rapidement derrière nous et sortit sans bruit. Dans la pénombre et à la lueur d'une petite ouverture pratiquée dans l'un des murs, nous perçûmes des outils, quelques couteaux à même le sol et dans un coin, toute une débauche de peaux. Elles étaient assemblées autour d'une énorme pierre plate et rectangulaire qui devait sans doute faire office de table. Nous fîmes quelques pas dans cette ambiance, essayant de nous accoutumer à la forte odeur de fumée qui imprégnait l'ensemble.

"Soyez les bienvenus, étrangers, réitéra maladroitement l'homme corpulent. Vous êtes chez moi..."

Derrière la porte à présent close, nous entendîmes de petits rires mal contenus, semblables à des gloussements, probablement ceux d'enfants qui n'avaient pu s'empêcher de nous suivre.

"Voilà, continua-t-il en manifestant toujours autant de peine à respirer, voilà, c'est tout ce que je puis vous proposer.

"Et disant ces mots, il nous invita à nous asseoir sur les peaux qui jonchaient le sol.

"A en juger par vos visages et vos vêtements, je vois que vous venez de fort loin. Sachez que vous pourrez rester chez moi le temps qu'il vous faudra pour prendre du repos... si vous en montrez le désir avant de poursuivre votre route."

L'homme avait prononcé ces paroles sur un tel ton de douceur, un ton qui contrastait tant avec l'aspect rude de son personnage, que quelque chose en moi fut profondément touché. Tandis qu'il commençait à nous questionner sur notre origine et sur ce que nous cherchions en ces terres, sa voix se fit plus hésitante, plus tremblotante encore. J'y devinais une douleur sourde, comme celle d'un poids difficile à supporter.

"De quoi souffres-tu ?" demanda brutalement Simon, interrompant ainsi le cours de ses questions.

Notre hôte leva immédiatement les yeux et pour la première fois, il se mit à nous fixer d'un air résolu.

"Pourquoi dis-tu cela et en quoi cela t'importe-t-il... ? Dis-moi plutôt comment est le monde là où vous êtes nés."

Pour toute réponse, Simon posa alors devant lui, sur les peaux, la grosse masse de son manteau qui enveloppait notre trouvaille des jours précédents. Méticuleusement il en écarta les plis et l'or des ramures apparut soudain dans toute sa majesté.

"Voici, fit-il enfin en tendant le crâne anguleux à bout de bras ; il nous a semblé que ceci devait vous revenir à toi et à ton village."

L'homme avait sursauté de tout son corps.

"Pourquoi ? dit-il en hachant ses mots, d'où tenez-vous un tel présent ? Savez-vous au moins ce qu'il signifie pour nous ?"

"Nous le savons fort bien, repris-je, aussi est-ce pour cette raison qu'il est plus justement à sa place au creux de ton village qu'entre nos mains. Tu sais maintenant qui a pu guider nos pas jusqu'ici et quel est le feu de notre âme..."

Notre interlocuteur recula d'un bond en arrière.

"Est-ce le Maître-Cerf qui vous a ordonné tout cela ?"

"Ton cœur peut le voir ainsi, mais je te dis plutôt que c'est de la force qui anime le Maître-Cerf dont nous sommes venus te parler. C'est par elle que notre route jusqu'à ton village fut ouverte et c'est par elle aussi que ces ramures te sont remises. Sans doute voudras-tu entendre ce que nous avons à te dire ?"

"Paix en vous étrangers, paix en vous, paix, paix... se mit à murmurer notre hôte avec une soudaine fougue qui illuminait son visage. Il y a bien des lunes, bien plus que je ne saurais le dire et que n'aurait pu le dire mon père que, tous, dans ces collines nous sommes en quête de ce dont vous venez de nous faire présent.

Tous les villages de cette contrée ont maintes fois subi les chevauchées de hordes guerrières venues d'au-delà des montagnes du Nord. J'ignore combien de fois cette terre a été pillée mais innombrables sont nos richesses disparues et nos sanctuaires profanés. Une vieille légende de notre peuple conte le retour du Maître aux grands bois dont il nous faudra boire le sang. Parlez-vous en son nom ? Dites-moi..."

Je n'osai répondre à une question aussi directe et c'est Simon qui après un silence assez pesant, finit par lancer un "oui" éclatant.

"Oui, ajouta-t-il et ce que nous avons à t'annoncer ne pourra se transmettre que de cœur à cœur si tu es prêt. En cherchant le chemin qui mène à ton village, ce n'est pas à un ordre que nous avons obéi, vois-tu... Mais dis-nous avant tout de quel mal tu souffres ?"

L'homme se leva alors avec le regard perdu dans le vague, les sourcils froncés et l'humeur manifestement assombrie.

"Je ne sais pas..." se contenta-t-il de sussurer comme s'il voulait éluder la question.

74

Et tandis qu'il se dirigeait vers un petit pot de terre brune, sa poitrine se mit à souffler de plus belle, régulièrement soulevée par des spasmes auxquels il ne pouvait rien.

"Je m'appelle Rœd, se résolut-il enfin à ajouter tout en posant le récipient sur la table de pierre ; ma force physique a fait de moi le chef de ce village... mais en vérité mon âme n'a jamais cherché que les rayons de l'Awen. C'est cela, voyez-vous qui est ma mort, ce n'est rien d'autre que cela qui tranche ma vie par le milieu. Je passe mes jours à tenter de dominer les forces de la terre et mes nuits à ne pas me noyer dans les lacs de mon cœur. Vous êtes surpris de ce langage chez un homme tel que moi, n'est-ce pas ? Mon corps est celui d'une brute haletante et c'est pour cela que l'on me respecte encore ici...

Chez nous, lorsque nous voulons qu'une chose soit scellée par le secret, nous joignons les mains ainsi au creux de notre poitrine..."

Et dans la vaste pièce, devant la danse muette du foyer, humblement, Rœd posa l'une après l'autre, la droite sur la gauche ses deux mains exactement dans le creuset de ce que notre peuple appelait la quatrième lampe, le feu du cœur. C'était le signe que nous n'osions pas attendre, l'esquisse de l'ouverture...

Alors, comme il versait sur le sommet du crâne animal un peu du liquide contenu dans le petit pot de terre, Rœd entreprit de nous parler de lui-même et du sentier de sa vie.

"Il y a plus de dix ans de cela, j'ai rencontré dans les montagnes, non loin d'ici, un de ces hommes que par chez nous on appelle un barde. Il vivait seul dans une petite hutte délabrée dont l'état ne semblait guère le préoccuper. C'est la réputation qu'il avait alors qui me poussa à chercher sa compagnie. Je ne m'occupais à cette époque que de quelques brebis et il était fréquent que j'emmène le troupeau vers le Nord plusieurs jours d'affilée sans que quiconque puisse trouver mon absence étrange. C'est lors d'une de ces marches dans la montagne que je fis réellement sa connaissance. Je voulais absolument savoir si cet homme dont le nom était Urgel méritait le titre de sage qu'on lui conférait déjà car, déjà en ces temps, la seule chose qui fascinait mon âme, c'était la quête de la Grande Lumière. Nous écrivons peu chez nous, nos prêtres ont une sorte de méfiance innée pour les signes tracés, par contre nous manions la langue avec plaisir et les récits qui développent l'enseignement des dieux sont nombreux sur nos terres. Aussi loin que je me souvienne, j'ai toujours été très impressionné par eux. C'était comme si quelque chose attendait en moi sans que je parvienne à le définir.

Mes rencontres avec Urgel me bouleversèrent au plus haut point. Je compris que c'étaient des hommes comme lui qui forgeaient les récits fascinants et pétris de secrètes connaissances qui circulaient dans nos montagnes. Plus j'allais l'écouter parler des forces de la nature et du soleil de l'Awen, plus j'aspirais à devenir semblable à lui. Il sut lire dans ma pensée et au bout d'une pleine année, il commença à m'enseigner régulièrement en m'aidant à découvrir le sanctuaire caché dans le corps de chaque homme. Il résolut ainsi de m'en indiquer les portes invisibles. C'était, disait-il, pour que je puisse vivre dans la Grande Création, me fondre dans la nature et œuvrer avec les esprits qui l'habitent.

Sa parole s'accompagnait toujours du tracé de certains signes sur le sol. Il affirmait que chacun d'eux s'apparentait à un être vivant dans le domaine des dieux à qui il donnait ainsi la possibilité de prendre corps dans notre monde, afin d'en obtenir le concours. Cela peut vous paraître étrange mais j'ai toujours su qu'il disait vrai. En réalité j'ai passé trop de nuits aux côtés d'Urgel, témoin de choses auxquelles sans doute, je n'aurais jamais du avoir accès. Des formes de lumière venaient parfois à tournoyer autour de nous mais aussi des tempêtes terribles qui paralysaient mes os.

Devant tant de choses, mes yeux et mes oreilles me firent croire qu'enfin je touchais au but, que je deviendrais bientôt aussi sage et savant que celui qui m'enseignait. Et en vérité au-delà des choses extraordinaires auxquelles il m'arrivait d'assister, la parole du barde était toute de paix et de lumière.

Les lunes et les ans passèrent et il me faut le dire, jamais Urgel ne fut autre que bon avec moi... C'est moi qui ne le fut guère et qui n'ai rien compris..."

L'homme s'arrêta net. Peut-être regrettait-il déjà de s'être tant livré. Pendant tout son récit, il n'avait cessé de polir le crâne du cervidé à l'aide d'un petit morceau d'étoffe et du liquide dont il l'arrosait parcimonieusement. Cette substance contenue dans le pot de terre brune semblait légèrement huileuse et embaumait la pièce entière d'une lourde senteur d'herbes. Enfin Rœd, toujours suffocant et les nattes à demi-détressées, se résolut à poursuivre. On eût d'abord dit qu'il maugréait, mais il était aisé de comprendre qu'il tentait surtout de dissimuler sa peine.

"C'est moi qui n'ai rien compris. J'ai cru que la sagesse s'apprenait simplement avec un peu de patience, comme on s'entraîne à manier le coutelas ou la lance puis, qu'avec quelques années d'exercices... Car il m'en donnait trop peu pour mon impatience. Il fallait absolument que je sache, que je fasse, que je devienne... ! Rien n'allait assez vite et n'était assez puissant pour me réveiller de ce que je sentais peser sur moi comme une torpeur. La lumière s'enfuyait de moi, voyez-vous, et plus elle s'enfuyait, plus je m'en apercevais et plus je courais...

Alors je me suis mis à vouloir, de ma propre volonté et j'ai donné à la paix proposée par mon maître le visage d'une lutte pour le pouvoir.

Urgel resta impassible devant ma transformation jusqu'au jour où, sans doute excédé par mes questions, il posa soudainement sa main au creux de ma poitrine.

"Tu veux connaître la lumière, Rœd, eh bien, connais-là !" s'écria-t-il en même temps.

Je ne sais pas alors ce qui se produisit mais tout mon corps se mit à vibrer étrangement, un voile blanc recouvrit mes yeux et je crus que j'allais tomber. En un éclair, j'ai senti quelque chose se déchirer dans ma tête et une violente douleur vriller le bas de mon dos. Mon être me sembla désespérément s'éparpiller et l'instant d'après, j'eus l'impression de n'être plus qu'un œil. Je vis un corps allongé sur le sol comme une masse arc-boutée vers l'arrière, raide. Je le reconnus, c'était le mien. A ce moment-là tout s'est effacé, je me suis retrouvé allongé dans l'herbe, seul et pris d'une terrible nausée...

Depuis, je n'ai plus jamais revu le barde... Mais mon âme et mon corps sont malades... Je sais qu'il vit encore dans sa hutte tout là-haut..."

Notre hôte se releva alors et partit à grandes enjambées à l'extrémité de la pièce, faisant mine de s'affairer auprès de quelque ustensile. Comme il résolut ensuite d'entretenir le feu en évitant soigneusement de regarder dans notre direction nous comprîmes qu'il s'enfermait dans un profond mutisme.

"Nous reviendrons te parler, dit Simon en se levant à son tour. Il n'y a pas de honte à déverser son âme, vois-tu, il ne saurait y en avoir que pour celui qui ne sait pas en recueillir le flot... par manque d'amour. Nous t'aiderons si tu le veux."

"Par manque d'amour..." je sentis que Simon avait hésité à prononcer ces mots qui dévoilaient le sens exact de notre visite. Il y a des termes qui font peur aux hommes rudes ou qui se croient tels...

Dès que nous eûmes franchi la porte basse, un petit air frais nous agressa et les chiens se remirent à aboyer. Les heures qui suivirent, nous les passâmes à déambuler entre les modestes habitations, accostés par l'un, par l'autre, tentant de nous imprégner du cœur de ce peuple plein d'une si évidente impatience.

"Attendez, attendez... semblait murmurer une voix en nous... n'éparpillez rien au gré du vent avant que l'heure ne soit venue. Ce qui anime ces hommes et ces femmes est semblable à ce qui vous anime. Que votre chair soit donc comme leur chair et que vos yeux croisent les leurs. Celui qui veut véhiculer la Parole devra d'abord la chercher en l'autre car il est dit que chaque être est un livre et qu'il faut apprendre à y lire pour découvrir à quelle page il est ouvert. Que votre langue soit donc comme leur langue et que votre âme embrasse la leur car il est dit aussi que le charpentier n'ignorera pas le geste de celui qui façonne les briques de terre."

"Il faut que nous posions nos sacs, ici, dit soudainement Simon, en me prenant à part, je crois qu'il ne peut en être autrement.

Jusqu'au soir, nous nous laissâmes gagner par l'exhubérance et la curiosité des villageois. Nous fûmes surtout frappés par l'état de saleté auquel leurs corps et leurs demeures s'étaient accoutumés. Ils vivaient de peu et c'était comme s'ils s'étaient façonnés des corps et des vêtements de glaise... peut-être à force de se pencher vers elle, peut-être à force de parcourir les rides de sa peau.

Rœd ne se manifesta plus de la journée ; nous ne le vîmes réapparaître qu'à l'extrême tombée de la nuit alors que de petits feux de branchages s'allumaient de-ci, de-là entre les huttes. Comme nous nous étions isolés à la lisière d'un bosquet, il nous invita à partager son repas : une étrange soupe de racines aussi claire que de l'eau et quelques fèves.

Nous passâmes la journée du lendemain sur les arpents de terre et de cailloux qui entouraient le village. Il y restait de maigres espaces à défricher et dont on pouvait encore espérer tirer parti. Très tôt le matin, nous nous étions proposés pour ce labeur, nous dérobant ainsi à la pratique de la chasse à laquelle Simon avait été convié sans plus tarder.

Chacun manifesta immédiatement un grand respect envers nous, un respect qui nous gênait un peu et auquel nous n'avions jamais été habitués. Il ne pouvait s'expliquer que par la nature du don que nous avions fait dès notre arrivée et dont la nouvelle avait fait le tour du village tel un cheval débridé.

On nous observait et Rœd lui-même par la déférence excessive qu'il nous montrait contribuait à faire naître une sorte de crainte dont nous ne voulions guère, comme si nous avions été en possession de quelque secret. Notre volonté de nous mêler à tous les travaux sembla enfin user toute résistance et le soir du huitième jour, nous crûmes bon de dévoiler un peu plus les sources de notre cœur.

C'est un de nos compagnons de labeur, alors que nous remplacions les brandes couvrant un toit, qui nous offrit le signe attendu.

"Certains disent que c'est le Maître-Cerf qui vous a dit de venir jusqu'ici... Est-ce bien vrai ? Nous sommes nombreux à vouloir vous le demander... et Rœd reste muet à toutes nos questions."

Il n'y avait plus qu'une solution : provoquer une assemblée au sein du village. Maître incontesté de la petite communauté, notre hôte nous y autorisa pour le soir même. Pourtant dès que notre demande eut été formulée, une expression singulière s'était imprimée sur son visage, elle traduisait une sorte d'inquiètude mêlée d'espoir.

C'est un homme du nom de Belsat qui s'occupa des préparatifs. Il était jeune et nous l'avions immédiatement remarqué pour sa blondeur ainsi que pour la transparence de ses yeux. Il y avait en lui une maîtrise du geste et du mot qui fait que l'on dit de certaines personnes qu'elles sont lumineuses sans même savoir qu'elles portent un réel flambeau en elles. Par l'assurance et la modestie avec lesquelles il s'était proposé, nous comprîmes vite que Belsat avait la qualité d'un de ces piliers sur lesquels il nous fallait d'abord compter. Un lien de parenté l'unissait à Rœd ; cela ne pouvait que nous faciliter la tâche.

Sur ces terres retirées du pays de Kal, celui à qui incombait le devoir de parler devant tous était prié de se recueillir et d'éviter auparavant toute besogne manuelle. On nous signifia tout cela. Nous fûmes donc amenés sur les bords du ruisseau qui serpentait à deux pas du village. Il y avait là un gros arbre noueux et on nous pria de nous asseoir à son pied afin d'être certain que nous avions bien compris et que nous respecterions l'usage. Belsat nous l'avait indiqué sur un ton proche de celui de l'ordre, comme si soudain il s'était senti investi d'une fonction terriblement importante.

"C'est l'arbre de nos prêtres, avait-il ajouté avec fierté. Ils viennent toujours ici lorsqu'ils célèbrent parmi nous à chaque fois que la lune va enfanter. Ils disent qu'un esprit vit derrière son écorce, alors ils prennent un peu de sa sève et la mélangent à une boisson qu'ils élaborent eux-mêmes deux fois par année."

Nous nous adossâmes donc à l'arbre et Belsat s'éloigna afin de rejoindre les autres, ceux qui s'affairaient déjà aux préparatifs du soir.

Assis sous les épais feuillages déjà jaunissants, c'est à un étrange rite auquel nous devions assister. Nous vîmes une silhouette se recouvrir d'une énorme peau de bête surmontée de deux cornes semblables à celles d'un taureau puis décrire un grand cercle sur le sol tout en traînant derrière elle un bouquet de branchages qui dégageait une épaisse fumée blanche. Ce geste évoqua pour nous ceux de ces hommes qui, perdus dans les sables des monts de Judée, portaient le nom de "magiciens du désert". Ils dessinaient parfois ainsi d'immenses cercles au sommet des collines en faisant se consumer des petits tas d'herbes odorantes et des résines. Mais ceux-là s'étaient toujours méfiés de la présence d'hommes de notre peuple.

Dès que ce rituel eût été accompli au grand bonheur d'un groupe d'enfants venus s'asseoir à proximité, nous aperçûmes deux hommes courbés par l'effort, qui déposaient au centre de l'espace délimité un impressionnant récipient de pierre, aux larges bords évasés, telle une coupe aux dimensions cyclopéennes. Commença alors un lent et silencieux manège où chacun, les enfants y compris, s'appliqua à la remplir d'eau à l'aide de petites cupules de terre écarlate.

La nuit vint enfin et on attendit fort longtemps qu'elle étendît son manteau de velours bien loin au-delà des montagnes.

En ce temps-là, chacun savait compter la ronde des heures dans l'intimité de son cœur. Ainsi, sans que rien d'autre fût organisé, dans un écrin de silence auquel nous n'étions plus accoutumés, des dizaines et dizaines d'hommes, de femmes et d'enfants vinrent s'asseoir dans l'obscurité, sur l'herbe sèche, reproduisant de leurs silhouettes le cercle parfait auparavant purifié. La nuit était fraîche et la lune timide. Ses reflets bleutés jouaient pourtant dans l'eau de la vaste coupe de pierre comme s'il s'était agi d'un trésor... Et peut-être en était-ce un ?"

Droit et puissant à la façon d'un chêne, Rœd seul resta debout. En signe de commandement il croisa les bras en serrant les poings et, sans plus attendre, parla haut et fort, en pesant sur chacun de ses mots, sans doute pour cacher le souffle désordonné de sa poitrine.

"Que les forces de la lune dispersent mon âme si je nie que quelque chose a changé dans cette vallée depuis que les deux étrangers ont franchi nos portes. Leur présent a ravivé en nous une vieille énergie ; leur présent, je le crois aussi, signifie que leur langue est droite et que nous pouvons écouter... Ainsi ai-je dit !"

Nous nous levâmes donc l'un après l'autre et les yeux perdus dans l'obscurité de la nuit nous commençâmes à évoquer le Maître Jésus, notre vie à ses côtés et la Parole

83

du Kristos. Nous parlions de sa lumière ainsi que nous l'aurions fait d'une amie et nous voulions que chacun sache que cette amie ne serait jamais comme ces souvenirs que l'on se plaît à raviver lorsque l'âme a froid... parce qu'elle ne nous quittait plus. Peu importent les mots exacts qui sortirent de nos poitrines, je me souviens seulement que ces mots se mêlaient au cri de la hulotte et qu'ils ne naissaient pas de nos propres volontés.

On nous écouta longtemps dans le silence, puis de partout à la fois les questions se mirent à jaillir, créant un indescriptible brouhaha. Quelques uns en vinrent à se lever pour mieux parler, pour mieux se faire entendre. Il fallut enfin l'intervention de Rœd afin qu'une onde de quiétude pût à nouveau s'étendre sur tous.

"Où vit maintenant ton maître ? me demanda brutalement une femme avec une voix de feu ; pourquoi n'est-il pas venu avec vous ?"

Sous les instigations de Joseph, nous avions tous pris l'engagement de ne conter que la stricte vérité des faits, les difficiles luttes du Maître où se mariaient si bien douceur et fermeté, les manigances de Rome et le supplice de la croix, la régénération puis l'action silencieuse de nos frères d'Héliopolis...

"La vérité, disait le vieux Zérah de notre enfance, nul n'ira éternellement à son encontre ! Croyez-le, il n'y a pas un fait qui ne se produise sous ces cieux et sous les mille autres de la Création dont on puisse à tout jamais étouffer la réalité. Le mensonge, la dissimulation ne sont que des nuages qui viennent obscurcir momentanément les souffles vivifiants du Soleil. Imaginez-vous un ciel toujours et toujours tendu de gris pour l'immensité des temps à venir ? Cela vous fait sourire ? Sachez donc que de la même façon, un édifice bâti sur des paroles fausses est un jour balayé par les bourrasques de l'avance des temps. Si votre cœur veut dire vrai et que votre langue n'a pas la force d'en répercuter les justes échos, alors vient la maladie de gangrène, celle qui ronge le cœur en l'incrustant de plus belle dans la ronde de ce monde."

"Notre Maître vit sur cette terre, ai-je répondu, et son âme ne la quittera pas avant que le dernier d'entre nous n'ait pris le chemin du Retour."

"Tu veux sans doute dire "son" chemin..."

C'était Belsat qui s'exprimait ainsi. Il était assis à notre gauche et, me tournant légèrement vers lui, je captai une furtive lueur de malice dans son regard. Il nous sondait, je le savais ; mais la douceur d'un sourire qui ne le quittait pas venait démentir le mouvement de jeu ironique de son sourcil. Pendant quelques instants, je ne pus que lui esquisser un sourire, moi aussi... Je cherchais une réponse que, tous, nous avions cent fois donnée... Et en même temps je me rendais compte de la vanité des mots humains, de l'incroyable piège pour l'Esprit qu'ils tentent parfois d'incarner.

Le chemin ? Avais-je même le droit de parler d'un chemin ? Où nous rendons-nous si ce n'est au centre de nous-même ? Avec qui avons-nous pris rendez-vous si ce n'est avec cet atome du fond de notre cœur qui, de toute éternité, a tout compris et qu'incroyablement nous continuons de museler, jour après jour ?

"C'est moi qui te répondrai Belsat, tonna soudain la voix de Rœd. Je vais te dire, je vais vous dire à tous, ce que j'ai compris.

Alors que les deux étrangers parlaient, mes yeux ont vu dans toute sa beauté le crâne du Maître-Cerf qui est désormais de retour parmi nous. Ils ont vu ses cornes aux nombreuses ramures, semblables à des routes de lumière qui descendaient du ciel. Une eau couleur d'or en dévalait les pentes pour venir baigner la terre sur laquelle il reposait. J'ai su que ces ramures étaient les milliers de visages de la Grande Puissance de toutes les terres, les chemins, les multiples voies de l'Awen... Regardez comme elles se rejoignent et s'unissent en une seule masse. Pour ma part, je ne crois pas que cette masse soit une racine... elle est un aboutissement..."

Un murmure parcourut l'assemblée. Sans doute était-ce la première fois que Rœd laissait ainsi paraître devant tous une certaine émotion face aux choses de l'esprit. C'est du moins ce que je crus.

Simon prit alors la parole :

"Ne pensez-vous pas que le feu qui circule dans les veines du Grand-Cerf soit Un avec celui qui anime notre Frère Jésus ? N'est-ce pas la même force qui tente à travers eux de s'exprimer aux hommes de ce monde ? Pour notre part, nous le croyons et c'est pour cela que nous avons marché vers vous, aussi loin de notre village, sans nous soucier d'y revenir jamais. Le Grand Etre qui nous dispense la vie change d'intonation à chaque jour de sa Création, à chaque nouveau ciel qu'il donne aux hommes, mais le fond de sa voix demeure inchangé... Il nous invite à aller un peu plus loin encore, un peu plus haut... Ne le voyez-vous pas ?

Mais, je vous en prie, ne vous trompez pas sur nos intentions. Ma compagne et moi-même n'avons rien à vous

prouver en venant ici. Nous n'avons personne à convertir...
puisqu'il faut prononcer le mot. Vous convertir serait
vouloir apporter quelque chose d'étranger à votre esprit, à
votre âme, à votre corps même. C'est bien du contraire
dont il s'agit, je vous l'affirme ! Nous sommes venus vous
parler de vous à travers le visage de notre Maître, parce
que le Principe de notre Maître, comme celui du Grand-
Cerf sommeille encore dans la poitrine de tous les hommes
de Kal et d'ailleurs.

Nous sommes simplement venus vous dire : voici ce que
nous avons vu, voici ce que nous avons entendu et qui
valait la peine que nous y brûlions cette vie. Seule la force
d'amour nous a fait hisser les voiles. Maintenant cela est
accompli... il vous reste non pas le choix puisqu'il n'y a
rien à rejeter ni à adopter en contre partie, mais la liberté
d'avancer un peu plus."

Un bruit à la fois sourd et métallique se fit soudain entendre sur l'herbe rase, quelque part au centre du cercle. Je
levai les yeux. C'était Rœd. Dans un geste qui restait encore figé, il venait de lancer sur le sol, près de la grande
vasque de pierre, quelque chose aux reflets argent qui mi-
roitait sous la lune. D'un bond, Belsat fut à ses côtés. Sa
longue chevelure claire, nouée au bas de la nuque par une
épaisse lanière de cuir le rendit plus impressionnant encore
lorsqu'il porta la main à son côté gauche, près de ses
braies, là où pendait une masse de peau, de bois et de
bronze : son coutelas. Sans hésiter il le saisit comme s'il se
débarrassait d'un fardeau, et le laissa tomber à ses pieds
sans seulement le regarder.

Alors, il nous sembla que tous ne furent plus qu'une âme
et qu'un bras qui voulaient accomplir le même geste. Des

dizaines d'hommes se levèrent. L'un après l'autre, ils commencèrent de rejoindre Rœd et Belsat toujours droits près de la vasque, abandonnant sur l'herbe épées et couteaux dans un cliquetis croissant.

Les femmes, quant à elles, étaient demeurées sur place, maintenant ainsi l'harmonie du cercle. Seules leurs mains avaient bougé ; elles les avaient étrangement jointes au niveau de ventre de façon à générer un triangle régulier, pointe vers le bas.

De-ci, de-là, de petites masses sombres étaient blotties dans l'herbe à leurs côtés, tels des paquets de linge amoncelés pêle-mêle. C'étaient les enfants, ceux dont la nuit avait eu raison depuis longtemps.

Nous ignorions tout du rite qui s'était accompli sous nos yeux, mais la paix qui s'en dégageait encore était probablement plus éloquente que n'importe quel commentaire.

Lorsque le cercle fut enfin rompu, je ne sus que penser au juste ni que dire et assurément, cela était mieux ainsi.

A l'heure les premiers rayons de l'aube vinrent à pointer leurs doigts aux reflets de rose et que chacun s'apprêta à rejoindre sa demeure, Belsat s'approcha de nous en murmurant ces mots :

"Nous enseignerez-vous désormais... ? Mon peuple veut savoir ce que vous avez vu, c'est notre façon de vous le dire."

Les jours s'égrenèrent paisibles et laborieux. Selon les vieux préceptes hérités de la race d'Essania, nous tentions chacun de notre côté de mettre à profit les gestes les plus simples pour faire parler ce que le soleil avait placé en nos cœurs et que Kristos avait tant vivifié... Il n'en fallut pas plus pour que l'âme de ce village nous fût grande ouverte. Chaque geste peut se faire discours pour celui qui cultive l'énergie contenue à son origine. Ce geste peut-être une façon de couper un fruit avec la finesse et la puissance d'une prière. Lorsque l'on en saisit la magie, ce sont toutes les choses du quotidien qui deviennent ainsi l'arc avec lequel nous projetons vers l'autre nous-mêmes le Tant Espéré !

Enseigner ? Combien de fois ce mot ne nous aura-t-il pas hantés, pas fait sourire aussi ? Qui pourrait avoir cet orgueil alors que chacun ne fait que transmettre ce qui ne lui appartient pas ? Par la bouche de Belsat, nos amis du village nous évoquèrent leurs traditions. Ils nous décrirent ainsi la beauté d'un arbre, le Grand Frêne, Ygdras-el. Un arbre dont les racines à chaque fin d'un temps recouvraient les quatre tablettes de la Connaissance et du Savoir de Joie. Notre frère Jésus, ajoutaient-ils, était pour eux l'un de ces êtres, semblables à un rayon de soleil, qui était venu déterrer les tables une fois de plus afin de nous en lire quelques lignes supplémentaires. Cela, c'était l'ordre du monde, c'était déjà celui de leurs pères... et ainsi surent-ils que nous n'étions pas venus leur imposer notre vérité.

Les mois aussi s'égrenèrent... il nous fallut soigner, communiquer les principes de notre art. Rœd fit enfin un pas vers nous pour soulager son corps. Les lampes subtiles de sa lourde carcasse s'étaient exprimées d'elles-mêmes depuis le premier jour. Lorsque le serpent de braise qui dort à la base du dos de tout homme vient à tourner trois fois sur lui-même sous l'action d'une pulsion par trop étrangère à sa nature, lorsqu'en un éclair il gravit tous les échelons du corps de l'homme et frappe le sommet de son crâne, alors celui-ci est déchiré d'une profonde douleur et perd toute sa force de stabilité. Ainsi était-il arrivé à Rœd. Ainsi son impatience lui avait-elle fait réclamer une fulgurante lumière qu'il n'était pas prêt à accueillir...

"Pourquoi, Rœd, demanda Simon, pourquoi avoir tant tardé ?"

La grande carcasse de l'homme de Kal, haletante, fut alors secouée par un énorme sanglot et toute sa masse s'affala sur les peaux de la hutte.

"Mais ne comprends-tu pas, répondit Rœd avec une sorte de rage... je suis leur chef !"

"Le chef, c'est la fierté, le chef c'est la tête... bien sûr, je le sais. Mais pourquoi donc la tête des hommes oublie-t-elle si souvent qu'elle vit d'abord par un cœur ? Tu ne veux pas que les tiens te sachent malade, mais à quoi bon puisqu'il y a déjà longtemps que tu ne peux plus cacher ta souffrance. Ton corps est un monde tout comme la terre en est un autre, Rœd. Ton maître t'a jadis enseigné que l'univers a ses jours et ses nuits ; ne t'a-t-il pas également appris qu'il s'en agit de même pour le corps et pour l'âme de l'homme ? Nous avons tous nos saisons, nos étoiles, nos lunes, nos soleils intérieurs. Nous ne pouvons préten-dre bouleverser l'ordre dans lequel leurs mains se posent sur nous. Par ton travail, tu peux accélérer la cadence avec laquelle ils déposent leur empreinte en toi... mais jamais tu ne pourras demander à la lune d'être un soleil ni au soleil de laisser paraître à ses côtés les étoiles du firmament. Respecter les rythmes à tous les niveaux de l'existence, Rœd, mais nourrir néanmoins son âme sans relâche, c'est respecter la Grande Vie qui nous donne jusqu'au choix de l'orgueil ou de la sagesse. En voulant appeler trop tôt la clarté du plein midi dans ton corps, tu as brûlé les étoiles de ton propre firmament. L'énergie qui te donnait stabilité

90

sur cette terre s'enfuit maintenant par le sommet de ton crâne. Elle a troué l'écorce des lumières de ton être. Nous tenterons de la retisser si tu le veux et s'il est permis que nous en soyons les artisans. Heureux, vois-tu, est l'homme qui reste lui-même. Si nous sommes tous Un dans le cœur de l'Eternel, des milliers sont nos visages et nos itinéraires. C'est ainsi que l'Infini se réalise un peu plus à travers chacun d'entre nous. Dans cette vie, la route d'Urgel n'est pas celle de Rœd et celle de Rœd ne ressemble pas non plus à celle d'Urgel. Peux-tu me dire ce qu'il y a de plus important dans la plante, de sa fleur ou de sa tige ?"

Rœd resta un moment sans rien dire. Le front cloué aux peaux éparpillées sur le sol, son corps était encore secoué de soubresauts. Il se redressa enfin et se traîna pour s'adosser aux pierres du mur.

"Parlez, fit-il brusquement sans nous regarder, continuez de parler je vous en prie."

Comme pour puiser quelque force, j'allai m'asseoir sur un petit tas de bois qui attendait près du brasier crépitant. Toujours aussi discrète, la maîtresse du foyer y avait abandonné un grossier chaudron où bouillonnait maintenant un fond d'eau. Je me mis à penser à Jean, mais fallait-il la lui dévoiler à cet homme, cette histoire que je considérais un peu comme un secret ?

"Rœd, fis-je enfin, je puis te conter l'histoire de l'un des nôtres sur la terre de Palestine. Il s'appelait Eliazar[1]... Il y a plus de quinze années de cela, alors que le Kristos ne s'était pas encore manifesté à nous, nos routes s'étaient

---

1— Lazare dans le Nouveau Testament.

déjà croisées à plusieurs reprises. Eliazar était né dans un village identique au nôtre et parlait en tous points la langue des enfants d'Essania. C'était surtout la beauté et la profondeur de son regard qui nous l'avaient fait remarquer alors que nous parcourions la région d'une bourgade nommée Migdel. Il reflétait une noblesse qu'en vérité on trouve à l'état pur chez peu d'êtres humains.

Lorsqu'Eliazar rencontra réellement le Maître et prit conscience de la force qui demeurait en lui, nous eûmes le bonheur de séjourner dans le même bethsaïd durant quelques semaines. Il était de plusieurs années notre cadet et nourrissait une admiration, que je pourrais qualifier de maladive envers Celui que nous commencions à suivre. Il y avait des mois, disait-il, que ses yeux ne pouvaient plus se détacher de la trace des pas du Maître. En réalité, la silhouette même de notre frère Jésus le hantait. S'il arrivait à celui-ci de porter le manteau de telle façon sur l'épaule, instinctivement, Eliazar se mettait à l'imiter. En tous points, il cherchait à s'identifier à son onde de paix.

Mais en vérité, cette onde, cette robe de lumière était trop grande pour lui. Pour qui d'ailleurs ne l'aurait-elle pas été ?

Alors en peu de jours, nous vîmes tous le visage d'Eliazar se métamorphoser. Ses yeux devinrent comme vides et ses joues se creusèrent. Il confessa à l'un de nous qu'il ne dormait plus et se sentait semblable à un de ces êtres des mondes de l'esprit dont les hommes ne voulaient pas... et qu'ils ne reconnaissaient pas. Il tenta, à un moment, de parler aux foules des bords du lac où nous séjournions, mais chacun de ceux qui le connaissaient voyaient qu'il n'était plus que l'ombre de lui-même.

Vint enfin le jour où, en pleine agitation, au milieu d'une place, le Maître se tourna brusquement vers lui et le prit par une épaule :

"Ressemble-toi Eliazar" lui dit-il simplement.

Dès lors, au fil des jours, le visage de notre compagnon s'emplit à nouveau de lumière et de paix. Nous apprîmes simplement que le Maître l'appelait presque quotidiennement à lui et qu'ils partaient tous deux dans la montagne surplombant le lac. Vint ensuite un temps, Rœd, où nous n'entendîmes plus parler de lui. Je ne sais plus qui nous apprit qu'il demeurait au fond d'une grotte semblable à un tombeau dont on peut rouler la pierre. Pendant cette période, le Maître fit juste une allusion à lui.

"Béni soit cet homme qui va renaître de lui-même. Je vous le dis, il est parti se placer en son propre cœur... désormais il ne se quittera plus car il s'est centré en moi."

Lorsqu'Eliazar réapparut, cela fit grand bruit dans la petite communauté que nous constituions déjà. Alors devant tous, le Maître l'appela "Jean"[1] puis ajouta ces quelques mots :

"Le voilà celui qui était mort et qui ne s'était pas reconnu. Chacun de vous n'est que cendre dans ce royaume s'il ne se reconnait pas en tel épi de blé plutôt qu'en tel autre dans le champ de mon Père. Soyez d'abord l'épi car il porte en lui la semence de tout un champ."

---

1— Ainsi peut-on comprendre que la mort de Lazare fut en fait ce qu'il est convenu d'appeler une mort initiatique. Celle-ci survient après une succession de rituels et une ascèse visant entre autres à détacher la conscience du corps durant trois jours afin de placer l'Etre face à lui-même dans les mondes de lumière.

Je m'arrêtai là, ne me sentant pas le droit d'en dire plus. L'exemple d'Eliazar, qui se voulut différent de lui-même, irait-il jusqu'au cœur de Rœd... ?

L'homme aux longues tresses rudes avait pris sa tête entre ses mains et ne bougeait toujours pas.

"C'est bien, fit-il d'une voix ferme, je sais un jeu auquel les enfants prennent parfois plaisir lorsqu'ils trouvent quelque plateau circulaire et incurvé. Ils y placent une petite bille de terre qu'ils obligent à tourner de plus en plus vite en imprimant de leurs mains un incessant mouvement de va et vient. S'ils sont trop rapides la bille sort du plateau, s'ils cessent leur manège, elle regagne le centre... Peut-être suis-je à la fois une de ces billes et un de ces enfants qui veulent aller trop vite pour tout gagner avant les autres. Faut-il que je m'arrête de tourner, amis, afin que le mouvement naturel de mon être m'entraîne vers le centre du plateau ? Est-ce bien cela que je dois comprendre ?"

"Tu l'as dit Rœd, tout homme dont la vie est un désir, tourne autour de lui-même. Mais celui dont l'existence est volonté regagne chaque jour un peu plus sa demeure ; un tel être se place en dehors de la danse des masques !"

Il me souvient que nous passâmes toute la semaine à prodiguer des soins à Rœd. Les coques de lumière entourant son corps avaient été gravement endommagées par la terrible décharge, fruit de l'exaspération d'Urgel. Les vagues d'émotions qui le submergeaient régulièrement entretenaient les plaies de son âme. Ce que la raison accepte, le corps, dont la mémoire est si tenace, le rejette parfois encore longtemps dans ses profondeurs.

Ainsi nous fut-il accordé d'aider cet homme, ainsi également notre poids au sein d'un humble village commença-t-il à se faire sentir. Parler de Kristos à travers les champs et les pentes rocailleuses ne fut plus désormais une tâche mais une réelle joie.

Un matin frileux, l'hiver entama sa lente course, lorsque les premières neiges recouvrant les toits des huttes nous offrirent leur enchantement. Etrange découverte pour ces enfants du soleil et de l'olivier que nous étions alors. La neige... nous l'avions maintes fois aperçue sur les cimes du nord de nos contrées, quelques flocons aussi s'étaient bien aventurés jusque dans les ruelles de Jérusalem mais jamais nous n'avions vécu son étonnant silence ni sa cristalline présence.

Belsat, qui chaque jour nous devenait plus intime, avait une compagne. C'était une jolie brunette dont la petite taille, l'agilité et le regard vif évoquaient immanquablement dans mon esprit les qualités d'une belette. Une amitié profonde se tressa bientôt entre nous quatre et nous prîmes l'habitude, pendant ces journées blanches et perles de paix où le village semblait somnoler, d'entreprendre ensemble de longues promenades dans les forêts voisines. Combien de choses n'avons-nous pas élaborées dans la complicité de ces randonnées ? Désormais nous sûmes qu'il nous fallait compter avec Belsat et sa compagne Hildrec. C'était assurément par eux que l'énergie de Kristos allait commencer à s'écouler à travers ces vallons et ces forêts de la terre de Kal.

En tant que neveux de Rœd, chef incontesté sur des lieues alentours, ils bénéficiaient déjà d'une auréole de respectabilité, auréole que ne gâtait en rien la réelle lumière qui se manifestait à travers eux.

Nous crûmes bon de laisser en dépôt dans leur mémoire tout ce que nous savions de notre frère Jéshua et tout ce que nous avions compris des paroles que le Kristos avait fait éclore sur ses lèvres.

Je me souviens aussi de Simon qui, dans une clairière, assis sur un tronc entre Belsat et Hildrec, sortit de son sac le recueil d'écrits que nous avait confié Joseph de la famille d'Arimathie. C'était un gros assemblage de feuilles parcheminées et serrées par des cordelettes entre deux morceaux d'écorce. Simon en écarta délicatement les pages offrant ainsi à la lumière blafarde du jour les signes calligraphiés de la langue de notre peuple.

"Regardez... expliqua-t-il avec un brin de nostalgie dans la voix... Il est écrit ici, de la main même des anciens, que des hommes et des femmes de nos montagnes et de nos déserts, des fils de Benjamin sont déjà arrivés sur vos terres, il y a bien longtemps de cela ; tellement longtemps que nous en avons perdu le compte des années... C'est vers eux aussi que nous devons aller... car avec votre aide... et la leur, il y a quelque chose à construire sur les vastes étendues où vous vivez tous."

"Quelque chose ?"

"Oui, un point de rayonnement solide comme le roc. Un port d'ancrage où l'épaisseur de la matière de ce monde et le soleil de l'Awen ne seront pas ennemis. Comprenez-vous tout cela ?

Pour l'heure il nous est demandé de n'être ni totalement de tourbe ni totalement de lumière. Il nous est demandé de concevoir le mariage de ces deux forces dont nous entretenons si stupidement la dualité. Ce mariage, lorsqu'il prendra racine dans nos cœurs, doit pouvoir se concrétiser dans tous les royaumes humains, peu importe le temps que cela prendra. Si le véritable trône du Maître n'est pas de ce

96

monde, il appartient au moins aux êtres de ce monde de hisser leur terre jusqu'à l'ultime point de rencontre.

Tel est le message que nous a laissé notre frère Joseph... Tel est aussi celui que nous avons pris l'engagement de déposer en vous."

"Voici comment nous pouvons y répondre" sussura Hildrec en nous dévisageant l'un après l'autre...

Et dans la petite clairière, sous la neige qui recommençait à tomber en fines paillettes d'argent, lentement, elle plaça sa main droite sur son cœur.

# CHAPITRE V

# Dans les geôles romaines

Lorsque les premiers bourgeons éclatèrent sur les branches et que les arbres se couvrirent de duvets roses et blancs, nous sentîmes venir le temps où il fallait nouer nos sacs. Dire que ce fut un départ ne serait pas exact ; ce fut plutôt un arrachement. Si nous avions écouté chacun, sans doute eussions-nous disposé de mille raisons pour demeurer là le restant de nos jours, dans le creux pauvre mais pourtant douillet de ce vallon. Afin d'éviter les dernières protestations, nous dûmes partir très tôt le matin, tandis que les paillettes d'or de la voûte céleste jouaient de leurs ultimes scintillements au-dessus de nos têtes.

Ainsi, seuls, Belsat et Hildrec nous accompagnèrent-ils jusqu'au détour d'un chemin bordé de conifères, au-delà du ruisseau qui contournait le village.

Tandis que nous escaladions les pentes arides de la montagne nous perçûmes longtemps encore leurs deux silhouettes. Nous savions que ces deux-là n'oublieraient pas et que désormais dans les ruelles de leur petit village du nom de Kur, au-dessus des toits de ses huttes, continueraient de circuler des chants venus de nos collines et les paroles que le Maître avait gravées dans nos poitrines.

La poussière des sentes abruptes et la rosée des herbes rases se mêlèrent bien vite aux bandes de peaux et de toile dont nous avions entouré nos pieds. Nous marchâmes d'un bon pas toute la journée. Nous efforçant de ne pas quitter les cimes, nous pûmes mesurer toute l'étendue d'une terre si vaste que nos propres énergies en devenaient insignifiantes... et il fallait assurément que ce ne fussent pas nos forces personnelles qui nous aient entraînés là !

Rœd et les autres nous avaient signalé l'existence d'une bourgade assez importante située à flanc de montagne en direction du nord-ouest. Toute la région, avaient-ils ajouté, était sous son contrôle. Notre but était de nous y rendre car il paraissait vraisemblablement plus judicieux de nous y faire entendre sans trop tarder plutôt que de passer mois ou années à cheminer de villages en hameaux sans que les véritables chefs de la contrée, sans doute quelques guerriers, ne nous aient accordé leur confiance.

Dans la matinée du lendemain, nous arrivâmes en vue d'un site où la roche était plus sombre. Des veines grisâtres se mêlaient à l'ocre jaune de la pierre.

Cependant, dans la direction que nous avions empruntée, les sommets s'étaient rapprochés et donnaient maintenant naissance à une sorte de cirque, guère très important mais aux allures trop austères pour notre goût.

100

C'est en le contournant, à l'abri d'un bosquet, que nous découvrîmes une minuscule hutte délabrée. Non loin de là, au tronc d'un arbre à demi-dépecé était attachée une chèvre. En voyant cette pauvre demeure dans un tel lieu, un nom traversa notre esprit : celui d'Urgel. Sans doute à cause de notre arrivée, la chèvre se mit à bêler, faisant surgir péniblement de la hutte une silhouette imprécise qui s'immobilisa sur son seuil. Nous nous en approchâmes sans nous poser de questions. En ces monts austères et balayés par le vent encore frais, toute présence humaine nous était comme un peu de chaleur dont il ne fallait pas gaspiller les bienfaits.

"Es-tu Urgel ? hasarda Simon en prenant sur moi quelques pas d'avance. Nous venons du village de Kur où après une fort longue route nous avons séjourné pendant quelques lunaisons."

"Je vois..." fit simplement la silhouette. Et elle esquissa quelques pas dans notre direction, sortant ainsi de l'ombre portée par les arbres. L'homme avait la cinquantaine, il était vêtu d'une longue robe très ample, serrée à la taille et qui avait dû autrefois être blanche. C'est son visage qui nous surprit et retint toute notre attention. Il était encadré par de très longs cheveux gris, raides et étrangement relégués à l'arrière du crâne. En fait, la moitié antérieure de celui-ci avait été totalement rasée ainsi que le prescrivaient les coutumes des bardes, selon le récit de Rœd.

"Oui, je suis Urgel, pourquoi me cherchez-vous ?"

Son front et ses joues présentaient une peau extraordinairement lisse et figée. Ses lèvres même avaient semblé ne pas remuer tandis qu'il avait prononcé ces mots d'une voix décidée.

101

"Nous ne te cherchons pas, continua Simon. Il advient simplement que notre route croise la tienne..."

"Je ne crois pas au hasard, rétorqua aussitôt le barde toujours imperturbable, je ne crois pas à la gratuité des faits... Est-ce Roed qui vous envoie ici ?"

"Roed ne nous sait pas ici ; mais il se pourrait bien que quelqu'un d'autre nous y ait envoyés... Nous non plus nous ne croyons pas à la gratuité des faits."

La rencontre s'annonçait un peu rude. Entendant cet échange de paroles, je m'empressai d'avancer à mon tour... dans l'espoir que ma présence désamorcerait ce que je pressentais déjà comme un début de lutte oratoire.

"Ecoutez, dit Urgel, je ne sais pas qui vous êtes, mais je vous prie de me laisser. Sans doute vous a-t-on parlé de moi et je vois ce que l'on a pu vous dire... Je n'ai pas l'intention d'en discuter et d'ailleurs il y a fort longtemps que la compagnie des hommes me pèse."

"Quoi que l'on ait pu nous dire, nous ne sommes pas venus pour te juger. Sache que ce sont les vents du soleil, seuls qui ont orienté notre marche. Nous ne t'importunerons pas plus longtemps."

Le barde ne répondit pas immédiatement à ces paroles. Il fit quelques pas la tête haute afin de rejoindre, un peu plus loin, la compagnie de sa chèvre. Prenant d'une main la tête de celle-ci, il se mit à la caresser entre les cornes.

"Seuls les animaux sont capables d'amour et d'attachement désintéressés rétorqua-t-il enfin, seuls les animaux ne jugent pas... ils ne portent pas de masque et n'en brandissent aucun. Les animaux sont eux-mêmes et c'est bien suffisant. Ainsi est-ce comme cela que je me veux désormais... au-delà des souffrances engendrées par ce qu'on appelle l'intelligence."

Sur ces mots, l'homme au crâne à demi-rasé partit d'un impressionnant éclat de rire aux accents presque sardoniques. Simon s'approcha à son tour de l'animal.

"Nous te laissons Urgel, mais avant de partir je tiens à te dire que je crois tout de même avoir devant moi un homme qui souffre. Le maître qui nous a enseignés n'a eu de cesse de nous faire comprendre que l'une des grandeurs de l'être qui prend racine sur cette terre est d'accepter le risque de chuter... ou même de simplement s'égarer. Nul ne peut indéfiniment refuser de pousser une porte. Si tu n'as connu l'ombre véritable, tu ne sauras jamais à quoi ressemble l'ardeur du soleil vrai. Ne crois pas que j'aie la prétention de te donner une leçon car j'ignore moi-même si j'ai connu la totalité de l'ombre dont je te parle. Je veux seulement te dire que pour mon peuple la noblesse de l'homme tient à son avance sur un fil tendu entre la lune et le soleil. Sur les terres où nous avons vu le jour nous avions coutume par les longues nuits chaudes d'été de contempler indéfiniment une lumière scintillante dans la voûte céleste. La plus belle pour nous, la plus lumineuse, la première éveillée, la dernière endormie, nous l'avions justement dénommée Lune-Soleil. Elle nous a toujours rappelé le choix permanent de nos vies et le respect des grandes forces apparemment duelles... Voilà Urgel, désormais nous te laissons."

Le barde nous tournait le dos ; il continuait imperturbablement à faire courir sa main entre les cornes de sa chèvre. Sans rien ajouter nous nous éloignâmes de son bosquet afin de rejoindre l'étroite et aride sente qui nous appelait.

Cette rencontre cassa quelque peu la joie de notre marche. Accepter de se sentir parfois inutile, cela fait partie du jeu de l'existence. De quel droit un être peut-il asséner sa vérité à un autre ? Ce n'est certes pas le feu du langage humain qui transforme — celui-là ne fait que plaquer des opinions — mais plutôt celui d'une présence. Un tel brasier agit toujours en silence et c'est à pas feutrés qu'il va chercher le cristal de l'être !.

Quand le crépuscule se mit à dérouler de longues bandes violettes et mauves au-dessus des montagnes, des odeurs de fumée menées par le vent nous convainquirent d'allonger le pas. La bourgade espérée n'était peut-être plus loin et l'atteindre avant la nuit pouvait être appréciable.

En escaladant une dernière butte rocheuse les lueurs de quelques feux et des silhouettes de constructions se détachèrent enfin du flanc faisant face au nôtre. A grandes enjambées nous dévalâmes jusqu'au fond du vallon pour nous rapprocher des murs de bois qui commençaient à se dessiner avec précision. Accrochée parmi les éboulis rocheux, la bourgade qui nous surplombait maintenant devenait réellement impressionnante. C'était une véritable forteresse avec ses tours et ses remparts faits de troncs dressés, pointant leurs extrémités acérées vers le ciel. Une foule de huttes et de maisonnettes de pierres sèches s'y adossait et formait un indescriptible chaos d'où s'échappaient par moments les odeurs les plus diverses, allant de celles des repas fraîchement servis aux senteurs des troupeaux.

Nous gravîmes le sentier à demi essoufflés tandis qu'un groupe d'hommes et de femmes se prit à rire en nous désignant du doigt. En cherchant notre chemin parmi les cahutes dans lesquelles la vie du petit peuple s'était déjà retirée, nous arrivâmes rapidement face à l'entrée principale de la forteresse, enserrée entre deux tours carrées aux assises de pierre. Un quadrillage de pieux, telle une grille, en interdisait l'accès. Il était trop tard, trop tard pour y trouver un abri, une âme secourable. De l'autre côté du rideau de bois, quelques formes humaines marchaient, se croisaient et se recroisaient d'un pas lent et mécanique. Nous n'eûmes pas de peine à reconnaître là les silhouettes typiques de plusieurs soldats romains. Il ne restait plus qu'à rebrousser chemin en quête d'un abri offert par la nature elle-même. Le long du sentier qui serpentait entre les pauvres habitations, cent visages hagards et méfiants se tendirent sur notre passage dans l'embrasure des portes. Nous n'osâmes rien demander. Le fond du vallon fut bientôt atteint et c'est là qu'un étrange spectacle nous attendait.

Nous fûmes attirés derrière quelques fourrés par des murmures, des bruits de pas qui se traînent et un clapotis d'eau que l'on verse. Dans le coin d'un champ de cailloux cinq ou six formes humaines étaient agenouillées, assemblées autour de nous ne savions quoi. L'une d'elles était celle d'un homme apparemment âgé ; les autres beaucoup plus alertes s'affairaient en fouillant le sol pour en extraire ce qui ressemblait à des morceaux de bois grisâtre. Soudain, derrière notre dos, une petite voix fine amorça un rire discret. Au bord du sentier, une vieille femme se tenait à trois pas de nous, les bras sur les hanches. Elle était à demi-courbée en deux comme si sa vie s'était résumée au transport d'un pesant fardeau.

"Ce n'est rien étrangers, fit-elle à mots feutrés, laissez-les, venez plutôt par ici avant qu'ils ne sachent que vous les avez vus..."

Sur ces paroles, la vieille femme, dont les longs cheveux blancs s'éparpillaient de chaque côté du visage continua encore un instant d'étouffer son petit rire.

"Venez, venez, renchérit-elle d'un ton qui frôlait l'ordre. Ils sont un peu fous, ils ne sont pas d'ici... Leurs parents déjà faisaient la même chose... C'est le vieil Endrec et ses enfants. Il y a sept ans que sa femme est partie au-delà... alors il en cherche les os avec ses enfants pour les laver un à un, sinon il croit qu'elle reviendra boire leur sang. Je ne sais pas de où sa famille vient... mais ça n'a pas d'importance... Venez !"

Sans ajouter une seule parole la vieille femme nous entraîna alors d'un pas alerte parmi un chaos de rochers et de broussailles jusqu'à un petit abri très bas qui sentait bon l'animal et la paille.

"Voilà, ajouta-t-elle simplement avant de disparaître dans la nuit, je suppose que vous n'avez pas de quoi dormir... alors restez ici."

Nous ne la revîmes plus jamais, mais sans doute l'odeur de ses chèvres et les accents de son petit rire étouffé traîneront-ils encore longtemps dans nos mémoires. Il y a toujours de ces êtres de par le monde qui sont, en des heures de solitude ou d'arrachement, comme des mains tendues ou des portes entrouvertes...

Au petit matin, parmi les nappes de brume qui stagnaient à flanc de montagne nous gravîmes à nouveau le sentier rocailleux de la veille, celui qui menait à la place forte. La plupart des masures étaient encore endormies mais nous trouvâmes la porte de la bourgade ouverte. Nous la franchîmes timidement entre quelques chariots tirés par des bœufs. Les soldats romains, l'air frigorifié ne semblèrent pas même faire attention à nous. Dans les étroites ruelles où les maisons s'entassaient les unes sur les autres, une croûte de vieille paille malodorante jonchait partout le sol. Il y avait là quelques échoppes qui s'ouvraient déjà en faisant claquer rudement les battants de leurs portes et de leurs fenêtres. Des quartiers entiers d'animaux dépecés furent bientôt suspendus un peu partout entre quelques légumes rachitiques et des corbeilles de graines. Le crissement du tour d'un potier dont la silhouette échappa toujours à nos regards évoqua avec force de lointains souvenirs, presque ceux d'une autre vie sous un autre soleil...

Nous avions sur nous quelques menues pièces de monnaie mises en circulation par les Romains et dont nous avait gratifiés Rœd avant notre départ. Forts de ce qui pour nous était un petit trésor, nous ne pûmes résister à la tentation de pénétrer sous un appentis où avaient été disposés pêle-mêle deux ou trois bancs et tables de bois déjà lacérés par les couteaux. Un homme en braies de grosse toile noire et en gilet de peau nous servit immédiatement à chacun un profond récipient de terre dans lequel fumait légèrement un liquide aux reflets ambrés et à l'odeur forte. Ne lui ayant rien demandé nous dûmes avoir l'air un peu surpris.

"Vous n'êtes pas de nos montagnes, fit-il... c'est de la cervoise. Il n'y a rien d'autre ici. Alors comme il ne fait guère chaud, je l'ai mise sur la flamme un peu plus longtemps que d'habitude."

Quoiqu'un peu bourru, l'homme nous inspira confiance et le trouvant bientôt presque aimable, nous entreprîmes de le questionner sur la région, la ville elle-même et sur ses chefs.

"Oh, dit-il c'est le père de mon père qui a vu les premiers Romains arriver ici. Depuis, les choses ont bien changé. On ne sait plus au juste chez qui nous sommes ! Maintenant les femmes de la contrée vont jusqu'à leur proposer mariage... De toute façon, ce sont bien eux qui me boivent une bonne moitié de ma cervoise ! Et ils payent !"

La cervoise... Simon m'en avait jadis fait goûter un plein gobelet à une échoppe de fortune dressée près des barques à Gennesareth. Mais celle-là n'était pas chaude.

Un bruit de pas rapides et pesants nous fit tourner la tête. Un soldat romain venait d'arriver, le casque à la main, une mauvaise couverture jetée à la hâte sur les épaules. C'était un homme trapu, quelque peu hirsute et à la mine joviale.

"Salut à vous tous", dit-il avec l'assurance de quelqu'un qui connaît les lieux.

Pour toute réponse notre hôte lui asséna sur l'épaule une rude tape avec le plat de la main et posa devant lui, dans une sorte de grognement amusé, sa part de cervoise.

L'homme s'était assis devant nous, à l'extrémité d'un banc et, les deux coudes posés sur la table, il se mit à boire à petites gorgées bruyantes le liquide fumant. Au boutde quelques instants seulement, ses yeux se levèrent pour se figer successivement dans les miens puis dans ceux de Simon.

"N'est-ce pas vous, fit-il soudain en plissant les sourcils, n'est-ce pas vous qui tantôt à la nuit noire vouliez entrer dans ces murs ?   Vous venez de loin n'est-ce pas ?"

"C'est exact répondit Simon, de bien loin, de suffisamment loin pour avoir le cœur chargé d'une foule de visages, de noms, de langues..."

"Et d'idées aussi certainement ! Méfie-toi tout de même étranger... il fait toujours bon ressembler à la terre sur laquelle on marche."

En terminant ces paroles, l'homme laissa échapper un petit rire chaud et discret puis étendit le bras jusqu'à poser sa main sur celle de Simon.

"Mais ne crains rien reprit-il dans un bel éclat de voix, j'aime me moquer... ! Je ne sais pas si tu es de ceux qui apprécient sans cesse se faire pousser par le vent où si tu cherches à t'asseoir, mais calme tout de même ton regard sinon il effraiera les gens d'ici..."

Son intonation s'était faite soudain plus douce, inattendue. Simon tourna la tête dans ma direction d'un air interrogateur.

C'est vrai que son regard était de braise, qu'il y fleurissait plus la fougue du Baptiste que la paix tant réclamée par le Maître. Et le mien, comment était-il ? Et il fallait que ce soit Rome qui pointe son doigt sur nous pour que nous entendions une fois de plus ces choses ! Par quelle force avait-il été envoyé jusqu'à nous ce légionnaire mal rasé ?

La leçon continuait. En cet instant, je fus pleinement consciente que cette lutte contre le pouvoir en place que s'acharne parfois à mener l'homme à chaque jour de son avance n'est jamais qu'un combat contre sa propre carcasse. Et s'il fallait que l'homme se l'entende dire cent fois, mille fois, et plus encore, il se trouverait un soldat sur son chemin jusqu'à ce qu'il ait lui-même baissé les armes.

C'est ce matin là que Simon commença de se désarmer lorsqu'il posa lui aussi sa main sur celle du légionnaire, sans réfléchir...

Il y eut un moment de silence puis il dit simplement :

"Qui commande aux hommes de ce pays ?"

"Le grand préfet séjourne depuis peu en ces murs, mais que t'importe !"

Quelques jours passèrent, quelques jours que nous ne sûmes trop comment utiliser. Nous nous partagions entre le décor nocturne de notre petite bergerie et les ruelles de la bourgade où tout emploi même à de menues besognes nous était refusé. Il fallut qu'un incident survînt et qu'une femme fût malade pour que nos jours prennent enfin une autre teinte.

Sous un soleil timide, à la sortie d'un porche qui conduisait à une placette où chaque matin herbes et grains s'échangeaient, un attroupement bruyant capta notre attention.

Une femme jeune encore, manifestement à bout de forces, lançait de grands éclats de voix entrecoupés de longs sanglots. Au milieu de la foule qui grossissait, une autre femme et un homme la maintenaient étroitement, en proie quant à eux à un désarroi silencieux. Des visages se questionnaient, le ton montait et ce fut rapidement une cohue à laquelle nous nous vîmes mêlés.

"Il n'y a rien, marmonna une vieille femme à l'air sévère qui, serrée contre nous, tentait de se dégager. C'est toujours elle... Depuis qu'elle a enfanté, elle fait souvent cela..."

Le regard de Simon et le mien se joignirent instantanément : ce type de trouble, nous le connaissions bien. Combien de fois au gré de nos marches dans les collines de Galilée et de Samarie, n'avions nous pas été confrontés avec nos compagnons à ces désordres de l'âme et du corps ! Nous avions parfois constaté des sortes de trous béants dans les coques vitales des nouvelles accouchées, des zones précises où lumière et force fuyaient de leur corps comme l'eau qui sourd d'un rocher. Il y fallait un baume, il fallait retisser la matière subtile de leur être au creux de l'ombilic et au sommet du crâne.

Nous tentâmes donc de nous faufiler jusqu'à celle qui continuait de se débattre et de s'épuiser en larmes. Nous ferait-on confiance ? Si visiblement ici nous n'y étions pour personne, chacun nous avait remarqués, toisés et sans nul doute jugés.

Mais devant la douleur, les hommes ont peur. Alors, sans oser nous dire un seul mot, on nous laissa approcher la jeune femme. Elle était maintenant allongée sur le sol, les poings serrés sur les yeux et à demi-recroquevillée parmi une débauche de légumes piétinés. Nous nous age-nouillâmes près d'elle. Simon plaça simplement sa main droite au creux de son estomac, quant à moi je lui pris la plante des pieds dans mes deux paumes. D'abord un peu de paix... puis viendrait le pansement. Le serpent de son corps devait pouvoir se mordre à nouveau la queue. La femme qui vient d'enfanter est trop souvent semblable au lac dont les eaux s'évaporent s'il n'est nourri par les torrents de la montagne. Ses forces s'éparpillent, absorbées par sa création comme l'âme de celui que ses émotions dirigent puis di-gèrent jour après jour.

Instantanément, son être tendu se décrispa. Il fallait le rattacher à la terre, ce corps épuisé qui voulait fuir en tous sens. Il fallait le replanter, tel un arbre, cicatriser ses plaies et réorienter le flux de sa sève.

Alors, nous nous mîmes à chanter comme nos Frères d'Essania le faisaient depuis des temps immémoriaux. Ce n'était pourtant pas leur chant, ni notre chant, c'était celui de cette femme, un chant qu'elle n'avait peut-être elle-même jamais entendu.

Tel un bourdonnement profond, il se mit à planer au-dessus de la foule muette. Progressivement, il nous sembla qu'il devenait étranger à nos poitrines, qu'il acquerrait sa vie propre et se mouvait en lentes vagues là où la douleur l'appelait.

Toute tension cessa et nos mains opérèrent d'incontrôlables volutes au-dessus du corps qui semblait maintenant dormir.

Il y avait des semaines que nous n'avions soigné et cette fraîcheur de la lumière que nous sentions à nouveau se couler dans nos veines fut une goutte d'or offerte à nos cœurs. Nos pensées cessèrent et un silence désormais puissant tomba sur la foule assemblée. C'était à nous de remercier.

"Il y a partout des êtres qui saignent, disait le Maître, partout des êtres qui saignent afin que les hommes se souviennent qu'ils ont des mains pour soigner et des cœurs pour aimer. Sachez-le, il n'y a pas un nuage sur cette terre qui n'ait sa raison d'être..."

Un vol d'oiseaux croassant passa haut dans le ciel ; il déchira d'un coup de voile le silence qui nous recouvrait tous. Nous nous levâmes ; il y eut des murmures, des interjections, puis tout à nouveau fut confus. On nous prit alors à part, à l'ombre humide d'une grosse maison de pierre grisâtre. Les regards traduisaient un singulier mélange d'émotion, de curiosité et d'inquiétude. Qui étions-nous ? d'où venions-nous ? et que voulions-nous au juste pour arpenter ainsi les ruelles de la bourgade depuis maintenant tant de jours ?

Et les montagnes de Judée, où était-ce ? Quelle mer avions-nous traversée ? N'avions-nous pas au moins quelque étoffe ou quelque sac de plantes à vendre... ? Alors, pourquoi ? Et quelle magie pratiquions nous enfin ?

Comment répondre à tant de langues et d'oreilles avides ?

Tout était si complexe ou alors au contraire si simple, si évident, qu'aucun mot, aucune phrase ne semblait suffisamment dépouillé.

Pourtant, au beau milieu d'une conversation hachée, l'un de nous fit résonner un nom, une vibration qui eut presque l'effet d'un coup de tonnerre :

"Kristos !

Kristos ? Qui est-ce ? Votre Maître ?

Non...

Votre roi ?

Non...

Votre dieu alors ?

Non plus, frères... "

Et ce "frères", lâché comme une espèce de supplique pour qu'enfin on nous laissât réellement parler acquit lui aussi la force d'un second coup de tonnerre.

Et en répétant une fois de plus "non ce n'est pas notre dieu" nous comprîmes toute la portée que cette affirmation avait et le fabuleux trésor que sa pleine compréhension recelait.

Tandis que nous distillions nos explications, non loin de là, la jeune femme venait de se lever, le regard plongé en elle-même. Assistée de quelques-uns nous la vîmes s'éloigner à pas mesurés alors que l'attroupement se renforçait autour de nous.

Il me souvient qu'une force calme entreprit alors de s'exprimer à travers nous, peu à peu, telle des vaguelettes venant lécher la grève à l'aube naissante. Il y eut des mots simples auxquels nous n'avions jamais songé. Dès lors, comme si le vent de ce début de printemps s'était chargé de douceur, les esprits s'apaisèrent et on nous écouta jusqu'à ce qu'un homme maigrelet, l'air affable, se manifestât. Je vois toujours ses braies d'un rouge écarlate et son ample tunique de peau de chèvre. Les yeux sombres et le visage émacié, il lança soudain vers nous :

"Ma grange et ma table vous sont ouvertes comme bon vous semble, étrangers... parlez-nous encore de votre voyage, de votre chant magique... et puis peut-être aussi de votre Kristos... !"

Nous devions rester chez lui près d'une lune...

Les jours défilèrent les uns après les autres sans que nous eussions même le temps d'arrêter le regard de notre âme sur ce qui faisait leur beauté.

Devant sa porte, ce ne fut qu'assemblée sur assemblée. Tous voulaient savoir. Peut-être et même sans doute ne fut-ce d'abord que curiosité, que désir amusé de voir et d'écouter ceux qui venaient de loin et qui avaient "vu des choses". Mais la curiosité née de cœurs simples et sans détour peut aussi devenir volonté d'apprendre et de comprendre. C'est, nous semble-t-il encore, ce qui se produisit en ces quelques jours heureux.

Les âmes étaient disponibles et c'était tout ce que nous leur demandions. Nous ne leur disions pas "vous devez nous croire" mais, "acceptez de réfléchir, de réfléchir non comme pour résoudre un problème ; seulement comme le fait la surface de l'eau lorsqu'elle redistribue la lumière du

114

soleil. Rien de plus..." et il est pourtant si rare l'être qui accepte cela.

Il ne se manifesta qu'un prêtre, homme fort et à la voix caverneuse, pour dresser un rempart face aux paroles mises dans nos bouches. Dans sa longe robe blanche sur laquelle pendait une foule d'objets rituelliques, il fut solennel et sans concession. Ce que nous avancions de la vie du Maître et de ses enseignements ne pouvait être vrai parce que cela ne pouvait être vrai... L'argument était imparable. Jusque là, le druide majestueux avait été l'autorité incontestable, au-delà même de Rome, sur ces terres alors reculées... et voilà qu'un homme et une femme arrivaient d'on ne sait où afin d'ébranler les esprits ; ils voulaient faire croire à chacun que l'éternelle lumière de l'Awen est à la portée de tous. Quelle plaisanterie ! Une plaisanterie dangereuse ! On pouvait alors se passer d'un dogme et d'intermédiaires... ! et cela, c'était incroyablement subversif. La liberté de l'âme qui s'adresse directement à l'Essence de toute vie, qui apprend à la sentir vibrer au tréfonds de lui-même, cela ne se pouvait pas car alors, combien d'autorités en place ne devraient-elles pas disparaître ?

Le druide se perdit en imprécations à notre encontre et, avec force gestes démesurés, nous le vîmes enjamber les uns et les autres dans la foule assise éparse puis disparaître dans les ruelles. Dès lors, nous sentîmes que la petite bourgade et son équilibre tranquille commençaient de trembler sur leurs bases et que les cœurs se scindaient. N'y aurait-il jamais rien d'autre à faire jaillir que cette éternelle dualité ? Il y avait stupidement ceux qui étaient "pour" et ceux qui se disaient "contre", ceux qui reconnaissaient être ébranlés dans leurs convictions et ceux qui se raidissaient, se réfugiaient derrière le pouvoir ancestral. Simon et moi ne réagîmes que très peu. L'idée d'une quelconque polémique était morte en nous. Et même si deux mille années se sont aujourd'hui enfuies, l'étincelle à faire accepter est toujours la même : de quel droit imposer sa propre vérité ?

Lorsque parmi les rudes montagnes avoisinantes, la rumeur commença à circuler qu'un homme et une femme aux idées dangereuses vivaient là, il n'y eut plus qu'une chose à dire à ceux de la terre de Kal :

"Nous n'attendons que cela de vous : l'amour. Peu importe qu'à vos yeux nous soyons des usurpateurs et des fauteurs de troubles. Peu importe ce à quoi vous adhérez, la seule force qui vaille c'est l'amour que vous allez faire briller dans vos regards, celui-là, nous l'attendons vrai, c'est à dire sans limite."

Ces mots parurent apaiser les consciences durant quelques jours, mais un matin, très tôt, alors que nous roulions nos couvertures sur la paille de notre grange, un cliquetis et un roulement de pas rythmés vinrent heurter nos oreilles.

Instantanément il y eut quelques cris étouffés. C'étaient ceux de vieilles gens qui attendaient dehors dans l'espoir de quelques soins que nous leur prodiguions quotidiennement. Tous et toutes s'enfuyaient. Nous n'eûmes que le temps de nous redresser ; déjà un détachement romain nous avait encerclés, les pilums brandis nous interdisaient le moindre geste.

L'image de la petite place de Magdala, baignée de soleil me traversa l'esprit en un éclair... Mais cette fois nous étions bien seuls et c'était comme si en mon être une voix murmurait "et maintenant, maintenant, dis moi ce que vous avez appris..."

Violence, haine, peur,... toutes ces pulsions m'assaillaient dans un désordre indescriptible. Quel horrible piège ! Puis avec la même soudaineté, tout retomba et je fermai les yeux. Il fallait respirer quelque chose d'autre que tout cela dans cet appentis, parmi les mottes de paille et les instruments de labour...

Mes forces se mirent à quitter mes bras et je sentis que c'était un bien, qu'il fallait accepter...

"Suivez-nous" se contenta de hurler un officier, le casque rutilant et le glaive pointé dans notre direction. Rapidement, on nous poussa à l'extérieur. On plaça Simon devant moi. Il était pâle et ne disait rien. Il ne disait rien mais quand son regard embrasa furtivement le mien, j'y devinai comme un petit sourire, comme une façon de dire, presque amusée :

"Tu vois, ici non plus il ne laisse pas indifférent !..."

On nous mena jusqu'à la forteresse, incroyable de rigidité avec ses palissades aux troncs d'arbres calibrés, ses pierres aux angles calculés. C'était le lieu de garnison de toute la contrée, obscur et adossé à la montagne si sévère...

On nous mit dans deux cachots séparés, pétris d'humidité. Le mien donnait sur la vallée par une minuscule ouverture où s'engouffrait à peine un rayon de lumière blafarde. Par elle, c'était néanmoins la vie qui montait jusque là : quelques bêlements, le chant du coq et les clameurs de la place aux grains.

Il n'y avait plus rien à dire, simplement attendre... attendre et prier ? En avions nous bien le droit ? C'est si facile de prier lorsque l'on sent le sol se désagréger sous nos pieds, comme un remède d'urgence. La prière, on n'y pense que dans ces moments-là !

"Aide-toi nous avait-Il répété durant des années, comme une litanie, mon Père aide ceux qui s'aident... "

Et si c'était un prétexte, orgueil, fierté ? Peu importent les mots dont nos égos se parent, jour après jour dans les méandres de leur ruse. S'il restait encore en moi les signes de leur farandole, il fallait aussi qu'ils fuient. L'essentiel c'est toujours de rencontrer face à face le mécanisme enclenché en soi puis, la seule vraie paix, celle qui a vaincu avant même que de combattre : la confiance totale, l'abandon actif de l'âme.

Quelques jours passèrent ainsi, ponctués par le bruit sec d'une trappe que quelqu'un levait et abaissait en bas de la lourde porte de ma cellule. A chaque fois, une main s'y glissait, passant dans ma direction une galette de pâte brune, un bol rempli d'une sorte de bouillie et une petite cruche d'eau. Rien d'autre, pas un mot ; à peine de temps à autre un pas pesant et traînant, sans doute celui du geôlier. J'ignorais même si le cachot de Simon était voisin du mien.

Dans cette froide solitude, je vis que mon âme se vidait peu à peu de tout ce qui lui était étranger, qu'elle retrouvait ses lignes de force essentielles, ses questionnements majeurs mais aussi ses certitudes, gravées comme dans le granit. Après tout, ici aussi nous étions au pied du mur, autant que face à ces êtres auxquels nous avions entrepris de parler quotidiennement. Celui qui ne peut scruter les replis de son propre visage a-t-il seulement le droit de pointer l'index vers les faux plis du cœur de l'autre ? Nous avons toujours quelque part une tunique à dépoussiérer et ce que l'on appelle Destin sait bien créer les événements pour que nous accomplissions une telle besogne. Encore faut-il le comprendre, avoir l'humilité de l'admettre et la patience de le vivre.

"Ce que vous nommez les coups du Destin, mes Frères, avait dit un jour le Maître à quelques-uns d'entre nous dans la demeure de Marthe, ce sont simplement les coups de cet autre vous-même qui quelque part, sous la lumière de l'Eternel, sait bien ce dont vous avez besoin. Et je vous le dis, vous n'avez pas besoin que de miel ni de ciel bleu. Le fiel aussi a sa richesse. Si mon Père vous a laissé le soin d'en produire, c'est afin que son amertume également vous enseigne."

Le matin du troisième jour, une brusque pensée fit irruption en moi : et si je rejoignais Simon... ?

Comment ne pas y avoir songé plus tôt ?

Le corps de lumière ne connaît pas de prison ! Il pénètre le roc le plus dur aussi aisément qu'un simple bâton peut fendre l'eau... A deux, la solitude serait moins pesante, moins ingrate et puis au-delà de ces murs peut-être pourrions-nous apprendre quelque chose sur notre sort !

L'idée était tentante, si tentante qu'elle venait de balayer deux jours de pleine paix. L'âme humaine est-elle à ce point faible pour se lasser de sa propre quiétude ? Il suffisait de s'allonger là sur le sol, de pratiquer quelques respirations et d'ouvrir le cœur vers "l'autre côté". Quoi de plus simple ? Cela aussi obligeait l'être intérieur à se décrisper, à faire lâcher prise à toutes ses raideurs, ses automatismes, ses contractures mentales. Cela aussi, c'était ensemencer la vie avec des graines de paix !

Et tandis que ces pensées jaillissaient de moi avec une incroyable spontanéité, il y avait à la surface de ma conscience la voix d'une autre Myriam qui tentait de se lever comme en mémoire d'un temps lointain où tout était peut-être plus clair.

"Allons, disait-elle, ironisante, tu vas fuir ? Tu ne supportes plus ta propre présence ? Si tu commences à vouloir savoir de quoi demain sera fait, tu ébranles déjà les bases de demain. Tu le sais bien !"

En effet, je savais bien qu'elle avait raison cette voix.

Il y a marcher hors de son corps et s'enfuir de son corps. Il y a élargir le champ de la conscience et le restreindre en un point qui s'empresse de mourir sitôt qu'il a vu le jour.

Il y a accepter les nécessités fondamentales de la vie offerte et imposer au chemin les courbes de notre petite vision.

Ma place était bien là dans cette forme. Alors, en mon esprit, ce fut à nouveau le silence. Mais cette fois le vrai, plus même cette sorte d'espoir qui est une façon différente de dire "moi je", parce que malgré tout, insidieusement, la volonté personnelle s'y infiltre encore.

Il est des vérités qui ont besoin de l'obscurité pour pouvoir dire qu'elles sont des vérités. Celles-là sont les plus belles.

Un soir, alors qu'un rayon de soleil pourpre, se hasardait à lécher quelques pouces du mur de ma cellule, un bruit de métal qui grince et de bois qui se plaint me fit brusquement tourner le regard. La porte s'ouvrit avec un fracas inattendu. Un soldat en armes, flanqué de deux autres qui se tenaient dans l'ombre, esquissa de la main un rapide geste éloquent. Il fallait sortir. Les trois hommes me firent passer devant eux, me laissant juste le temps de m'enrouler dans ma couverture.

120

Après avoir gravi des escaliers dans une quasi-obscurité avec le grincement des grilles que l'on faisait pivoter derrière nous, je traversai une petite cour qui sentait bon quelque soupe bouillant encore dans les marmites. Cette cour était enserrée entre de hautes palissades de bois et conduisait à des degrés de pierre dont l'accès se voyait gardé par un homme en armes, arnachement au grand complet, en véritable habit d'apparat.

Nul ne m'avait dit quoi que ce soit, mais il était clair que l'on m'amenait vers une autorité supérieure. Peut-être enfin, allais-je retrouver là Simon...

Nous pénétrâmes dans une première salle, de taille moyenne, totalement nue, presqu'aussi froide que ma cellule, puis dans une seconde, vaste quant à elle, richement décorée par des statues et des peintures à même la muraille. Il y avait là une bonne cinquantaine de romains et des hommes de Kal aussi, aux allures de guerriers farouches. Leurs visages scrutateurs étaient éclairés par une multitude de lourds flambeaux figés dans la pierre des murs et qui dansaient néanmoins de toutes leurs flammes. Dans le fond de la salle, trois hautes et larges marches... et au sommet de ces marches, trois hommes assis, imperturbables sur d'énormes fauteuils de bois.

Ils discutaient entre eux dans le murmure confus de la foule amassée sur les côtés, le long des murs. Ceux qui ne portaient pas l'habit impressionnant de l'armée romaine ou des guerriers de Kal avaient l'air de notables. Leurs draps aux couleurs chatoyantes sous la lueur des torches évoquèrent en moi ceux de quelques riches Sadducéens de Jérusalem.

Lorsque je pénétrai dans ce lieu, quatre hommes en sortaient le visage fermé, les fers au cou et poussés par quelques gardes.

Dans le brouhaha à demi-étouffé de la foule présente, nul ne sembla faire cas de mon arrivée ; pas un sourcil pour se lever, ni une tête pour se tourner.

Soudain, dans le fond de la salle que mes yeux balayaient, un regard accrocha le mien, immanquablement : Simon !

Je le vis zébré comme par un éclair, presque un cri de victoire. J'aurais voulu courir dans sa direction, m'agripper à lui et que l'on nous laisse partir loin... que l'on nous laisse être ce que nous étions... sans rien de plus ! Mais l'un des soldats qui m'escortaient, pressentant sans doute ce réflexe, m'avait brusquement saisie par le bras. Il m'amena ainsi au bas des quelques marches où trônaient les trois hommes sur leurs énormes sièges de bois. Simon fut immédiatement poussé à mes côtés. Je vis alors qu'il avait les mains attachées par une chaîne et que sa robe avait subi quelque dommage. Avait-il cherché à s'enfuir ? Cela ne lui ressemblait pas, pas dans de telles circonstances... cela aurait été comme l'aveu d'un tort !

Nos yeux auraient voulu se parler, raconter tous ces jours mais nos langues ne l'osaient pas. L'auraient-elles pu d'ailleurs ? D'un coup, la voix de l'homme qui siégeait au centre tomba sur nous. Il avait à peine relevé la tête et semblait en vérité plus préoccupé de l'assemblée que de notre propre présence.

"Qu'avez-vous à dire pour vous défendre ?"

Nous restâmes interloqués... De quoi au juste nous accusait-on ?

Aussitôt, l'homme assis à la gauche de celui qui venait de s'exprimer se pencha vers lui et lui parla longuement à l'oreille.

"Ah !... entendîmes-nous seulement, ah, bien sûr..."

Celui qui présidait manifestement l'assemblée se redressa alors sur son fauteuil et tendit tout le haut de son corps dans notre direction, un sourire narquois aux lèvres.

"Il paraît, étrangers, que vous troublez la quiétude de cette ville. Il paraît que vous ne pouvez marcher dans ses rues sans créer aussitôt un attroupement. Il paraît aussi que vous bafouez ouvertement l'autorité des prêtres de ces montagnes. Qu'avez-vous à dire de tout cela ?"

"Nous ne voulons troubler aucune quiétude, rétorqua Simon du ton le plus calme. Nous venons de bien loin, simplement, et comme des voyageurs, nous parlons de ce que nous avons vécu à ceux que nous rencontrons. Nous ne comprenons pas votre crainte, nos paroles ne sont que des paroles de paix."

"Etrange paix à vrai dire ! On me signale à l'instant que votre seul passage sur la place aux grains provoque immédiatement d'âpres discussions et la colère systématique des druides. Qu'avez-vous à répondre ? Que leur racontez-vous au juste ?"

Cette fois, plus aucun moyen de se dérober. Tout en ajustant les plis de sa toge, le Romain s'était mis à nous dévisager, l'un après l'autre, avec l'art consommé d'un diplomate rusé.

"Nous venons des monts de Judée, reprit Simon après quelques instants. C'est une terre de soleil bien au delà de la mer. Ceux de ton peuple y gouvernent également. Nous y avons rencontré un homme qui enseignait la paix. Il en parlait de telle façon qu'il a nourri notre cœur et qu'il nous semble aujourd'hui naturel de transmettre ses paroles. Est-ce cela qui est de nature à vous inquiéter tant ?..."

"C'est du Nazaréen dont tu parles ?"

Le Romain avait brutalement changé de ton. Sa question était glacée, tranchante comme le fil d'un glaive.

"Certains l'ont appelé ainsi, c'est vrai..."

"C'est ce que je voulais savoir... écoutez-moi bien tous deux... Rome n'a que faire de mendiants de votre sorte sur ses terres. Moi aussi, je reviens d'un fort long voyage et il y a peu de temps encore on m'entretenait des troubles que ceux de votre espèce suscitent partout où ils passent. Je vous le dis tout de suite, vous et votre maître dont j'ai oublié le nom êtes indésirables ici et ailleurs. La seule paix que je connaisse, c'est celle que je mets en place ici. Cette liberté-là se touche du doigt et tant que j'en serai responsable dans ces montagnes, aucun verbiage ne viendra en faire douter qui que ce soit. L'ordre des choses est celui de ces hommes que vous voyez ici. Maintenant il suffit !"

La sentence glaciale tomba sur la salle tout entière. Nul ne disait mot ; juste quelques regards complices, parfois amusés, parfois au contraire inquisiteurs. Fallait-il répondre ?

Quoi qu'il en soit, nous n'en eûmes pas le temps. L'un des trois hommes du haut des marches se leva et fit un geste nerveux de la main.

Les légionnaires qui n'avaient cessé de se tenir derrière nous, nous firent alors pivoter sur place en nous empoignant rudement puis nous poussèrent jusqu'à l'extérieur de la salle.

Dehors, c'était maintenant l'obscurité. Un petit vent frais balayait la cour entre les palissades de bois et soulevait dans sa course des volées de poussière que nous prenions en plein visage.

Et toujours cette odeur de soupe à laquelle venait se mêler celle d'une fumée de bois humide qui se consume...

Après être passés dans une autre cour, plus vaste et où attendaient des chevaux, on nous amena devant une énorme porte ferrée, barrée d'une grosse poutre. Un soldat hurla un ordre, un autre fit glisser la poutre et d'un solide coup d'épaule se mit à faire tourner la porte sur ses gonds.

On détacha alors Simon et tous deux fûmes poussés sans embages dans l'obscurité, au-delà des murs.

Nous dûmes rester là quelques secondes, comme des blocs de marbre, essayant de rassembler nos idées. Je finis juste par sentir la main de Simon qui saisit âprement la mienne.

Enfin, nous dévalâmes à grandes enjambées le large chemin qui conduisait aux premières habitations. Nos yeux s'étaient accoutumés à la noirceur de la nuit et ne parvenaient à discerner dans le dédale des masures que quelques chiens jappants. Peut-être cela valait-il mieux... Parmi le petit peuple de cette bourgade, qui pouvait réellement se permettre de regarder en face et d'accueillir ceux qui sortaient des cachots romains ?

Sans chercher d'autre solution, nous portâmes donc nos espoirs vers l'humble bergerie qui avait abrité nos premières nuits.

Cette fois les bêtes étaient présentes... il fallut bien qu'elles nous acceptent, nous avions trop besoin de leur chaleur et de leur réconfort.

L'aube et ses brumes encore porteuses de givre nous tirèrent vite d'un tel refuge. Nous étions dans le pli d'un vallon et l'on n'y voyait guère à quelques pas. L'instant rêvé pour entrer dans son âme et y faire le point. Mais ce matin-là, entrer dans leur âme pour nos deux corps transis, c'était parler, s'exprimer et écouter l'autre jusqu'à son moindre respir.

"Nous ne pouvons partir de cette façon, se plaisait à répéter Simon. Ce serait comme une fuite, ils ne comprendraient pas. Ceux que nous avons soignés et qui nous ont écoutés pendant tous ces jours... ils existent bien... c'est à ceux-là qu'il faut penser. Un champ qui commence à germer, on ne le laisse tout de même pas envahir par les herbes folles !"

J'étais de son avis, nous n'étions pas des voleurs et nous ne pouvions déguerpir comme cela nous avait été implicitement suggéré. Pourtant, ce dont j'étais certaine également, c'était que nous ne pouvions heurter de front la situation.

Il est facile de s'opposer à des hommes, même par une simple présence silencieuse, mais lorsque ces hommes deviennent des idées et que ces idées sont érigées elles-mêmes en grands principes, il en va tout autrement. On ne combat pas des principes qui sont tels des rails pour des milliers et des millions d'âmes ; on continue de travailler inlassablement en sachant qu'ils s'épuiseront eux-mêmes de leurs limitations, qu'ils se désagrègeront lorsque toute la substance en aura été bue.

Il y avait un ordre du monde, un système avec sa propre logique qui refusait d'être montré du doigt par l'énergie du Kristos. Nous l'appelions Rome, mais ce n'était pas celui

126

de Rome, c'était et c'est toujours celui de la peur, l'ordre de la peur, peur de se redécouvrir et de se trouver face aux vérités fondamentales.

Le soleil décida enfin de se lever totalement et de nous réchauffer dans notre trou de verdure avec ses moutons bêlants.

Aussi loin que notre regard pouvait porter, des langues de brume denses et cotonneuses finissaient de s'étirer. Des bosquets d'un vert profond en émergeaient çà et là et faisaient songer à des îlots sur les bras d'un fleuve tranquille. Là, il y avait la paix... dans son évidence première... La nature parvenait à nous le faire comprendre. Elle est en accord avec les lois universelles. Lorsque l'on ne voit plus ces lois, on invente des règles. C'est ce qu'a fait l'homme !

Restait toujours la question d'agir selon ce qui nous était demandé. Puisque l'on ne voulait pas de nous dans ces murs, peut-être fallait-il construire une sorte d'ermitage quelque part sur les monts avoisinants. Devions-nous faire rayonner ainsi un soleil que nous ne pouvions plus contenir depuis longtemps dans nos seules poitrines ? Le souvenir d'Urgel perdu dans ses solitudes rocheuses nous fit secouer la tête. Non, il y avait autre chose à faire dans le Grand Sablier, il y a des temps pour les moines et des temps pour les maçons, pour les charpentiers !

La matinée se passa sur les crêtes des montagnes environnantes. Celles-ci nous semblaient propices à nous faire retrouver un élan de joie car sans cet élan, rien n'était plus possible.

Comme le soleil arrivait à son zénith, le vent colporta jusqu'à nous des éclats de voix puis des hennissements de chevaux. Attirés par eux, nous découvrîmes rapidement, à l'abri d'un gros bloc rocheux, un petit groupe d'hommes et de femmes accompagnés de leurs montures qui tentaient de brouter. Il se dégageait d'eux cette sorte de lumière étrange et indicible qui génère un sentiment de force mêlée de bonheur. Eux non plus n'étaient pas d'ici, leurs vêtements et leur prestance criaient cela à qui voulait l'entendre.

Alors, nous apercevant enfin, l'un deux, très digne dans une ample robe brune, se leva :

"Bienvenue à vous, lança-t-il en langue hellène. Voulez-vous partager notre repas ?"

# CHAPITRE VI

# Les thérapeutes de la Terre

Ils étaient huit et lorsque nous nous assîmes à leurs côtés, j'eus la sensation de retrouver une pleine brassée de ce sable doré... au-delà des mers. Un vague souvenir qui faisait chaud au cœur et qui donnait envie de rire !

"Nous sommes du pays de Pha-ra-won, dit l'un d'eux, et vous, d'où venez-vous donc ainsi ?"

Je crois que nous mîmes un certain temps à répondre à la question, tant nous étions héberlués de trouver là, presque aussi naturellement, des hommes et des femmes du pays de la Terre Rouge.

"... Des monts de Palestine" murmurai-je enfin.

Ce fut une réelle explosion de joie, tous et toutes se levèrent comme un seul être, nous saisissant à pleins bras par les épaules et par la taille avec la spontanéité de nos peuples. C'était un des ces contacts physiques directs qui sont une autre façon de laisser le cœur s'exprimer sans détour, au-delà des phrases compliquées. Une autre façon aussi de parler de paix. Quoiqu'un peu gênés de notre piètre allure, ils n'eurent pas fort à faire pour que nous acceptions leur invitation. L'un d'eux alla chercher deux grosses pierres et nous prîmes place parmi eux autour de ce qui ressemblait à une montagne de petits fromages secs déposés sur un carré de tissu. Notre rencontre déjà joyeuse prenait maintenant l'allure d'une fête.

Des plaisanteries s'échappaient de toutes les gorges et l'on commença à rire de tout et de rien, tels les membres éparpillés d'une même famille qui viennent à se redécouvrir.

"Mais dites-moi, fit soudain un homme svelte et au beau visage sombre, n'êtes-vous pas de ceux qui parcourent ce pays en faisant tant de bruit ?"

"En faisant tant de bruit ?"

Simon et moi nous nous regardâmes d'un air interrogateur... Non, ce ne pouvait être nous.

Sans attendre de réponse, il continua :

"Quelques douze bonnes journées de marche nous séparent d'un homme de votre peuple chez lequel nous avons séjourné. Il était déjà âgé et nous conta toute une nuit une fort belle histoire... une histoire dont nous connaissions déjà certains éléments. Il provoquait des attroupements et disait ne pas être venu seul."

A ces paroles toute la compagnie se calma et les attentions se fixèrent sur nous.

"Peut-être en effet le connaissons-nous, dis-je, car notre âme à nous aussi est munie d'une fort belle histoire."

"Une histoire qui n'est pas terminée surenchérit Simon et qui je crois ne peut avoir de fin... "

Sous le tissu immaculé qui enserrait la tête de notre interlocuteur à la façon d'un turban confectionné hâtivement, deux yeux aux prunelles d'un noir d'encre redoublaient de force.

"Oui, dit-il songeur, les routes sont bien tracées et j'ai la sensation que nous ne tenons pas toujours les rênes de nos chevaux ! Votre maître se nomme le rabbi Jéshua n'est-ce pas ?"

"Je ne sais si nous devons en parler ainsi mais c'est bien de lui dont il s'agit."

L'un de nos hôtes fit alors une rapide description de celui qu'ils avaient rencontré plusieurs jours auparavant dans un abri de torchis quelque part sur les pentes d'un rocher sec. Nous pensâmes à Zachée, mais parmi les vingt-deux qui avaient accosté sur cette terre, ils étaient trois à pouvoir correspondre au portrait qu'on nous en brossait. Le reverrions-nous jamais, Zachée ? Peu importait sans doute, mais, à vrai dire, il faisait chaud savoir sa présence active. Tandis que le repas s'entamait et qu'un grand pain plat circulait parmi nous, les discussions reprirent bon train. Invariablement pourtant elles revenaient sur la personne du Maître et nous fûmes bien forcés de nous expliquer plus amplement.

"Je sais que quelque chose se passe aujourd'hui dans notre monde, finit par déclarer le même être au turban blanc en réclamant le silence. C'est quelque chose que je ne peux exprimer clairement, mais que je sais, que je sens, que tous mes compagnons sentent aussi. Il y a comme quelque chose de lourd dans le cœur des hommes qui a été bougé, peut-être pas changé mais au moins déplacé. J'ai étudié les astres avec les prêtres de mon pays et cela semble se confirmer. Il y a dix années de cela, mes maîtres en cet art disaient qu'une sorte de fardeau de la race humaine avait été déposé et qu'en voyant les choses d'une certaine façon, nombreux étaient ceux qui devenaient alors capables de marcher tandis qu'autrefois, ils se traînaient. En vérité, en parcourant cette terre et aussi en traversant les mers, il semble que les regards que nous croisons, dans leur immense majorité, sont analogues à ceux que l'on rencontre après un orage. Il y a en eux un peu plus d'air que jadis, on y respire de nouvelles senteurs... je dirais même que certains me font songer à des portes ouvertes !"

"Mais vous-mêmes, pourquoi êtes-vous là ?" questionna Simon qui manifestement hésitait encore à évoquer quelques connaissances que l'on nous avait confiées à ce sujet.

"Pouvons-nous nous exprimer en totale confiance ?" répondit l'homme en prenant soudain un ton plus grave et en redressant le torse. Mais sans attendre la réponse, il poursuivit :

"La Terre vit... le saviez-vous ? En voyageant par ces routes et ces contrées, nous aussi nous avons obéi à une demande. Nous avons pour tâche d'agir avec elle à la façon des prêtres thérapeutes face à l'homme qui manifeste quelques symptômes dysharmonieux et qui a besoin qu'on le soulage en des points précis de son corps...

Et si je vous dis que la Terre vit, ce n'est certes pas en elle la vie des plantes et des arbres que j'évoque. Je veux dire qu'elle fait plus qu'exister, comme vous-mêmes faites plus qu'exister. Vous n'êtes pas qu'une bouche qui mange ni qu'un couple de jambes qui marche. De son côté elle n'est pas qu'un sol qui nous nourrit ni que chemins qui nous supportent."

L'homme de la Terre Rouge observa là une courte pause, sans doute pour s'assurer que nous le suivions bien. Peut-être craignait-il encore de notre part un sourire incrédule ou un regard narquois. Quel jeu jouait-il au juste, lui qui reprenait avec autant d'aisance un thème cher au cœur du Maître ?

"Je veux parler de conscience car la Terre qui nous fait naître et nous accepte est avant tout conscience, voyez-vous. Depuis toujours, il en est parmi notre peuple qui ont étudié ces choses fort précisément. Ils les ont étudiées non pas comme une philosophie à laquelle on adhère parce qu'elle fait plaisir à la direction facile que prennent nos jours, mais comme une réalité tangible. C'est de cette science que mes compagnons et moi-même avons été nourris. Cette connaissance unit indissolublement trois principes : l'essence éternelle, l'âme médiatrice et le corps pesant. Dans nos temples, il a toujours été enseigné qu'il n'existait pas de corps dense, générateur de force, sans conscience à son origine. Il ne s'agit pas d'une théorie de base arbitraire, mais d'un fait que les grands guides de notre civilisation ont maintes fois constaté et fait constater à leurs élèves. J'ai moi-même eu le bonheur d'entendre s'exprimer notre monde, la Terre.

Après une longue et rigoureuse ascèse, il est fréquent chez nous qu'un homme se préparant à une forme particulière de prêtrise soit enfermé seul dans un tombeau, nu et dans l'obscurité totale, sans autre nourriture que son amour pour l'immense Soleil. J'ai vécu semblable nuit sous le sable du désert ; mes maîtres m'y avaient préparé... non pas tant par des rituels que par une vie rude où aucune concession n'était faite aux ruses de l'âme transitoire.

Dans cette noirceur étouffante, mon corps s'est tout d'abord rebellé parce qu'il se sentait étranger à la matière de sa prison. Puis la noirceur a commencé à murmurer qu'elle n'était plus qu'obscurité et alors, mon corps a compris qu'il devait s'amalgamer aux murs de pierre du tombeau, à son sol. Il a compris qu'il n'était pas fondamentalement différent d'eux s'il se mettait à en aimer la substance parce qu'elle aussi était le fruit du même grand Amour.

Seulement alors, je me suis senti vivre à l'intérieur de mon enveloppe de peau, de chair et d'os. Je me suis vu vivre en elle comme une force autonome et pourtant indissociable de tout ce qui existe sous le soleil. C'est à ce moment-là, mes amis, que j'ai basculé dans la lumière, ou plutôt que je m'y suis redressé et que ma conscience s'est évadée du tombeau pour aller voler au-dessus des sables et des rochers rouges du désert. Je dis "elle s'est évadée" mais écoutez-moi bien, elle n'a pas fui ; elle a contemplé sa cellule comme une alliée dont il fallait seulement comprendre la langue.

A ce moment, j'ai cru être arrivé au bout du chemin que mes instructeurs m'avaient esquissé. Il me vint à l'idée que je m'étais retrouvé et que la Création avait démonté ses rouages devant moi. Je fus roi et dieu en un instant... Mais ce ne fut qu'un instant... car c'était le roi qui voulait l'emporter sur le dieu avec cette subtile façon de se dire :

"Je sais, je peux !"

Tous deux pourtant furent vite détrônés par une multitude de formes blanches qui déferlèrent dans ma direction. Elles ressemblaient à une mer de consciences qui voulaient s'exprimer toutes à la fois. Certaines prirent des contours humains, à la beauté plus qu'humaine, d'autres se confectionnèrent des silhouettes et des regards animaux. Elles se déplaçaient depuis l'horizon comme des murs ondoyants de vent et semblables à des flammes en pleine danse. Je me suis dit "ce sont les neter[1]" et dès que j'eus prononcé ce mot, je me suis senti petit, petit... J'ai su qu'ils étaient une partie de la grande Mère qui inlassablement nous nourrit.

Mais au-delà d'eux, bien au-delà de ce que les yeux de mon âme captaient, quelque chose me chuchotait que c'était ma façon de les voir et qu'ils chantaient seulement selon les accords de ma sensibilité... et c'était si beau !

Cependant les montagnes et l'immensité désertique avaient disparu, je croyais presque flotter entre les eaux d'un lac dans lequel se mirait le firmament tout entier... et dans le fond de ce lac, il y avait une boule, une sphère d'or. Elle me faisait penser au soleil.

Mais alors, la joie qui m'avait doucement envahi se mit à s'effriter ; un voile venait la troubler ; quelque chose de glauque, une sorte de boue au goût d'amertume. Elle commençait à parler en moi, cette sphère d'or et au moment où j'en pris conscience, je fus aussitôt convaincu qu'elle n'avait jamais cessé de s'exprimer, que j'avais seulement scellé mes oreilles jusque là.

Elle me parla comme quelque organe en mon corps pourrait me parler, c'est-à-dire non pas avec des mots mais avec des sensations, tellement aiguës et précises qu'elles

1— La multitude des énergies en circulation dans la Nature et qui bien qu'autonomes sont autant de manifestations de conscience d'une vie supérieure.

en devenaient des images mille fois plus éloquentes que tous nos vocabulaires.

"Je vis, disait-elle, je vis et j'aime ! Ne le sais-tu pas ?

Mon amour est infini mais mon corps s'épuisera bientôt sous le poids de tes semblables. Il y a une vieille rouille, un égoïsme tenace qui grignotent leur cœur et qu'ils répandent insidieusement à la surface de ma peau. Je leur prête mon échine et mes veines mais voilà qu'ils y installent la maladie et que les ondes de leurs âmes en déchirent l'équilibre. Sois un thérapeute pour mon corps si tu ne sais l'être pour les cœurs humains."

Lorsque l'on vint m'extraire du tombeau, mes maîtres savaient tout du dépôt qui m'avait été confié et de l'océan où ma conscience s'était absorbée.

"Tu as bien compris, me dirent-ils, notre sœur et nourrice entre en mutation. Accepteras-tu de pénétrer dans le Collège de ses Frères afin d'équilibrer la direction des vents ?"

A cette époque, je compris que l'âme de la Terre et celle de l'espèce humaine sont indissolublement liées ; je vis aussi que si la mutation était progressive, il arriverait bien un jour où la page devrait être tournée soudainement, pour un autre regard, un autre type d'amour.

Tous ici, nous avons choisi de soigner le sol sur lequel vous marchez afin qu'une telle transformation s'opère avec plus de paix, plus d'harmonie aussi pour la terre et ses habitants. C'est une tâche silencieuse, que peu comprennent parce que beaucoup ont installé en eux, bien solidement, la notion de "chose".

Dites-moi ce qu'est une chose, mes amis ? Peut-être quelque forme qui ne bouge pas, comme un caillou, une poterie, ce couteau que vous voyez là ou le tissu de ma robe... Et pourquoi dit-on que cela ne bouge pas ? Parce qu'on ne le voit pas bouger, bien sûr. Mais en réalité, si nous ne le voyons pas bouger, c'est parce que nous n'avons pas encore les yeux pour cela. C'est parce que le mouvement des nôtres n'arrive pas à s'arrêter sur les lentes vagues de leurs inspirs et de leurs expirs. C'est enfin parce que ces yeux sont devenus les esclaves de la course de l'existence, c'est-à-dire qu'ils existent au lieu de vivre et qu'en cela c'est peut-être bien notre être qui, lui, est en train de s'arrêter d'inspirer et d'expirer."

L'homme au turban se leva et d'un geste engloba tout l'horizon des montagnes qui s'offrait à nous.

"Regardez ces crêtes et ces vallons... ce sont autant de visages, de regards et de dos courbés, cambrés, de mains fermées ou tendues selon des nécessités qui nous dépassent tous. Mais je ne suis pas un poète et ne vous imaginez pas que je m'exprime en affectant d'en être un. Je cherche simplement à vous dire que dès que vous avez capté la réalité de ces présences, vous entrez en prière avec elles, vous n'êtes plus étrangers à leur surface, vous apprenez alors à connaître leurs appels puis leurs besoins.

Voyez-vous cette sorte de petite crevasse qui partage le flanc de cette colline ? Une rivière d'eau immatérielle y coule avec vigueur. Etait-il bien sage d'établir une bergerie sur son bord ? Elle en brise le flux, en reçoit toute l'invisible écume. Ne soyez pas surpris, si hommes et brebis y souffrent. Ne vous étonnez pas non plus si les quelques prairies qui viennent en aval ont cet air de pauvreté et si les arbres toujours frêles se tordent en maints endroits. La succession de ces prairies est semblable à une main dont le poignet est trop enserré par un étroit bracelet. Elle ne reçoit plus l'harmonieux flot de vie que la montagne lui dispensait jadis. La bergerie a rompu cet équilibre. Mais, voyez-vous, mes amis, ce que je vous dis là ne représente pas le fruit d'un long savoir, c'est plutôt la conséquence d'une volonté d'observer, de comparer, d'aimer."

Je ne pus m'empêcher de prendre la parole.

"Soit, ce que tu nous dis trouve un profond écho en nous, mais je ne puis croire que vous avez fait tout ce chemin pour abattre les murs de quelques bergeries, ni même d'une forteresse."

La compagnie partit d'un grand éclat de rire et surenchérit par deux ou trois plaisanteries. On se mit alors à faire circuler de bouche en bouche une vieille outre pleine d'un vin aigrelet qui avait attendu jusque là, suspendue à un trépied de fortune. Cela cassa la solennité de la conversation. Cela acheva aussi de nous redonner des forces.

"Nous venons du couchant, finit par dire la jeune femme à côté de laquelle j'avais pris place. Et là-bas, s'il m'est permis d'en parler, il y avait fort à faire."

C'était une personne menue et aux traits excessivement fins. Je remarquais surtout le teint très sombre de sa peau qui offrait un extraordinaire contraste avec le jaune ambré de sa robe. Comme la plupart des femmes de son peuple, elle portait de nombreux bijoux le long des bras et à la taille. A chacun de ses mouvements, ils se transformaient en autant de petits grelots, pour nous évocateurs de lointaines ambiances...

"C'est vrai, continua-t-elle après avoir reçu l'assentiment de ses compagnons,... sur la route du Couchant, le ventre de la Terre est creux. On s'y engage dans une multitude de galeries obscures où les ancêtres de nos ancêtres eurent à accomplir autrefois un grand travail. C'est avant tout sur leurs traces que nous nous sommes rendus, pour répondre à un rendez-vous. Il existe des endroits dans ce pays de Kal dont la destination est depuis fort longtemps connue de nos prêtres. Ce sont des organes souterrains, des centres de vie qu'il faut préserver de toutes les vicissitudes et maintenir dans leur fonction dynamisante. Peut-être vous a-t-on évoqué déjà le royaume d'Atl au milieu des mers ? Les connaissances que son peuple a léguées aux ancêtres de nos ancêtres leur a permis il y a bien longtemps de mettre en place certains dispositifs en quelques régions du monde. Nous venons d'un de ces lieux où un tel dispositif avait été modifié par les soubresauts de la terre. Il fallait panser la plaie de façon à ce que le sol puisse y remplir à nouveau son office de lumière.

Sachez que ce qui a été mis en place non loin d'ici, jadis, a la forme de ces constructions pyramidales établies par les hommes d'autrefois sur les sables de notre désert. Seule leur dimension est de beau coup inférieure. Elles ont la capacité de purifier la terre sur d'immenses surfaces à la ronde pour peu qu'elles soient sur une veine majeure de son corps. Elles invitent le Grand Espace à y pénétrer et à y insuffler silencieusement son or. En fait, elles génèrent le lieu d'un mariage entre la volonté céleste et la disponibilité terrestre.

Ces constructions souterraines ont été taillées dans la roche même du sous-sol, dans son cristal parfois, toujours en respectant les propositions originelles du lieu.

Notre tâche consistait à redonner leur juste vie à trois d'entre elles judicieusement réparties de façon à délimiter un territoire. Désormais celui-ci va pouvoir à nouveau, lentement jouer son rôle de creuset, de ferment muet en attente de son heure majeure.

Vous avez compris que les royaumes comptent peu à nos yeux. Il représentent, pour Aton l'oublié, les membres d'un seul corps qui font mine de s'ignorer. Bien souvent la race humaine nous donne la nausée et c'est ainsi qu'à notre cœur seule la Terre compte désormais. Nous n'y avons jamais rencontré de barrières, juste des portes à franchir... et ses colères sont toujours justes puisqu'elles correspondent à des nécessités ou à des réflexes de défense. C'est ainsi que nous avons vocation de nous déplacer d'organe en organe et nous voyons clairement que telle contrée est un foie, telle autre un cœur, telle autre enfin une matrice et ainsi de suite. Elles s'appellent les unes les autres, par rais de lumière ou par orages muets tout comme les matériaux de notre corps se parlent à notre insu..."

Une bonne partie de la journée passa de la sorte. Chacun ouvrit un peu plus son âme et nous-mêmes fûmes bien forcés de nous exprimer plus que de coutume.

Nous étions à la fois étonnés et indisposés par la somme de connaissances que ces hommes et ces femmes du Pays de la Terre Rouge évoquaient pour nous. Ils étaient des livres par lesquels il faisait bon se laisser bercer mais des livres qui aussi nous délivraient leur amertume. Nous aimions la Terre, nous avions tellement appris à la sentir vivre, mais nous voulions aussi aimer les hommes et cela, c'était tellement plus difficile...

Nos compagnons d'un jour paraissaient si peu s'en soucier qu'une espèce de vide venait à être mis en évidence chez eux qui en faisaient des êtres hors du temps, spectateurs de la souffrance humaine. Il y avait pourtant tant de bonté derrière leurs yeux de jais ! C'est Simon qui se fit l'interprète de notre malaise commun.

"Ecoutez-nous amis, nous sommes émerveillés par votre savoir et par l'amour que vous vouez à notre Mère, mais plus nos oreilles vous écoutent, plus il semble à notre être qu'il manque une page au grand livre que vous feuilletez pour nous. Je crois que cette page raconte l'histoire de cet homme que l'on ne saurait dissocier du sol qu'il foule des pieds. Il en est un arbre de plus. Et si ces racines sont libres, c'est ce qui en fait la force. Il a le choix de son terrain et de la route qui y mène. Pouvez-vous lui reprocher sa nature en pleine quête ? S'il n'a su jusqu'à présent ne s'implanter que dans un sol caillouteux, il n'en crie pas moins à l'aide entre deux accès de fierté. Celui qui nous a enseignés n'avait de cesse de briser en nous les réflexes de la dualité. Nous sommes tous, disait-il, des parcelles de cette Terre qu'il faut aider à vivre et de ce royaume qui ne demande qu'à venir à nous. Il n'y a pas les montagnes et les hommes, les mers et les hommes ni le ciel et la tourbe qui en reçoit le trop plein... il y a la Vie... et peut-on aider la Vie si on ne l'accepte pas dans sa totalité ? Y a-t-il une couleur que vous n'aimez pas dans l'arc-en-ciel ? nous disait-il encore. Si l'Eternel ignorait l'une d'elles, c'est l'arc-en-ciel tout entier qui disparaitrait et avec lui toute vie.

Nous n'avons quant à nous pas grand chose à vous apporter si ce n'est le dépouillement que de telles paroles nous scellent dans le cœur, jour après jour..."

Nos compagnons ne répondirent pas à Simon.

En cette fin d'après-midi, sur ces crêtes frileuses de la Terre de Kal tout engourdie, le petit groupe que nous formions tissa alors autour de lui comme une bulle de silence. L'heure n'était pas à savoir qui avait tort ou raison. Elle ne l'est d'ailleurs jamais. Elle l'est toujours à immobiliser son esprit ; c'est l'unique façon de construire. La langue devient bientôt double si elle se laisse séduire à son propre jeu.

"Peut-être, peut-être," finit par sussurer l'homme au turban blanc en tapotant sur l'épaule de Simon.

L'un de nous s'absenta un instant et ramena une pleine brassée de branchages dont il eut quelques difficultés à faire un feu. Nous passerions tous la nuit là, c'était décidé. Le rocher offrait un abri propice et il suffisait que l'un de nous montât la garde en prévision d'éventuels pillards.

Comme nous voulions demeurer dans la contrée, nos hôtes nous indiquèrent à quelques milles de là une belle cavité aperçue dans la colline et que nous pourrions aisément transformer en demeure momentanée. Les échanges de la journée avaient fait éclore en nous des idées de plus en plus précises. Puisque les hommes de cette terre redoutaient que nous venions à eux, ne fallait-il pas faire en sorte qu'ils viennent à nous ? Ne fallait-il pas retrouver l'unique fonction première des Frères en blanc sur les chemins de Palestine ? Panser les plaies. Celui qui prend soin des corps se voit toujours ouvrir les portes des âmes.

Là non plus il ne pouvait y avoir de dualité... C'était le chemin inverse de la conquête, celui de la fusion.

Les hommes et les femmes du pays de la Terre Rouge nous quittèrent au petit matin après des accolades chaleureuses.

"N'oubliez pas le vieil homme de chez vous dans sa hutte de terre, lança l'un deux en enfourchant sa monture.

Quelque chose me dit que vous devez aller vers lui. Juste quelques jours de marche vers le Couchant... et une immense cassure dans la terre. N'oubliez pas... "

La cavité rocheuse que l'on nous avait indiquée non loin de là avait déjà dû servir d'abri à une famille ou à un ermite.

Des briques de terre séchée, des mauvaises pierres choisies à la hâte en obturaient grossièrement l'entrée. Il suffisait de quelques jours de travail pour rendre le tout plus agréable et aussi plus confortable en empêchant le vent de s'y engouffrer. Un fin et vif ruisseau de montagne coulait à proximité, l'endroit s'annonçait, tout bien considéré, comme presque idéal pour ce que nous voulions en faire : une sorte de bethsaïd, un refuge pour les âmes et les corps meurtris, un lieu de transmission pour la parole du Maître.

Je me souviens de ces premiers temps de notre installation comme terriblement difficiles. L'univers entier semblait ignorer notre présence et le problème quotidien était simplement celui de l'unique survie.

C'était la saison où la nature commence juste à se réveiller de sa torpeur hivernale. Nous ne pouvions compter que sur quelques fruits secs que les animaux des forêts n'avaient pas encore fait leurs et d'éternelles soupes de racines ou de pousses de fougères.

Fort heureusement, le chemin des muletiers ne passait pas loin de là et l'on finit enfin par nous remarquer, certains par nous reconnaître. De ceux-là, nous apprîmes que le bruit avait couru que nous croupissions toujours, peut-être à jamais, dans les cachots romains.

Une nouvelle vie commençait car, s'il était frustre, le peuple de cette contrée était aussi simple, au sens noble du terme. Sa simplicité était celle des hommes qui ne voient pas le mal partout et qui aussi gardent une place disponible dans le fond de leur cœur... peut-être pas très grande mais suffisante pour qu'une nouvelle fleur y prenne racine.

Les malades de la bourgade apprenant notre retour ne tardèrent pas à affluer, d'abord timidement puis en nombre croissant car, après tout, sur le flanc perdu d'une montagne, un soin n'était-il pas discret ? Avec eux, ce fut l'apparition d'un peu de pain, d'œufs et de fèves, de quoi vivre et faire face à une tâche qui devenait vite lourde.

Ce fut alors une pleine moisson de "pourquoi" et de "comment". La terre des âmes était en friche mais fertile. L'idée de Celui qui meurt et qui renaît après avoir offert sa sève au monde était fort commune à ce peuple. Remplacer un nom par un autre ne constituait pas à vrai dire notre but car en réalité, cela signifiait reproduire l'éternel processus de la conversion.

"A quoi sert-il, nous avait répété Joseph, de faire aimer à des hommes la couleur bleue plutôt que la couleur jaune ? L'une et l'autre ne sont que des éléments épars de la Grande Création, avec leur grandeur mais aussi leur petitesse. Si vous chantez à tout les vents que l'olivier est plus beau que le cyprès ou que le chêne, on finira peut-être par vous croire. Mais tout cela ne sera que mots ; vous aurez simplement remplacé des paires d'yeux, des masques, par d'autres masques et les cœurs seront toujours cadenassés. Vôtre tâche et celle de tous ceux qui viendront après vous, commence sans doute et d'abord par briser la confortable routine de ces cœurs. Il faut non pas apprendre mais faire découvrir une autre logique. La conscience humaine est paresseuse, elle aime les idées déjà digérées et les plans du temple depuis longtemps tracés. Ainsi, ne soufflez pas sur la flamme d'un flambeau pour en présenter un autre déjà allumé. Faites découvrir, autant que vous en aurez la force, le moyen de faire jaillir *la* flamme, je veux dire, l'essence de l'Etre qui en vérité se passe de nom. C'est cela la volonté du Kristos : que chacun de nous, de nos frères, puisse reconnaître la force d'amour à sa propre racine. Je n'aurai de cesse que tous nous ne l'ayons pleinement compris. Si un dogme vient un jour à naître des paroles que le Maître Jéshua nous a transmises, qu'au moins nous ayons tout fait pour que cela ne soit pas. Le plus difficile face à face que vous aurez à affronter se situera sur ce terrain et vous n'y trouverez d'autre interlocuteur que vous-même."

Les mois passèrent et avec les chaleurs sèches de l'été des hommes et des femmes aux belles parures inspirées par Rome, vinrent se mêler progressivement à l'humble peuple qui gravissait le sentier jusqu'à notre abri.

Eux aussi pouvaient souffrir, leur victoire était de le reconnaître aux côtés des mendiants et de ceux qui travaillaient la terre.

Un jour, ce fut un homme aux allures de guerrier qui escalada à cheval le raidillon venant de la vallée. Arrivé à l'entrée de notre refuge, il sauta à terre d'un bloc et avec bruit. Tenant d'une main sa monture trapue et velue, il s'avança fièrement vers nous. Son visage était massif, surmonté d'un énorme casque de cuir et de bronze rutilant d'où s'échappaient deux grosses tresses brunes. Je fus tout d'abord surprise par la taille impressionnante de ses moustaches qui pendaient plus bas que son menton. Tout d'ocre vêtu, les braies à demi couvertes d'un pagne en peau de chèvre, il marchait en bombant le torse, un large coutelas au côté.

Il se présenta comme le chef d'une troupe de chasseurs se déplaçant dans la région et qui avaient choisi de vivre une existence de liberté, ni enracinés à un lopin de terre, ni tenus de rentrer dans la bourgade à la fermeture de ses portes par les légionnaires romains.

Il avait clamé cela d'emblée, avec arrogance comme certains affichent leurs lettres de noblesse. Cette arrogance redoublait dès qu'il évoquait le nom de Rome, de ceux de la forteresse et lorsqu'il énumérait les noms des riches hommes de Kal qui leur prêtaient main forte.

"J'ai entendu parler de votre pouvoir dit-il, et je crois que l'on dit vrai... Pour mon compte, je ne suis pas malade et je n'ai aucune plaie à vous montrer. Je ne sais pas non plus qui est celui dont vous parlez à tous et dont le nom résonne maintenant à chaque détour de la montagne. Je veux simplement savoir qui vous êtes car si certains ne parlent de vous que comme des magiciens, d'autres ne veulent plus agir sans vous avoir demandé conseil. Je veux savoir qui sont ces étrangers qui ont tant d'emprise sur notre peuple. Votre croyance n'est pas la mienne m'a-t-on dit, mais peu m'importe ! J'exècre Rome et, tous les hommes de ma race qui lui prêtent bras, jambes et âme me font honte !

Puis-je espérer de vous une aide, vous qui savez leur parler et qu'ils écoutent ?... afin qu'à nouveau ils se raidissent ! Je ne trouve pas un barde, pas un druide à des dizaines de lieues à la ronde pour troubler les bases du commandement romain comme vous êtes capables de le faire. Autrefois, oui... j'en ai connu qui montaient à l'assaut des palissades ennemies, la hache à la main.

Je ne vous demande pas cela, mais comprenez simplement la situation qui est vôtre aujourd'hui. Votre prestige s'accroît de jour en jour et votre ennemi, l'ennemi de ce que vous voulez transmettre, c'est bien Rome. Que vous le reconnaissiez ou non, la réalité est là, rien ne sert de jouer avec les mots !"

L'homme avait terminé en posant violemment son casque sur une petite table où nous faisions sécher des herbes dans un coin retiré de notre abri.

Etrange situation qui en rappelait sournoisement une autre !

"Réfléchissez, ajouta le guerrier avec une sorte d'agressivité dans la voix, j'ai une petite armée d'hommes intrépides derrière moi. Rien de plus simple que de déstabiliser la région si vous savez glisser quelques mots précis dans ce que vous direz. Ensuite, vous ferez comme bon vous semble, vous pourrez même prendre la place des prêtres !"

En un clin d'œil, une foule de situations se présentèrent sur l'écran de notre âme.

... Et s'il avait raison... après tout c'était surtout la puissance romaine qu'il nous avait toujours fallu fuir, ici comme ailleurs. Contribuer à son effritement dans cette partie du monde, n'était-ce pas une façon efficace d'asseoir le rayonnement de Kristos rapidement et dans toute la contrée ?

Peut-être le Maître lui-même avait-il eu tort de refuser semblable proposition ? Ne nous avait-il pas d'ailleurs assuré que quiconque s'incarne sur cette terre accepte par ce seul fait une nécessaire alliance avec la matière dense ?

Il avait dit : "Mon royaume n'est pas de votre monde" mais pourtant il nous envoyait ici sous les directives de Joseph qui avait nettement évoqué la destination très concrète du pays de Kal : "être un ferment, un lieu d'incarnation possible d'un plan de lumière".

Il me sembla que quelque chose nous échappait encore. Nous avions bien des liasses de parchemins à transmettre également... Cela aussi était concret.

"Non, fit soudain Simon du ton le plus clame, tu ne peux pas nous demander cela. Nous n'avons pas d'ennemis et nous ne voulons pas que cette idée s'implante dans notre cœur. Ce que j'ai à te dire va te choquer mais nous ne voyons pas de différence entre les hommes de Rome et ceux de ton peuple. Les uns sont simplement en mesure de crier plus fort que les autres à cette heure précise du temps. Demain les vents les feront peut-être taire d'eux mêmes. Celui au nom duquel nous parlons nous a enseigné ces étranges nécessités.

Et si tu veux absolument que nous parlions d'ennemi, alors c'est de l'égoisme dont il faut discourir car son poison demeure un élément commun à toutes les races d'hommes."

Le guerrier avait fixé froidement Simon du fond de son regard, sans rien dire, et il me semblait discerner autour de lui des volutes grises et rousses, comme des vapeurs de rage contenue.

"Tu ne comprend rien ! clama-t-il enfin. Est-ce que je te demande de renoncer à ce que tu crois ? Je te propose une arme pour que tu puisses parler ainsi que tu l'entends !"

"Mais nous ne voulons pas nous battre. Ceux contre lesquels tu te révoltes ne seront plus demain ; laisse-nous notre propre façon de déloger des esprits le goût du pouvoir. Nous ne tenons pas à remplacer celui des centurions par le tien ou le nôtre."

L'homme au visage massif haussa les épaules et d'un petit coup de pied méprisant déséquilibra la table aux herbes.

"Ça ne fait rien, je saurai bien me passer de vous. C'était votre chance, c'est tout. Je ne comprendrai jamais des rêveurs de votre sorte. Vous ne savez parler que d'âme et de cœur... vous êtes des souffleurs de vent ! Lorsque l'on veut quelque chose, il faut s'en donner les moyens !"

Simon resta inébranlable et l'homme de Kal partit comme il était venu. Pourtant, au dernier instant, alors qu'il sautait sur la croupe de son cheval, je crus saisir dans son regard un flot d'interrogations mêlé de tristesse où toute agressivité avait disparu...

La nuit suivant cet entretien abrupt, je fus tiré de mon sommeil par une étrange sensation. Je me dressai sur mon lit de feuilles, le cœur battant. Dehors, la lune était sombre et ne proposait à mes yeux qu'une pâle lueur où j'avais peine à distinguer les murs qui abritaient notre couchette. Singulièrement, alors que notre réduit était minuscule, j'eus l'impression que ses parois de boue séchée avaient été repoussées loin, loin... Il me semblait que quelque chose allait se produire, quelque chose de prodigieusement beau, je ne savais pourquoi. Mais mes lèvres ne pouvaient pas remuer et mes bras étaient incapables de faire le moindre mouvement pour réveiller Simon.

Les murs commencèrent alors à s'éclairer de l'intérieur comme si des millions de lucioles en avaient constitué la texture. Je compris que c'était moi qui me mettait à penser et à voir réellement. Je sus que ce n'était plus la Myriam dans sa robe blanche désormais en guenille, mais l'autre, la vraie qui se mettait à vivre au-dedans.

Sur la paroi, face à mes yeux immobiles, des bandes de brume d'un blanc de neige s'agglutinèrent lentement en une silhouette aux contours humains. La forme fit un pas dans ma direction ; elle avait maintenant un visage et un corps, ceux d'un être sans âge aux longs cheveux bruns et à la robe bleue.

Il souriait d'un air amusé et j'acceptai ce seul sourire comme une cascade de joie qui venait se déverser sur moi.

"Myriam, Myriam, fit alors une voix présente partout à la fois, les hommes d'ici vont bientôt s'entretuer. Je te le dis, que cela ne vous trouble pas. La masse de ces montagnes et de leurs plateaux est aujourd'hui tel un foie où se joue le spectacle des passions. L'humeur qu'elle produit est viciée depuis trop longtemps par les rancœurs humaines. Les êtres qui se disputent la possession de ce territoire, sache-le, ont tous leurs attaches dans le vieux pays d'Atl. Ils tentent de régler une antique querelle, plus de dix fois millénaire. Mais tu le sais, on n'apaise pas un coup par un autre coup. La loi de retour des actions, de vie en vie, d'époque en époque, qu'elle soit celle des êtres isolés ou des peuples, ne trouve sa résolution que dans le pardon mutuel. Tant que l'agressé d'hier cherchera à devenir l'agresseur de demain, le pardon n'est qu'un mot sans consistance. Ici les âmes sont trop jeunes, voilà pourquoi elles s'apprêtent encore à souffrir..."

"Frère, pensai-je aussitôt, dois-je comprendre que la souffrance est l'unique moyen d'avancer et de mûrir ?

"Non, Myriam, non... dans tous les univers où la conscience habite, il est cent mille façons de retourner vers le Père. La souffrance n'est pas seulement propre à votre monde et ne constitue pas non plus l'unique bâton de pèlerin des hommes. La vraie façon d'avancer cependant, celle qui concerne la multitude des univers, se nomme simplement Amour... mais Amour pur... mais Amour qui veut dire pardon, qui veut dire compassion. Ce n'est pas, tu le sais, l'amour des faibles, mais au contraire de ceux qui sont forts de la Grande Compréhension.

Cet Amour-là est la clé de toutes les portes, la réponse à toutes les demandes. Qu'il soit l'horizon de ton cœur !

Demain, tu continueras de soigner comme il t'a été enseigné sans te soucier de savoir si le baume ira à la colombe ou à l'aigle, car il arrive à la colombe de capturer le regard de l'aigle pour le faire sien, et à l'aigle de refléter la même pureté que la colombe.

Souviens-toi du Veilleur Silencieux, Myriam, non loin des sables d'Héliopolis ; c'est vers lui qu'il faut tendre ! Souviens-t-en !"

La voix s'éteignit doucement tel un flot de lait qui se tarit et la silhouette s'estompa, dissoute aux quatre coins de notre abri.

"Frère ! m'entendis-je alors lancer dans le silence de la nuit, Frère!..."

Ainsi qu'il m'avait été annoncé, les mois qui suivirent furent rudes. Mais l'épreuve ne fut pas tant pour nous que pour la population de la bourgade voisine et des montagnes.

Des hordes de guerriers de Kal parcouraient les routes et les chemins, attaquant tous les détachements militaires qui s'y déplaçaient et amenant des villages entiers à se soulever. Nous apprîmes un jour que le quartier général romain en était ébranlé et qu'une partie des palissades de la forteresse avait flambé.

151

Tout cela se soldait par des hommes et des femmes déjà mourants que l'on nous amenait sur des brancards de fortune, par des brûlés ou des affamés qui venaient chercher soulagement.

De riches propriétaires de la contrée nous avaient offert du grain et des fruits en abondance. C'est ainsi que notre petit refuge prit peu à peu l'importance d'un véritable bethsaïd et remplit son office.

Au fil des mois qui passèrent et des révoltes qui succédaient aux révoltes, un noyau d'hommes et de femmes se constitua qui émit le souhait de rester à demeure à nos côtés. Nous vîmes que s'ils voulaient soigner les leurs, bien sûr, quelque chose de profond changeait aussi en eux. Nous sûmes même qu'ils se plaisaient à parler du Maître, à notre insu, en reprenant nos propres termes. Une grande roue s'était mise à tourner. Deux ou trois années s'écoulèrent sans doute ainsi. La Mémoire du Temps ne nous en a pas livré le compte exact. Qu'importe ; il suffit de savoir qu'après d'incessantes luttes sanglantes, les troubles se calmèrent enfin, que la garnison romaine grossit considérablement dans la région et que quelque part dans la montagne en haut d'un raidillon, il y avait désormais des toits sous lesquels on guérissait les corps et où l'on parlait aux âmes avec les mots qui leur appartenaient. Et lorsque un jour, quittant à jamais ces crêtes nous crûmes nécessaire de prendre la route du Couchant, une fois de plus nous eûmes l'impression de nous arracher à quelque chose de nous-mêmes.

Etrange, cette sensation qui monta en nous lorsque le matin de notre départ nous enfilâmes les grandes robes dont on nous avait fait présent.

Elles étaient d'une grosse toile bleu azur... Bleu azur ! Et c'était comme si ce bleu azur nous murmurait à l'oreille :

"Allons, encore un pas de plus ! Teniez-vous tant au blanc de vos robes ? Eh bien, sachez que tout est écorce et qu'il y en a de bien cachées dont il faut aussi se défaire !"

# CHAPITRE VII

# La montagne de Zachée

C'était le plein été et, le chant de l'alouette planant haut dans les airs était un merveilleux compagnon de route. De plateaux secs en forêts profondes, nous marchions dans la direction de l'Ouest, à la recherche de la "grande cassure" dans la terre.

Notre voyage fut ponctué par des rencontres avec des hordes de chasseurs maniant l'arc avec une extraordinaire dextérité.

"Une grande cassure ? répondaient-ils invariablement, oui, peut-être... c'est par-là mais loin !"

Certaines des forêts que nous pénétrions étaient plus denses que ce que toute notre imagination avait pu supposer. Dans leurs enchevêtrements de résineux et de petits chênes, nous avancions péniblement, délogeant presque tous les dix pas quelque animal apeuré. Au cœur de chaque arbre et de chaque fourré, il y avait une vie qui nous observait. Là, l'invisible et le visible ne formaient plus qu'un ; ils renouvelaient leur mariage premier. Le subtil et le grossier y parlaient un langage commun dont il nous semblait aisément comprendre les offres permanentes. Et c'était autant de : "prenez mes baies, mâchez mes feuilles..."

La chaleur de ces jours fut étouffante et il semblait par moments que notre but fuyait sans cesse devant nous.

Un matin pourtant, la grande cassure fut à nos pieds, sous un soleil de plomb. C'était une immense crevasse, comme un cirque taillé dans le corps d'un plateau de pierre grise et blanche[1].

Tout en bas, au-travers des épineux, un groupe d'habitations s'accrochait à ses flancs. Il formait un village couleur du rocher. Seules des taches de couleurs vives, des tissus pendus à de rares arbres, captivaient le regard et témoignaient de la présence d'une vie humaine.

Les rapaces étaient nombreux à tournoyer dans le ciel et à jaillir des fissures de la roche. En fait, ce lieu paraissait tout autant être leur demeure que celle des hommes qui avaient eu le courage de s'y installer. Mais, était-ce du courage ou une profonde motivation ?

"Haïe hop, haïe hop, hop !"

Sur l'étroit sentier qui s'enfonçait dans le cirque, un garçonnet à la voix rugueuse poussait devant lui deux énormes bœufs blancs en faisant tournoyer dans les airs quelque branchage. En bas, près des premières habitations, on voyait juste une succession de petites prairies aux herbes roussies, sur lesquelles paissait un troupeau épars.

---

1— Il s'agit du site de Rocamadour.

Précédés de notre vacher en grosses braies couleur de terre et au regard inquiet, nous fûmes bientôt au cœur même du village. Les masures, toutes de pierres sèches, s'étaient regroupées autour d'une grosse protubérance rocheuse qui surgissait au bas de la paroi. Un flot continu d'une eau limpide naissait à sa base pour se perdre presque immédiatement dans le sol sous un éboulis de pierres déjà polies par les temps. Saisi par la chaleur, tout le village paraissait dormir. Seuls de gros lézards s'agitaient sur les murs.

Comme un chien se mit à aboyer, une tête se glissa enfin par l'embrasure d'une porte barbouillée en ocre vif. C'était une jeune femme assez jolie mais aux traits déjà mangés par le soleil. Si ses yeux trahissaient une certaine méfiance, son sourire avait des accents de sincérité qui nous mirent en confiance. Elle osa alors sortir de sa maisonnette, suivie par une ribambelle d'enfants crasseux et nus qui n'osaient manifestement pas ouvrir la bouche.

Il nous fut difficile de dialoguer avec elle. Son parler s'annonçait assez différent de celui que nous avions appris au fil des années. A force de gestes et de noms répétés, elle finit par nous indiquer quelques abris accrochés au flanc presque vertical de la montagne, au-dessus de nos têtes, dans des amoncellements rocheux. De là où nous étions ils nous semblaient être de simples huttes de bergers parfaitement intégrées à la paroi contre laquelle elles s'appuyaient.

"Mais c'est le Maître qui vous envoie !"

L'exclamation avait résonné dans la montagne, nous faisant presque sursauter.

Un homme âgé était apparu derrière nous, porteur, sur ses épaules, d'un bois où pendaient deux jarres de terre enserrées dans des nacelles. Il nous fallut quelques instants pour réaliser ce qui se passait. L'homme posa son fardeau à terre puis se redressa, rejetant en arrière une chevelure mi-longue aux boucles d'argent.

C'était Zachée ! En un éclair nous fûmes à ses côtés, perdus dans de grandes accolades qui nous laissaient sans voix. C'était bien lui et nous comme autrefois, comme si rien n'avait bougé ! En voyant notre émotion, la jeune femme se prit à rire.

"C'est Esna, une de celles qui se sont le plus rapidement ouvertes à la parole du Maître... ! Vous la connaîtrez bientôt mais venez, venez !"

Tout impatients, nous aidâmes rapidement Zachée à emplir d'eau ses deux jarres et Simon en prit la charge sur le sentier de rocaille qui serpentait vers les abris indiqués.

"Regardez, n'est-ce pas magnifique ?" disait fébrilement notre compagnon en se retournant sans cesse pour nous montrer la vallée enchâssée dans la montagne. Cela ressemblait à un grand couloir sauvage, chauffé à blanc par le soleil.

La demeure de Zachée était des plus pauvres. Appuyée contre la paroi rocheuse, elle bénéficiait du renfoncement de sa base et formait un hameau avec quelques autres fort semblables. Juste un peu d'ombre offerte par deux ou trois arbres noueux accrochés là par miracle, quelques plantes odorantes et des pierres, des pierres dans un cadre âpre et grandiose... c'était là qu'il avait choisi de vivre et de faire entendre les pas du Maître sur cette Terre. Comme elle était loin sa grande et belle demeure de Jéricho où en compagnie d'Alphée il nous accueillait toujours avec le Maître et ses proches. Sa cour avait un grenadier et quelques dattiers aux pieds desquels nous avions pris l'habitude d'écouter le Kristos. Etaient-ils toujours là, gorgés de fleurs et de fruits comme autrefois ? Tandis que Zachée poussait la porte grinçante de son petit abri, des bribes de phrases, telles des flambées d'amour me revenaient en mémoire.

..."Je n'ai pas d'enseignement à vous délivrer, mes amis. L'enseignement est ce qui se donne de Maître à disciple. Moi, je ne vous fais que des propositions. Je ne vous demande pas de figer en vous des chapelets de vérités à égrener face à ceux qui ouvrent leur âme... Je vous demande de redécouvrir ces vérités par vous-même et de faire en sorte que tout être agisse ainsi... car de toute éternité mon Père a mis de mon essence au fond du calice de chacun."

Dans la fraîcheur de la pénombre, le sol était couvert de nattes et de peaux de chèvres. Deux ou trois bols de bronze ouvragés rutilaient dans un coin par terre, comme les vestiges d'un autre monde.

La journée se passa en évocations ; les exclamations engendraient des rires et les rires se terminaient en regards profonds où tout se disait.

Zachée aussi avait entrepris de soigner, c'était sa clé affirmait-il.

"Parlez aux hommes de la vie et de la mort, et c'est comme si vous leur parliez du Père sans avoir même besoin d'évoquer son Nom. Quoi qu'elle en dise, l'âme humaine est toujours intriguée par ce qui la ramène à sa source. Or, l'océan dans lequel elle se déverse à la fin de son séjour terrestre se confond avec cette source. Lorsque ce mystère n'en devient plus un, le mental est prêt à se dépouiller de ses craintes et le cœur accepte de relâcher peu à peu l'emprise de ses nœuds.

Pourquoi croyez-vous que l'homme soit devenu tel que nous le trouvons à la surface de ce monde ? Pourquoi croyez-vous qu'il soit si rebelle à une simple parole de paix ? Parce qu'il a peur ! Il a peur de la vie, parce qu'il craint la mort et s'il fuit la mort c'est parce qu'elle l'oblige à se regarder dans les yeux... car au fond d'eux il pourrait bien découvrir ce qu'il a laissé s'étouffer : sa divinité.

En apaisant les corps, je leur montre la vie qui sort et qui entre en eux, celle qu'ils ne voient pas mais qu'ils peuvent apprendre à voir. En colmatant les brèches de leur peau, ils savent maintenant que c'est d'abord sur leur âme que j'applique un baume. Aujourd'hui ils l'admettent, demain, quelques uns l'auront compris. Si vous dites à un homme qu'il est divinisable, il faut qu'il puisse comprendre pourquoi et pour cela le récit de la vie du Maître ne peut suffire. Par contre, si vous lui montrez comment la force du Maître vient à jaillir en vos mains et que celles-ci connaissent aussi le langage du forgeron ou du pêcheur, alors le Maître lui-même commencera à rayonner dans les mains de cet homme.

Ce n'est pas ce que nous dirons de la dimension de nos racines qui nourrira les êtres de cette terre. La densité est une échelle dont ils ont encore besoin pour éprouver le sens de l'effort et de la confiance.

Voyez-vous, mes amis, mes frères, dit-il soudain en changeant de ton, lorsqu'ils m'ont vu partir, ceux de Jéricho et de Jérusalem m'ont annoncé que j'étais fou et que j'allais tout perdre... et en vérité vous le voyez bien, on peut dire que j'ai tout perdu..."

Les yeux de Zachée s'étaient lentement baissés et un sourire doux s'était mis à éclairer son visage.

Il me semblait qu'il l'adressait à lui-même ce sourire, tout en sérénité et en force.

"Eh bien oui, j'ai tout perdu ! Mais j'ai accepté de perdre... et cela dès le jour où j'ai compris ce qu'étaient la pauvreté et la richesse.

Tout s'est passé un matin où j'avais voulu prouver mes mérites en présence du Maître.

"Zachée, me dit-il en prenant mes mains dans les siennes, tu as des richesses, je le vois, mais peux-tu me dire si tu es riche ?"

Inutile de vous le préciser, je restai bouche bée !

"Oui, reprit-il, tu es riche de tes biens, mais es-tu riche de toi-même ? Je veux dire... Mon Père t'a prêté cette maison et cette terre où poussent tant d'oliviers et de dattiers, il t'a prêté le travail d'un grand nombre d'hommes et il t'a même prêté le pouvoir d'être satisfait ! Il a mis tout cela entre tes mains l'instant d'un inspir et toi tu m'en parles comme de ta mœlle... Je veux que tu donnes de toi, Zachée, car c'est le seul don que tu puisses faire à mon Père. C'est le seul présent qui vaille à ses yeux car c'est par lui qu'il bâtit le monde. En vérité, je te l'affirme, ainsi, il n'y a pas de pauvres en son Royaume."

Alors je lui répliquai stupidement :

"Faut-il que je distribue ma fortune et que je te suive, Maître ?"

"Il ne te faut rien d'autre que la compréhension Zachée... Il est dit que nul homme ne doit tirer honte ou fierté de sa pauvreté ou de sa richesse. Sache que nul sur cette terre ne doit faire son fardeau de la dualité. L'erreur loge dans le cœur de celui qui sépare l'eau du feu car de leur fusion s'élève un principe subtil.

Une bourse emplie de talents n'est pas nauséabonde aux yeux de l'Eternel et Sa vue ne se porte pas plus sur des guenilles que sur des robes brodées d'or. Si tu comprends cela, que ton âme sois donc une croix où les forces s'épousent, le lieu de rendez-vous du plus et du moins !"

Depuis ce jour, une eau autre que toutes celles que j'avais bues est venu laver les raideurs de mon esprit.

L'Amour est toujours fécond, de toute éternité ; je sais qu'il poussera sur n'importe quelle terre car aucune n'est ingrate pour qui sait écouter les sources profondes.

Je sais aussi maintenant qu'il y a en chacun de nous un lac calme et secret qu'il faut atteindre. C'est un lac qui n'est troublé par aucune vague et qu'aucune tempête ne saurait balayer.

Ne crois pas, me suis-je mille fois répété afin de ne pas en faire un marécage, que ce soit le lac de l'indifférence. Il est l'espace où nos émotions se dissolvent et où l'on se détache en paix de tout ce qui n'Est pas. L'âme ne pourra jamais s'y blesser car elle n'est plus enferrée à ses désirs, elle les observe, elle les laisse glisser à sa surface jusqu'à ce qu'ils s'éteignent. C'est un lieu de sourire que j'ai découvert là, savez-vous ?

Hier j'étais riche selon la loi des hommes, aujourd'hui la direction de mes pas m'a rendu pauvre, peut-être demain sera-t-il encore différent ? Qu'importe. Ce dont je veux être certain, c'est de l'égalité de ma vie face aux portes qui s'ouvriront. Cette volonté est un cadeau que je fais à tous les hommes. C'est comme mon épi de blé dans la gerbe du Maître !"

Lorsque j'y songe, il me semble que beaucoup d'entre nous étaient préoccupés par cette question. C'est Lévi qui servait souvent de cible !

Une nuit, alors que nous nous apprêtions à dormir sur les bords du lac, le Maître entreprit de clore la question.

"Mon Père a crée des infinités de mondes, dit-il ; à quelques uns seulement il a révélé la puissance d'une valeur d'échange que les hommes d'ici appellent argent, bronze ou or. Il a permis qu'elle soit au rang des énergies qui voyagent à la surface de la Terre presque au même titre que les forces du sol, de l'eau, du vent et des flammes... imprégnée aussi un peu de la substance vitale de l'homme ! Avez-vous jamais pensé à cela ?

Je vous le demande, quelle force nourrit votre cœur lorsque vous achetez pour dix talents de grain ? Quelle force également s'en échappe ? Que mettez-vous dans la pièce que vous déposez au creux d'une main ? Amour, haine, jalousie ou indifférence, tout cela sera distillé sur chaque arpent de terre où elle voyagera, étincelle après étincelle pour entretenir de grands orages ou de grandes sources.

La vie, mes frères, s'est insufflée dans toute forme et je vous l'affirme, il n'en est aucune qui soit impure. L'usage des pièces de monnaie est transitoire en ce monde mais acceptez sa circulation comme celle des vents, du soleil ou celle des nuages chargés de pluie. Elle a quelque chose à vous dire... La seule pauvreté que mon Père réclame est le dépouillement du cœur des hommes de la Terre. En vérité, votre cœur devient la seule bourse dont vous puissiez avoir honte s'il n'est pas un lieu d'attente et d'offrande.

Donnez ou vendez, mais sachez-le, amis, le problème enraciné en vous ne réside pas là ! Certains donnent comme s'ils vendaient, d'autres comme s'ils achetaient, une amitié, un amour, une estime.

Seul mon Père voit clair en les âmes, ne vous substituez pas à Lui... C'est dans cette compréhension que vous allumez aussi la Grande Lampe de Paix !"

Elle fut douce, la présence de Zachée en cette première nuit passée seuls à ses côtés. Il me semble encore que les paroles du Maître alimentèrent jusqu'à notre sommeil le plus profond.

Les jours suivants furent occupés à parcourir le village et la montagne environnante. La lune se prêtait à la cueillette de quelques simples et il ne fallait pas en manquer l'occasion pour la préparation de nos onguents. Zachée non plus n'avait pas perdu cette habitude, presque cette nécessité de notre peuple. Ainsi, les premières heures de l'aurore nous virent-elle souvent accrochés à flanc de coteaux entre les épineux, les plantes odorantes et les vols d'abeilles engourdies.

Pour nous, ce fut aussi l'occasion d'apprendre quelques mots du dialecte de ces montagnes car les hommes et les femmes du village venaient spontanément nous prêter leur concours. Ils étaient gais, les habitants de ces maisons de roc grillées par les rayons du soleil. Le pétillement de leurs yeux en faisaient des êtres moins rudes que ceux rencontrés jusqu'alors au pays de Kal. Seuls, quelque part en nous, les visages rayonnants d'Hildrec et de Belsat évoquaient la même sensation d'offrande et de disponibilité permanentes. Mais où étaient-ils aujourd'hui et gardaient-ils le même souffle que naguère ? Trois quatre, cinq années déjà... Nous ne savions plus trop...

"Regardez-les, nous disait Zachée à l'oreille, en montrant discrètement ses petits groupes de cueilleurs, je suis maintenant persuadé qu'ils nous attendaient et que nous avions pris un vrai rendez-vous ici. Leur prêtre s'est tué en tombant du rocher peu avant mon arrivée. Nul ne l'a remplacé et ils ont compris que ce ne serait pas moi mais je leur ai bien dit aussi que je ne laisserais pas leur âme en friche. Et ils y croient à leur âme ! Derrière leurs traits un peu farouches, ils ont le Feu. Et maintenant, ce sont eux qui me donnent ma force !

...C'est étrange, ils observent un très vieux rite au cours duquel pendant la lune des semailles, ils enterrent un crâne de taureau bourré d'épis de blé, dans un coin de leur champ... J'ai vu jadis faire cela chez nous."

Nous nous prîmes rapidement d'amitié pour les habitants de la Grande Cassure et ils nous le rendirent bien.

Fallait-il que nous continuions vers l'Ouest, là où aucun d'entre nous, semblait-il, n'avait pu encore diriger ses pas ?

Zachée nous persuada du contraire. Joseph disait-il, lui avait promis son passage en ce lieu dont il connaissait déjà l'existence. Sur un bois écorcé, dans son abri, il avait même noté le défilé des mois et des années depuis leur dernière rencontre.

"Cela ne devrait plus tarder, ajouta-t-il, nos âmes se sont déjà rencontrées il y a quelques nuits !"

Un matin, de très bonne heure, alors que la lumière du jour n'avait pas encore pénétré la pièce où nous dormions, un bruit de pas un peu hésitant nous fit dresser la tête. Dans l'obscurité épaisse de l'abri qui nous avait été prêté, la silhouette et le visage de notre compagnon se dessinèrent.

"Ce n'est que moi, chuchota-t-il d'une voix étouffée et gênée. Le jour va bientôt se lever et je crois absolument qu'il faut que je vous livre quelque chose. Seulement, il est important que nous sortions du village tout de suite. Personne ne doit savoir où nous allons."

A vrai dire, le ton mystérieux de Zachée n'était pas fait pour nous déplaire.

Pourtant, en suivant notre vieil ami dans les ruelles obscures qui se faufilaient parmi les masures et les blocs de pierre, nous comprîmes que son cœur était moins léger que le nôtre.

Bien peu de paroles sortaient de sa bouche. Il paraissait au contraire absorbé par ses pensées et pressé d'atteindre la solitude de la montagne.

Son pas avait acquis une allure si rapide à travers les éboulis et les arbustes que nous éprouvions l'un et l'autre une certaine peine à le suivre. Nous étions en dehors de tout chemin et il fallait assurément que Zachée eût emprunté maintes fois cet itinéraire pour avancer avec une telle assurance. Son agilité nous surprit et, comme il ne parlait pas nous nous laissions guider par son seul souffle.

Tandis que le ciel commençait à s'éclairer d'un or pâle, il fit halte face à une grosse touffe d'épineux appuyée contre la paroi rocheuse d'une gorge.

"Nous y sommes, dit-il en calmant sa respiration. Simon, Myriam, ce que vous allez voir réclame le secret le plus profond. Je pense n'avoir pas besoin d'insister sur ce que cela signifie pour nous tous..."

Sans avoir même eu le temps de le questionner sur son attitude, nous vîmes alors Zachée s'enfoncer tête la première, au ras du sol, sous la touffe d'arbustes.

Simon me fit passer devant lui et nous nous y enfilâmes à notre tour, griffés par les ronces et rampant sur des éboulis de cailloux inconfortables. Fort heureusement cette avance ne se prolongea que sur une courte distance. A la lueur encore faible du soleil nous vîmes que le sol s'enfonçait très rapidement et en pente raide sous le rocher où une cavité se dessinait maintenant. Elle n'était guère plus haute que la taille d'un homme accroupi et la terre y devenait presque du sable. Ça et là, je remarquai des amas de feuilles séchées et de grosses touffes de poils qui me persuadèrent que ce devait être le gîte de quelque animal.

Nous avançâmes prudemment sur une bonne vingtaine de pas mais la grotte ne promettait toujours pas de s'élargir. Bien au contraire, nous devinions qu'elle s'achevait en une sorte de goulot étroit qui de toute évidence représentait notre seule destination. Zachée s'y engouffra en rampant, sans la moindre hésitation. L'obscurité y était totale et elle se transmua vite en une noirceur poisseuse. Simon et moi osions à peine échanger quelques mots ; nous avions surtout la sensation de plonger dans le ventre de la Terre, un ventre à l'odeur âcre et puissante, à la moiteur étouffante. L'air que nous respirions me semblait ne jamais avoir été nourri par la vie, ni même souillé par une présence. C'était comme un air de commencement du monde d'où toutes formes peuvent émerger. Les parois du boyau donnaient la sensation d'être presque coupantes et au-dessus de ma tête mes doigts se hasardaient parfois à en palper le relief. Alors, je sentais la présence fraîche d'une forêt de cristaux...

Le sable des débuts de notre avance s'était rapidement transformé en une glaise humide qui ne faisait qu'ajouter à la lenteur de nos mouvements. Très vite, il nous sembla que tout cela durait depuis une éternité et que nous avions parcouru un fort long chemin dans les profondeurs de la montagne. Mais qu'en était-il ? Nos perceptions elles-mêmes avaient changé ; la sensation première d'étouffement avait progressivement laissé place à une autre, toute de plénitude comme celle que l'on ressent toujours lorsque l'on s'immerge en soi.

A un moment donné, lorsque le sol amorça une descente soudaine, une vague clarté s'empara de mon champ de vision. Il me semblait désormais pouvoir distinguer assez clairement devant moi la silhouette de Zachée allongé sur la sol.

"Myriam, s'exclama au même moment Simon, il y a de la lumière !"

"Encore un peu de patience... mais je vous demande surtout beaucoup de paix..."

La voix de Zachée s'était faite plus chaude et on y devinait les premières manifestations d'une joie secrète.

Soudain, le goulot tourna sur notre gauche et nous fûmes baignés d'une lueur blanche semblable à celle d'une lune pleine. Nous vîmes Zachée se lever. Il se trouvait sur une sorte de petite terrasse de pierre et de sable qui surplombait une immense cavité pleine de concrétions et qui brillait de mille feux.

"Bienvenue à toi..." fit alors une voix féminine.

Mes yeux ne distinguaient personne, mais je vis notre compagnon croiser avec paix les bras sur la poitrine puis s'incliner légèrement.

En un instant nous fûmes debout à ses côtés, contemplant un spectacle inimaginable. En contrebas, la grotte, grandiose, était emplie d'une multitude d'objets qui paraissaient entassés pêle-mêle et qui scintillaient sous les feux de quelques torches.

Un trésor invraisemblable attendait là, éparpillé dans une forêt de concrétions luisantes aux reflets d'albâtre et de vieil ivoire. C'était une multitude de petits coffres, de candélabres, de statues aux formes rondes et inconnues. Il y avait aussi des armes, d'énormes épées et des haches comme nous n'en avions jamais vues. Partout où nos regards avaient accès, ce n'était qu'une débauche d'ors et de pierres aux reflets profonds. Au milieu de tout cela, nous aperçûmes enfin la silhouette longiligne d'une femme en robe blanche qui tenait par la main une fillette d'une dizaine d'années.

Sans attendre, nous descendîmes vers elles deux par un bel escalier taillé dans la roche à partir de notre plate-forme. Comme nous nous en approchions, la forme blanche abandonna la main de la fillette et renouvela le geste de Zachée. C'était une femme encore jeune et d'une grande beauté. Elle portait une robe blanche ample et fortement plissée à la taille par une ceinture tressée aux reflets argentés. Quant à son front, il était ceint d'un fin bandeau où était enchâssée une pierre ovale à l'éclat de lune. Ses longs cheveux blonds avaient été rassemblés en une seule natte qui lui tombait jusqu'au bas du dos.

"Bienvenue à toi, Zachée, bienvenue à vous trois, dit-elle dans une langue très proche de celle qui était désormais la nôtre. Mon coeur est heureux de recevoir ceux qui ont vu le Maître..."

La douceur et l'égalité d'âme qui émanaient d'elle étaient étonnantes et je fus stupéfaite de la clarté, par instant presque transparente, de son regard.

Les présentations furent vite faites. A vrai dire, Zachée semblait lui avoir déjà dit maintes choses à notre propos et elle attendait notre visite.

Mais ce qui m'intriguait surtout demeurait la présence de cette fillette qui observait le plus grand silence à ses côtés.

De son visage très long se dégageait, pour son âge, une singulière sensation de maturité et surtout de majesté.

Mes yeux se portèrent à nouveau sur la grande présence à la pierre couleur de lune.

"Je suis prêtresse de l'Awen, dit-elle, et voici celle qui me succédera bientôt ici pendant vingt-huit années. Notre rôle et celui du collège dont nous sommes issues est de veiller à la vie de ces lieux, d'y apporter la prière constante de l'âme humaine en union avec celle de la Grande Mère terrestre. Comprenez-vous ? En ce point de ses entrailles convergent et partent mille forces de régénération pour l'équilibre d'un immense territoire...

Que ces monceaux d'or que vous voyez amassés ici ne vous troublent pas. S'il est juste qu'ils attendent là leur destination dans le sablier des hommes, ils ne représentent pas l'objet de nos préoccupations. Il s'agit d'une partie des biens provenant des ancêtres de notre actuel peuple de Kal. Ils datent d'un temps très ancien où ceux-ci conversaient encore avec les Frères aînés du Firmament... ceux qui se déplacent sur des nuages de feu et qui ont fait don à notre race d'une bonne partie de sa richesse d'âme. C'était je crois, lorsque les vents de glace et la neige envahirent le monde, il y a dix mille de nos années, lorsque l'espoir avait commencé à fuir des coeurs humains et que la Connaissance s'apprêtait à rejoindre le Soleil... jusqu'à ce qu'IL soit là et qu'IL nous apprenne à brandir l'épée par la lame et non plus par le pommeau.

Aujourd'hui, je le sais, le Soleil a déversé ses rayons dans le ventre de la Lune et la Terre est prête à enfanter de leur mariage.

170

Un jour, la nature de ce monde servira de ferment pour l'éclosion d'un royaume où IL pourra faire entendre sa voix à tous. Les univers que nous cherchons dans les étoiles, nous dira-t-IL sont désormais à incarner en vous et dans la substance du sol que vous foulez. La chair n'est pas le vêtement dont vous avez à vous débarrasser... elle aussi véhicule mon souffle, elle aussi a son Livre de Connaissance à vous transmettre. Tant que vous n'aurez pas fait l'unité entre elle et moi, vous n'aurez pas fait l'unité avec vous-même. La robe dont vous devez vous dévêtir est celle de votre suffisance... C'est celle du non-amour !"

La prêtresse s'avança vers moi et me prit les mains.

"Vous qui avez bu à Son regard vous comprenez cela. J'ai demandé à mon frère Zachée de vous conduire jusqu'ici afin de vous le rappeler. Chaque être de ce monde est une tombe sacrée, il est dorénavant une viergemère à qui il est demandé d'enfanter.

De la même façon, ce lieu dont nous avons ici la charge enfantera les énergies de la matière et les énergies de l'esprit car si l'une est le doigt, l'autre en représente la bague. Il s'agit d'un mariage conçu de toute éternité, voici pourquoi nul ne peut le fuir si son dessein est d'enfanter de lui-même".

Zachée ne disait rien et nous l'imitions. C'était la première fois depuis notre arrivée sur la Terre de Kal que nous entendions un être étranger à notre peuple tenir un tel langage.

Simon sembla particulièrement touché et comme nous avancions au hasard des stalactites dont certaines emprisonnaient déjà des objets et des bijoux où l'or se couvrait d'un voile, il osa enfin s'exprimer.

"Sœur, les paroles que tu nous confies évoquent en moi celles du Vénérable qui guida mes pas tandis que j'étais enfant entre de hautes murailles de pierre. Lui aussi parlait de ces épousailles dont il nous fallait tous jeter les bases et de cette matrice bien concrète qu'il fallait apprendre à reconnaître."

"Oui Simon, reprit la druidesse avec un sourire un peu complice, ces paroles qui ont frappé ton cœur, je les ai recueillies de la bouche de celle qui fut un peu ma mère lorsqu'elle traversa cette contrée... il y a bien longtemps.

Je ne sais si son âme est toujours de ce monde... mais son nom était Judith et elle était de ta race au-delà des mers... Elle se disait sœur en esprit du Vénérable d'une Ecole qu'elle appelait Krmel. Sa tâche a été d'y enseigner un temps Celui que vous avez suivi puis de le rejoindre plus tard au pays des Grands Rois[1]. Elle sera toujours, je le crois, un jalon silencieux pour les femmes de notre monde...

Mais, dites-moi, fit la druidesse en s'adressant à nous trois, il y a des hommes de nos rivages qui sont venus autrefois se mêler à ceux de Kal. Qu'en est-il advenu ? C'est eux que vous devez rejoindre. C'est par eux que le mariage de la Lune et du Soleil doit passer. Ils sont le croissant qui ressemble à la coupe que vous cherchez[2]. Cela, je puis vous l'affirmer !"

---

1— Les Pharaons
2— Il ne faut ainsi pas s'étonner du nom de Lunel attribué à une petite ville voisine de Nîmes.

"Nous avons rencontré ceux de Benjamin, répliqua Simon, il semble hélas que leur cœur se soit durci et que les lettres qu'ils déchiffrent aient désormais pris l'apparence de la pierre.

Il faut attendre..."

La prêtresse parut alors se plonger longuement en elle-même comme si elle cherchait à dénouer les méandres du temps et la complexité des itinéraires de l'âme humaine.

"Il faut attendre, oui, il faut attendre reprit-elle enfin, mais c'est une attente active qu'il faut engendrer. Il y a l'attente de celui qui dort et celle de celui qui veille en observant, en comprenant les saisons de l'humanité. Celle-ci indique une façon d'être... avec, dans le cœur, le but déjà en pleine floraison. Je vois que tous les peuples vivent comme des pèlerins qui à chaque jour de leur marche découvrent sur leur route un nouveau croisement, un nouveau moyen de pétrir leur âme. C'est cela la vraie liberté... mais je vois aussi que l'arrivée ressemble étrangement au point de départ, que les choix, les acceptations, les refus sont des nourritures qui nous aideront à retrouver la mémoire.

N'aie crainte pour votre tâche face à ceux de Benjamin. C'est justement parce que vous êtes face à eux qu'ils ne se souviennent pas de vous. Le jour où vous serez en eux, sous cette forme ou sous une autre, il faudra bien que les chemins se reconnaissent et que les voies se réunifient.

Venez voir, fit-elle enfin en nous attirant près d'un gros candélabre. Regardez ce petit objet..."

Et elle prit dans ses mains quelque chose de scintillant parmi les cailloux entassés. C'était une magnifique pyramide taillée et polie à la perfection dans un seul bloc de cristal. C'était là, tel un objet hors du temps, étonnant de perfection et de sobriété, face à tant de pierreries et d'œuvres ciselées.

"Regardez bien, répéta la druidesse, en basculant la pyramide dans le creux de ses mains de façon à nous en faire apparaître la base. Voyez ce qui s'y dessine... deux formes complémentaires parfaitement mariées l'une à l'autre. Voici le Soleil et la Lune, voici le dessin de deux croix qui se génèrent l'une l'autre et que se plait à tracer la lumière sur cette face habituellement cachée.

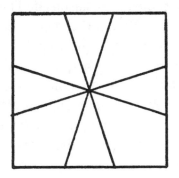

Voyez-vous, frères, ce que Judith m'a jadis enseigné et que je crois de mon devoir de vous transmettre désormais, c'est que nous sommes tous appelés à devenir identiques à cette forme, à ce rayonnement ; non seulement au niveau de son symbole, mais au niveau de son fonctionnement, au niveau de sa force, au niveau aussi de ce qui se résoud en elle. Elle s'élance tout autant vers le ciel que vers la terre. Même si elle semble ne nous indiquer qu'une direction, la vie subtile qu'elle génère sous elle ne se conçoit pas sans les épousailles des apparents contraires. Gravez donc dans votre cœur ces deux croix qui se donnent mutuellement vie. L'une représente l'astre du jour, l'autre celui de la nuit. Elles s'associeront à deux tendances qui se côtoieront sur ce sol de Kal, deux tendances qui parfois se combattront, parfois se soutiendront mais toujours avanceront vers la même Lumière[1]. L'une est amour, l'autre sagesse, l'une est don, l'autre connaissance. Laquelle est Soleil, laquelle est Lune ? Comprenez que chacune le devient à tour de rôle selon l'œil que vous portez sur elle.

Toute chose est ainsi faite et on ne peut en saisir la pleine destination que si on développe en soi le regard unique. Dites-moi lequel de l'inspir ou de l'expir est ennemi de l'autre !

Ici dans ce repli de la Terre, d'époques en époques, vierges nous sommes, blanche est notre robe, noire est pourtant cette grotte où nous prions, où nous chargeons les veines de la roche de tout l'amour dont elles ont besoin. Ainsi, nous demeurons immaculées bien qu'obscures, éclatantes bien que secrètes.

Le grain ne germe que dans les ténèbres de la terre qui l'a reçu et la parole du Maître plonge ses racines dans le cœur des hommes.

Vous voyez ces richesses... elles sont petit à petit amenées à la lumière du jour, selon les nécessités du temple de l'humanité qui se construit. Elles seront confiées à certains rois, à certains guides.

---

1— Il s'agit d'une connaissance anticipée de l'existence des Cathares et des Templiers.

Ne soyez pas surpris : aux constructeurs qui ont compris le sens de la pierre, on donne des pierres car leur matière n'est pas plus vile que le rayon de soleil.

Elle ne serait pas formée s'Il n'était déjà à l'œuvre en elle, de toute éternité.

Ainsi, dans quelques centaines de nos années ces ors, et ces pierres auront quitté ce lieu pour servir de ferment à qui saura les utiliser afin que fleurisse sous un même toit la pureté et la force.[1]" Soudain, alors que nous étions plongés dans nos pensées et tout ouverts aux implications de ces paroles, une petite voix fluette résonna à l'extrémité opposée de la grotte.

Nous tournâmes la tête.

Sous une torche à la flamme dansante, la fillette venait de grimper sur un bloc rocheux et s'était accroupie :

"Ne soyez pas trop impatients, dit-elle avec malice. Le temps n'est pas pressé... lui, il sait ce qu'il veut, il est déjà arrivé !"

Nous éclatâmes de rire et Zachée s'en fut vers elle à grandes enjambées pour la saisir à pleins bras en haut de son perchoir.

"Vous voyez mes amis, s'exclama-t-il tout en gardant la petite contre lui, en vous amenant ici, je voulais que votre regard puisse acquérir une perception plus juste encore du devenir de notre tâche... elle a raison, le Temps est déjà

---

1— Les Annales Akashiques permettent de comprendre qu'une telle tentative de synthèse commença à se dessiner avec les premiers rois mérovingiens.

arrivé où il veut que nous allions. Il veut seulement que nous nous souvenions de l'itinéraire déjà inscrit en nous, que nous le reconnaissions avec souvent pour seul bagage la confiance.

Ainsi, il est des rois dont le germe est déjà contenu quelque part dans ce qu'on appelle l'éternité et dont le rôle sera de synthétiser sur cette terre de Kal les courants diurne et nocturne de la vie.

Sans doute seront-ils à la fois prêtres et guerriers avec les lourdeurs et les faiblesses que ces deux fonctions impriment en l'homme. Toutefois, ce seront avant tout des jalons et c'est aussi pour eux que nous sommes ici !"

Comme il achevait ces paroles, Zachée garda longtemps un grand et beau sourire aux lèvres. Il avait le regard figé vers une sorte de futur intérieur ou d'éternel présent dans lequel tout s'accomplissait en permanence.

Je ne pense pas que j'oublierai jamais ces instants prophétiques. Ils diffusent encore en moi un sens de l'Histoire dans lequel l'empreinte divine est partout présente, ne jugeant rien de trop petitement humain pour ne pas vouloir l'anoblir.

"La vrai pauvreté la voilà ! s'écria enfin notre compagnon dans une soudaine explosion de joie, alors que nous regagnions l'escalier de pierre. La vraie pauvreté c'est d'avoir perdu jusqu'au désir d'utiliser ces richesses à portée de nos mains pour forcer la marche des temps... ou pour une simple robe un peu plus blanche. Ce n'est pas d'avoir tué la tentation mais de l'avoir dépassée, de l'avoir posée à terre sans un seul regret...

Sans doute là-haut au-dessus de nos têtes faisait-il grand jour, sans doute sur les plateaux rocailleux, le soleil cuisait-il la toison des moutons de nos amis bergers... Et tandis que nous nous engouffrions dans l'étroit boyau couleur de nuit nous laissâmes à nouveau notre cœur battre à son rythme.

## CHAPITRE VIII

# Ei A Wallach

Les semaines qui suivirent cette rencontre filèrent plus vite que jamais. En compagnie de Zachée, nous parcourions des étendues de plateaux secs où vagabondaient de petits troupeaux de brebis. Nous partions souvent pour la journée afin de rejoindre quelques masures. Zachée n'avait de cesse d'aller vers elles, non pour y colporter pour la centième fois les mêmes récits mais pour y écouter les hommes et les femmes s'exprimer.

En prenant un peu de leur peine et de leur joie, il avait su tisser sur cette terre pauvre, une trame invisible qui reliait les cœurs les uns aux autres et en faisaient les membres d'une même famille très loin au-delà des mots.

Notre compagnon nous apportait la preuve vivante de ce que nous avions nous-mêmes ressenti. Pour parler du soleil à celui qui se trouve face à soi, il faut d'abord vouloir discerner le soleil en lui, c'est à dire le respecter en l'écoutant. Trop d'âmes, nous répétions-nous le long des chemins muletiers, souffrent de ne pas être écoutées. Si nul ne leur offre la possibilité de se déverser, comment se pourrait-il qu'elles s'emplissent d'un suc nouveau ? Ainsi, l'amour que nous voulions faire naître chez l'autre nous renvoyait-il inlassablement à notre propre capacité d'aimer. Toujours, nous en arrivions à la conclusion que si nous avions eu le bonheur de voir le Maître agir, c'était pour qu'à notre tour nous agissions tel qu'il l'avait fait.

Les grandes théories lui avaient si peu importé... la clarté de son regard avait suffit... elle avait été comme une clé qui ouvre les êtres afin de savoir ce dont ils manquent.

A la fin des journées passées parmi les collines couvertes de broussailles, nos têtes étaient toutes nourries des chants de la nature. Le souffle du vent chaud et l'incessante présence des cigales venaient se graver dans notre univers intérieur et le grignotaient parfois. Et toujours ce pas traînant du petit âne de Zachée qui se faisait prier, chargé d'un peu de lait, de quelques pièces de tissus enfin, et aussi d'onguents pour d'éventuels malades... Sans doute aurions nous pu mener cette existence longtemps encore, pris dans la course d'un été qui semblait n'en pas finir.

Certes, aux côtés de Zachée, nous étions utiles. Il y avait beaucoup à faire parmi ce peuple à l'âme incroyablement disponible... à commencer par l'enseignement de simples notions d'hygiène auxquelles il demeurait si étranger.

Mais restaient toujours ces parchemins que Simon ne quittait pas et cette route qui paraissait vouloir encore s'ouvrir devant nous.. un lancinant appel vers "quelque chose" d'autre.

L'événement se produisit alors que nous ne l'attendions presque plus. C'était un après-midi, à l'heure où le soleil est encore proche de son zénith. De notre abri de pierre et de torchis collé au rocher, nous entendîmes un véritable vacarme provoqué par les jappements des chiens du village, en contrebas. Ce n'était guère habituel en cette heure chaude tant et si bien que Zachée lui-même, vêtu d'un simple pagne de tissu noué autour des reins n'hésita pas à sortir de sa hutte. De grosses touffes de lauriers en fleurs nous masquaient les premières habitations de la petite bourgade. Avec un réflexe commun, nous nous enfonçâmes parmi elles afin de fouiller du regard rochers et ruelles. L'espace d'un court instant, Simon crut deviner la silhouette élancée d'un grand cheval et de son cavalier ; puis, plus rien d'autre ne se manifesta que des grincements de portes sur leurs gonds.

"Il n'y a guère que les romains où les chefs de tribus qui possèdent de semblable bête" commenta Zachée.

Nous étions prêts à rentrer dans nos demeures respectives lorsque des claquements de sabots qui se rapprochent captivèrent toute notre attention.

Alors, au milieu des amas rocheux et des abris qui constituaient notre hameau à flanc de montagne un homme cheminant devant sa monture parut enfin.

L'animal, dont la robe était d'un noir profond, ruisselait de sueur et soufflait bruyamment. L'homme quant à lui portait une robe qui avait du être blanche. Il paraissait légèrement voûté et avait jeté sur son épaule gauche un grand manteau couleur brune.

Après un bref instant de stupeur je ne pus retenir une exclamation :

"Joseph !"

L'homme s'était arrêté à une vingtaine de pas et nous contemplait sans dire un mot. Son visage mangé par une abondante et longue barbe couleur de cendre n'était qu'un sourire radieux.

C'était bien Joseph... avec quelques ans et la poussière des chemins en plus, mais c'était lui ! C'était lui et nous restions là ridiculement figés dans nous ne savions trop quelle réserve !

De ces secondes d'intense émotion, je me souviens surtout d'une sorte de rire qui s'empara de nous au point de nous ôter toute envie de parler. Que pouvait-il y avoir réellement à dire d'ailleurs ? Dans de tels instants il n'y a que des mots squelettes et des phrases pauvres comme des guenilles !

Avec Joseph de la famille d'Arimathie, c'était quelque chose du Maître qui venait à nous, une présence, une chaleur, une sagesse, une force pour décupler les forces... !

Bientôt, dans une immense accolade, nous ne formâmes plus qu'un. Cependant, peu à peu, j'entendis tout autour de nous une ribambelle d'enfants qui piaillaient puis des interjections d'hommes et de femmes étonnés.

Quand nous relachâmes nos étreintes, la moitié du village paraissait s'être assemblée en cercle autour de nous. C'était une foule de regards curieux mais aussi une gerbe de cœurs spontanément en fête qui participaient au bonheur simple de l'instant présent..

Entre la hutte de Zachée et la nôtre il y avait un énorme figuier marié au rocher comme par miracle, aussi beau et chargé que ceux de notre enfance.

C'est à son pied, tout naturellement, que nous entraînâmes Joseph.

A vrai dire, ni Zachée ni nous-mêmes ne savions quelle attitude adopter vis-à-vis du plus proche compagnon du Maître. N'était-ce pas lui qui dès sa plus tendre enfance avait guidé ses premières réflexions ? Après tant d'années de séparation, nous ne savions plus, de la déférence ou de la tendre amitié ce que nous pouvions laisser s'exprimer.

Cette attitude n'échappa pas à Joseph lorsque Simon s'absenta quelques instants et réapparut avec ce qui restait de son manteau. Avant d'installer celui-ci sur le sol au pied de l'arbre, il imprima trois plis l'un sur l'autre à son rebord, selon un vieux rite de notre peuple.

"Mais s'exclama aussitôt Joseph, croyez-vous vous trouver face à un ancêtre à vénérer ? Apportez-moi simplement un peu d'eau.."

Instinctivement nous avions repris la langue commune à ceux d'Essania, si bien que nous nous retrouvâmes rapidement seuls à l'ombre du figuier, avec pour uniques spectateurs quelques poules à qui il arrivait de percher là.

Joseph disait s'en revenir des lointaines terres du Nord, de l'autre côté d'une mer froide et verte presque ensablée. Il disait s'en revenir d'une contrée où il avait jadis emmené le Maître sitôt que celui-ci eût définitivement quitté le Krmel.

"C'est une île, expliqua-t-il. C'est une île toute petite située non loin des terres et de leurs marécages. Bien que je l'aie toujours vue cernée par les brumes, il y règne une étrange douceur et pendant de longs mois on y trouve des arbres en fleurs.

Oh, ne croyez pas que la végétation y soit luxuriante ni que la terre y soit riche.

C'est au contraire presque un morceau de rocher sorti

des eaux... mais elle a quelque chose de singulier qui en fait un lieu d'asile et aussi un incroyable ferment.

En son centre est une colline couverte de pommiers et c'est elle qui lui donne son nom : "Ei a Wallach", "l'île aux pommiers" dans la langue des hommes qui vivent non loin de ses rivages ; car cette île elle-même, voyez-vous, n'est pas habitée. On y trouve seulement les vestiges d'énormes constructions d'un très ancien peuple dont l'origine dépasse l'imagination de la plupart des hommes de ce monde. C'est une île de nos frères Elohim, les seigneurs des Etoiles. Vous comprenez maintenant quel mystère peut l'entourer, quelle fonction sacrée elle peut remplir et aussi quelle crainte elle suscite parfois auprès des peuples des royaumes du Nord."

Joseph avait prononcé ces paroles avec un certain recueillement dans la voix et une émotion non feinte, évocatrice quant à l'intensité de ce qu'il y avait sans doute vécu.

Tandis qu'il continuait son récit, il s'aspergeait régulièrement le visage avec l'eau d'une petite outre que Zachée maintenait entre ses genoux.

"C'est une des plus vieilles terres de notre monde, continua-t-il, une des premières ambassades des messagers du Sans Nom à la surface de notre Mère. Mais pourquoi donc les pas du Maître encore enfant durent-ils en fouler le sol, me demanderez-vous ? Non par simple souci d'accomplir un pèlerinage. C'était une nécessité afin de renouer avec certaines énergies bien précises de la Tradition. Chaque arpent du sol que nous foulons est doté d'une mémoire, mes amis ; ainsi, nous laissons un peu de notre cœur et de notre âme partout où nous allons.

Si nous savons lire avec les yeux de la sagesse, d'époque en époque nous pouvons retrouver les traces des forces passées puis renouer avec nos propres traces, retrouver la parfaite mémoire de notre mission individuelle. Oui, sachez-le, un rocher contient souvent plus qu'une pleine bibliothèque et peut stimuler en nous des énergies insoup-çonnées, des engagements pris depuis l'aube des Temps.

Alors qu'il n'avait guère plus de quatorze années, le Maître a exprimé lui-même sa volonté de puiser à nouveau aux sources de son propre passé.

Lorsque ce monde n'était pas encore tout à fait ce monde, m'a-t-il un jour conté, il prit la charge de légiférer un immense royaume selon l'unique modèle des lois di-vines. Tandis qu'un cataclysme détruisait la presque totalité du peuple à qui il avait fait ce présent, les bases établies par ses soins furent préservées en textes et en énergie sur le rocher d'Ei a Wallach qui devint un des seuls points de la terre des hommes où brillait toujours le feu primordial.

Une énergie de combat y était aussi enclose, une énergie qu'il lui avait fallu développer face à des êtres à l'échine raide et à l'orgueil démesuré.

C'est aussi cette force combattante jusque dans la chair qu'il éprouva la nécessité de résoudre en se rendant en prière sur la colline aux pommiers. Ce fut là une des phases de sa transmutation, il faut que vous le sachiez car rien ne doit demeurer scellé.

Voilà quinze mille de nos années, l'esprit du Maître laissa sur terre un glaive de lumière, de nos jours, je l'ai vu y adjoindre la coupe de son cœur. Nul n'œuvre pour l'éter-nité de la lumière s'il n'établit pas en lui et autour de lui le plein équilibre des forces.

Ne soyez pas étonnés de ce cheminement du Maître lui-même car quiconque enseigne aux hommes, a souffert avant eux sur le même chemin. Zachée, Myriam, Simon, souvenez-vous... souvenez vous... Kristos disait parfois : "la divinité n'est pas un présent de mon Père, elle est sa proposition à toute forme de vie qui se reconnait enfin comme La Vie après mille et mille errances."

L'évocation de Joseph attira jusqu'à nous les premières ombres du crépuscule. De notre refuge grillé par la chaleur, nous voyions le ciel se changer en un océan de pourpre et de safran. Cependant, les chants de la nature redoublèrent et le village commença à donner de réels signes de vie. Nous restâmes longtemps de la sorte, à communier dans l'harmonie de la terre et des cieux.

Ce soir-là, nul n'éprouva la nécessité de rompre les galettes et de manger les poissons grillés qu'on nous avait offerts. Joseph disait n'avoir plus grand besoin de nourrir ainsi son corps, quant à nous, nous étions bien trop occupés à l'écouter pour ressentir tant soit peu la faim.

"Je comprends tout ceci, déclara à un moment donné Simon... du moins il me semble comprendre les raisons majeures du Maître. Je comprends que son cœur est d'un homme et qu'il s'est lavé jusqu'à en faire un joyau d'une telle perfection que la Divinité y a élu domicile, en a fait son fourreau. Ce qui me semble cependant étrange c'est ton retour sur "l'île aux pommiers".

Ne nous as-tu pas enseigné que la terre de Kal était à labourer en premier lieu en cette partie du monde puisqu'elle était le point d'équilibre de ses terres immergées, la cinquième lampe de son corps de lumière, prompte à semer par la pensée ?"

Joseph baissa les yeux et machinalement de la paume de la main, se mit à caresser devant lui la poussière du sol.

"Oui, répondit-il après un temps, tu as prononcé le mot, c'est étrange... si étrange que notre Frère Jéshua, qui m'a lui-même appelé pour ce second voyage ne m'a laissé que peu de clés afin d'en saisir la raison profonde. Voici ce que je puis dire :

Cette coupe qu'est venu alimenter un peu de son sang et dont j'ai la charge constitue le motif central de ma tâche. Le cœur du Maître est une coupe, mais celui de Kristos en est une autre encore. La substance vitale que son sang y a laissé ne présente rien de commun avec la substance vitale d'un être humain, aussi cristallin soit-il. En ce sang réside la mémoire totale de notre humanité, ainsi que son germe de régénération. Mais surtout, réalisez bien en vous ceci, mes frères, car je m'exprime au-delà du symbole : la matière vivante et dense de notre monde, quelle que soit sa forme est dotée de propriétés illimitées. Vous devez la savoir à l'image parfaite de l'esprit qui la fait se mouvoir. Il existe un pont permanent entre la lourdeur de nos corps et la fluidité des forces du Sans Nom. Le sang anobli par Kristos dans le cœurs du Maître représente la pleine réalisation de cette vérité.

Lorsque l'homme parle de sang, il porte toujours en lui, l'image morbide de quelque massacre, de je ne sais quelles pulsions ou idées étroites qui le rattachent à une race précise.

Le sang dont je vous parle n'est pas ce véhicule aux tendances animales. Il n'en a pas rejeté les fonctions, il les a épurées ; il est devenu un suc dont la radiance est telles qu'une trace indélébile perdure sur le sol, partout où il séjourne.

C'est un fertilisateur de terres, un réveilleur d'hommes et s'il cicatrise les plaies, il tranche aussi les gangues de nos personnalités si menues.

Je crois bien, mes amis,... je crois bien que cette fois je m'en suis allé sur le rocher d'Ei A Wallach non seulement pour la nourriture à donner à son sol mais pour un être, un seul et dont j'ignorais auparavant l'existence.

Son nom ne vous dirait rien mais dans la langue des hommes de là-bas, il signifie quelque chose comme "fils des veines de la Terre".

Il était roi d'une de ces tribus de guerriers qui ressemblent fort à celles que vous avez dû maintes fois croiser. Je dis "il était" car s'il n'en demeure pas moins roi, aujourd'hui les landes et les marais sur lesquels s'étend sa volonté ne sont plus voués à la bestialité des armes.

C'est un homme jeune encore que j'ai rencontré en accostant au-delà des mers froides, une âme fière en attente de son destin. Derrière son visage chevelu et sous ses muscles perpétuellement tendus se terrait un coeur dans une telle demande d'amour que je ne pouvais que le reconnaître... L'arbre de son orgueil a été difficile à abattre, c'était en quelque sorte un géant, le roi de la forêt.

Lorsqu'après mille questionnements et autant de rages il a enfin accepté sa place, il creusa de ses propres mains un trou dans le sol de l'île et y enfouit son épée.

J'étais présent et je ne pense pas pouvoir oublier ses paroles :

"S'il advient qu'un homme la retrouve, murmura-t-il, qu'il comprenne qu'elle a déjà trop fait couler de larmes... Qu'il ne la saisisse que s'il est prêt à taillader sa propre violence, pour son peuple et tous les peuples, pour ces rochers et pour la terre entière. Tel est mon souhait."

Nous avons passé de longs mois ensemble car j'ai cru lire dans son regard un singulier mélange de fulgurance et de sagesse qui peut en faire l'instructeur de son peuple.

Plus je lui prodiguais l'enseignement du Maître qu'il me réclamait, plus je m'apercevais aussi que lui et son peuple étaient détenteurs d'une riche Tradition sœur de la nôtre dans son essence. Une de leurs plus vieilles légendes raconte que sur le lieu où ils vivent s'élevait jadis une immense cité aux murs de roche polie, presque aussi claire et transparente que le cristal. Les constructeurs de ce temps là, ajoute le récit, auraient obtenu ce résultat en faisant fondre la pierre d'une certaine façon aussi aisément que nous faisons couler le miel.

C'était, m'a-t-on dit, un processus par lequel ils s'estimaient devenir les alliés de la nature. En travaillant ainsi la roche, en permettant à la lumière du jour de s'y répandre, ils affirmaient la débarrasser de ses lourdeurs et mettre ainsi son âme à fleur de soleil.

Outre la beauté de ce récit, voyez-vous, il s'accorde parfaitement avec les données orales des anciens de notre race.

Le Père nous a offert à tous la capacité de parfaire sa Création. C'est une affirmation qui peut paraître étrange et même blasphématoire pour certains mais dans toute Sa sagesse, Il a tenu à faire de nous des artisans de Sa divinité sans cesse croissante.

De même que l'âme de notre humanité est issue de son esprit, l'âme de toute chose a pris germe dans son cœur.

Ainsi, il n'y a pas de lourdeur en nous et autour de nous que nous n'ayons le devoir et la possibilité d'alléger, c'est-à- dire de rendre à elle-même.

Ceux qui de tous temps se sentent appelés à travailler avec les formes subtiles ou denses de ce monde ont à prendre conscience du sens sacré de leur tâche. Je ne vous rappellerai pas mes Frères que la vie parle à travers tout et qu'elle demande à ce qu'on l'aide dans sa juste direction. Celui qui développe autour de lui les forces de l'asservissement sculpte peu à peu les récifs auxquels il se heurtera.

"Partout où vous irez reconnaissez la vie de mon Père, disait le Maître, ainsi elle vous reconnaîtra et vous ne serez pas autre chose qu'elle-même. Par elle et en elle alors s'accompliront ce que les hommes appellent les prodiges..."

Oh, sans doute devez-vous me trouver bien docte ! s'exclama soudain Joseph dans un élan de bonne humeur qui le força à se lever. Si je pouvais résoudre tous ces mots en un seul, mes amis, toutes ces idées en une phrase... ! Peut-être alors, serait-il possible de faire comprendre qu'il est temps que nous cessions de jongler avec ces mots, avec ces idées, comme nous le ferions avec des choses mortes. En fait, tout ceci reste un problème d'identité... cessons de nous rêver amoindris !"

Il faisait maintenant nuit et la lune, presque pleine et d'une blancheur d'ivoire, lançait sur le sol nos ombres qui s'unissaient... Instant privilégié où les âmes parviennent si rarement à saisir le bonheur qui les fait se rencontrer...

Nous marchâmes ainsi quelque temps dans la nuit. Tout pouvait paraître si simple !

"Il se trompe de cible celui qui se croit né pour combattre son voisin," me disais-je.

Nous nous mîmes alors à converser de tout et de rien, simplement heureux de la légèreté de l'instant, joie d'être, toute simple, qu'oublient ou que nient si souvent ceux qui sont ou se disent investis d'une "mission".

"Notre mission, c'est le bonheur ! avait un jour lancé Jean au Maître qui sondait son cœur, c'est le bonheur ou je n'ai pas compris un seul mot de ce que tu nous enseignes !"

Des vols de chauves-souris passaient au-dessus de nos têtes puis disparaissaient dans l'obscurité du pan de la montagne. Je n'aimais guère cela mais comme nous longions le muret de pierres sèches qui s'effilochait jusqu'au village, leur compagnie réveillait les souvenirs de notre enfance où nous les guettions, tranquillement assis sur notre petit mur d'enceinte en haut de la colline.

Comme nous avions atteint le cœur de la minuscule bourgade, nous nous mîmes à errer parmi les méandres de ses huttes et de ses maisonnettes. Malgré la chaleur persistante du soir la plupart étaient fermées. De l'une d'elles émanait pourtant une timide clarté aux reflets orangés. Sa porte basse mais à deux battants était grande ouverte et laissait apparaître la flamme vacillante d'une lampe à huile.

Sans rien nous dire, Zachée fut pris du soudain désir de pénétrer dans l'humble demeure. Il y avait là un homme et une femme attablés autour d'une grande pierre plate posée sur deux souches d'arbre adroitement utilisées.

La femme était en train de broyer des herbes au centre d'un petit bloc de bois creusé et une odeur de nature sauvage flottait dans la pièce. Dire qu'ils furent surpris de notre visite serait en vérité bien faible. Mais dès que les premiers instants de gêne et de respect embarrassé furent dissipés, un éclat qui ressemblait fort à celui du bonheur se mit à vivre dans leurs yeux.

Simon et moi-même ressentions beaucoup d'affection voire de tendresse pour eux deux. Outre le fait qu'ils nous eussent souvent aidés avec persévérance dans nos cueillettes matinales, nous croyions percevoir dans leur cœur une chaleur et une spontanéité qui nous faisaient nous dire quelque chose comme : "ils sont de la famille ". Ils étaient devenus pour nous un rappel supplémentaire d'une vérité qui ne nous a jamais quittés : avant de descendre en ce monde, il est des âmes qui se font des promesses, qui se fixent des rendez-vous parfois anodins ou qui paraissent tels mais qui représentent pourtant autant de clins d'œil, de bornes blanches pour jalonner leur chemin.

Ainsi en est-il souvent de ces rencontres simples, parfois fugitives mais dont on se souvient toujours au long d'une vie.

La masure n'était guère parmi les plus pauvres du village, des paniers dont certains étaient gonflés de grain et de légumineuses s'entassaient contre un coin de l'unique pièce. Dans un angle, près de la cheminée qui faisait songer à une petite grotte noire, il y avait un désordre de peaux et de tissus décolorés. Au milieu de leur fouillis, trois enfants nus dormaient dans des attitudes félines.

Tandis que nous échangions quelques paroles, l'homme monta au grenier par une échelle précaire faite de bois et de cordes puis réapparut avec une sorte de banc sur l'épaule. Bientôt nous nous installâmes autour de la table et on nous servit dans des gobelets de terre jaune une bonne mesure de vin aigre, jaune lui aussi.

Lorsque la conversation eut fini de battre son plein autour des mille choses quotidiennes, Joseph prit la parole en dirigeant ostensiblement son regard vers une niche aménagée dans le mur. Là, sur une planche, une dizaine de pains plats à la croûte très brune était entassée pêle-mêle.

"Il y a quelque chose qu'il me faut vous rappeler... Permettez-moi seulement de prendre une de ces galettes..."

Chacun se tut alors, sentant confusément que quelque chose d'autre que l'humain cherchait à s'exprimer à travers celui qui venait de prononcer ces mots pourtant simples.

Et comme Joseph était allé se servir lui-même, il resta un instant debout près de la table, le pain rond au creux des deux mains à la façon d'une offrande. Nous le vîmes ensuite se pencher légèrement en avant tandis qu'il approchait la galette de son front avec d'infinies précautions. Ce qu'il rayonnait nous imposa le silence jusque dans le rythme de notre respiration. Nous comprîmes qu'il est cent façons d'accomplir un tel geste, certaines paraîtront toujours risibles et empesées, d'autres encore vides ou mécaniques... et puis il y a celle qui est juste, parce qu'elle ne veut rien prouver, parce qu'elle ne cherche à coller à aucune image, parce qu'elle répond aussi à une nécessité qui est un appel.

On n'y voyait rien dans cette petite pièce où dansait avec peine l'unique flamme d'une lampe à huile. On n'y voyait guère mais suffisamment pour sentir perler une émotion sous les paupières de Joseph. Le compagnon du Maître s'assit enfin à nos côtés et sans rien ajouter à ce que son cœur tentait de nous transmettre il tendit à chacun une parcelle du pain qu'il venait de rompre.

"Ceci est un geste aussi vieux que l'âme du monde, finit-il par dire. Il s'agit d'un rite inscrit dans la mémoire de l'univers... ne croyez pas qu'il se rattache particulièrement à une religion ou à une croyance humaine."

Et tandis que nous mangions le pain tout en essayant de mieux comprendre ce qu'il nous était donné de vivre, Zachée s'efforçait de traduire à nos hôtes les paroles que Joseph n'était parvenu à prononcer que dans notre langue.

Naquit alors en chacun de nous un long moment de silence, peut-être même de trouble où les yeux n'osaient se rencontrer par prudence.

"Avez-vous jamais osé répéter ce geste, mes amis, depuis que le Maître l'a accompli devant nous ? murmura Joseph. Toute âme qui est une coupe gorgée de paix peut agir ainsi pourvu que le nectar qu'elle laisse déborder ne soit pas de sa propre petite volonté... Comprenez-vous cela ?"

Zachée qui paraissait s'être replié sur lui-même leva la tête.

"Peux-tu nous dire ce qui se passe... peux-tu dire pourquoi une telle force dans un morceau de pain, dans un geste... ? Où peut-être n'y a-t-il rien que nous soyons en mesure de comprendre et faut-il que nous croyions seulement ?"

"Il ne faut rien croire, Zachée, non... pas plus qu'il ne faut rien rejeter. Tout doit passer par l'épreuve de l'âme et du corps. Ton esprit connaît... permet-lui de parler à travers eux. Le Maître n'a cessé de nous répéter que la floraison de notre conscience est une grâce qu'il faut savoir accueillir en soi. Elle est un joyau en germination lorsque notre âme se rend disponible.

Mais la croyance, vois-tu, ne parle pas la même langue que la confiance. La croyance est aveugle ; elle repose souvent sur la pensée d'autrui, généralement un petit nombre d'êtres à un moment précis de l'histoire des

194

hommes. En elle se développe l'arbitraire et le subjectif. En elle s'endorment les cœurs faibles et les âmes amoureuses de paresse. La croyance, Zachée, est le glaive de ceux qui ne cherchent pas. Peux-tu encore croire maintenant ? As-tu d'ailleurs jamais cru ? Non, tu as besoin de vivre et de comprendre. Comme chacun de nous, tu sais qu'il te faut prendre toi-même les sentiers de ton esprit et non pas laisser à une autre volonté le soin de le faire à ta place.

Il faut juste accepter de voir les portes de notre compréhension s'ouvrir en toute sérénité, les unes après les autres, c'est-à-dire admettre notre incapacité d'englober voracement la totalité des raisons et des sagesses qui font cet univers. Dès lors voici, mes frères, ce que je puis vous dire au sujet de ce pain que nous venons de partager et de manger ensemble.

Tous ceux qui comme Kristos ont rappelé ce rite aux hommes de la Terre savent qu'il est à la fois une matrice et un ferment.

Il est une voie de passage, un fleuve qui coule entre ce que nous appelons le haut et le bas. N'importe quelle autre matière que l'homme peut absorber saurait remplir la même fonction, c'est la symbolique des éléments le constituant qui détermine essentiellement son choix.

Ce qui compte dans le pain c'est avant tout la simplicité et la vie forte de ses éléments. Ces particularités lui confèrent un feu vital propre à accueillir aisément le flot de puissance régénératrice que notre peuple appelle "la lumière de la lumière". Intervient alors l'être qui propose le pain comme réceptacle au souffle du Sans Nom. Celui-là accomplit son rôle s'il comprend que la Force appelée en cet instant est la source de tout ; immanente, elle parcourt l'océan des mondes, de toute éternité et elle attend pour se déverser un peu plus, des creusets nés de l'amour.

Celui-là aussi est digne de son rôle si chacun de ses gestes en cette seconde où le temps s'expanse, ne se contente jamais d'être la répétition du précédent. Lorsque le cœur s'enlise et devient une machine, mes amis, il ne ressemble plus guère qu'à une roue qui tourne sur elle-même.

Tout homme saurait être prêtre de l'Eternelle Lumière s'il acceptait de se mettre à l'entière disposition de l'amour qui n'attend qu'une chose : s'incarner pour semer la trans-mutation, soit dans le pain soit dans toute autre matière. Ainsi, comprenez que quiconque renouvelle ce rite en conscience ne doit pas faire intervenir sa propre pensée, ni même sa propre volonté, fût-elle de bien faire. Le "bien faire" est encore humain, mes amis, et l'instant où la matière se gorge d'amour à l'état pur ne saurait se rendre simplement humain.

L'amour que le Maître nous demande de retrouver n'est pas le sentiment que nous connaissons tous. Il n'appartient à personne de le définir mais à tous de l'éprouver jusqu'à la fusion totale !"

Joseph s'interrompit un court instant et passa lentement la main dans sa chevelure encore toute nouée par les poussières de la route. Dans la petite cupule de bronze qui servait de lampe, l'huile grésillait et répandait son odeur chaude. Puis soudain Joseph leva la tête avec au coin des lèvres un sourire complice en direction de Simon.

"Non Simon... dit-il dans un demi-rire, je sais ton inter-rogation ; n'attache pas foi aux dires de ceux qui, même dans notre peuple, se plaisent à répéter que c'est la chair du Maître que nous absorbons par le pain ainsi ensemencé. Comprends plutôt qu'il s'agit de la Force de Vie totale dans laquelle notre Frère Jéshua s'est complètement fondu lors d'une extraordinaire expansion de conscience. Il en est de même du vin que voilà. Son énergie dans la matière est complémentaire de celle de ces galettes, simplement parce que la nature a généré l'homme et la femme, le liquide et le solide, parce que le "deux" maîtrisé en pleine conscience fait fleurir la triple unité."

"Mais celui qui mange le pain et bois le vin, celui-là, Joseph dis-je, celui-là ne flétrit-il pas trop souvent une telle force ? Nos âmes ne sont-elles pas trop ternes pour sa pureté ?"

"Nos âmes la reçoivent selon la limpidité de notre écoute, Myriam ; nos cœurs s'ouvrent selon la clé que nous avons chacun été en mesure de façonner !

On ne souille pas l'Amour de l'Eternel... on ne souille que notre âme par la bassesse de nos pensées !"

Sur ces paroles Joseph se leva et se dirigea vers nos hôtes qu'il se mit à serrer fortement dans ses deux bras.

"Je ne sais qui vous êtes, chuchota-t-il, mais aimez cette montagne au creux de laquelle vous avez accroché votre maison. Je sais qu'elle est un peu comme le pain que nous avons mangé ensemble. C'est une matrice à sa façon."

Lorsque nous escaladâmes sous la lune le sentier tortueux qui conduisait à nos habitations, l'air était enfin devenu plus frais. Il semblait que la paroi rocheuse avait cessé de nous rendre sa chaleur. J'aurais voulu dormir là, presque sur place, et flotter sur une mer intérieure, à l'infini, là où il n'y a pas de barrière, pas de mots à faire parler.

Mais il y avait en cette longue nuit quelque chose encore dans le cœur de Joseph de la famille d'Arimathie, quelque chose qui voulait absolument chanter...

# CHAPITRE IX

# Autour de la coupe

On y voyait peu dans la demeure de Zachée. C'était comme si la clarté jaunâtre de la petite flamme qui y vivait presque en permanence était aspirée par la pierre et la paille du toit.

A la demande de Joseph nous nous assîmes en cercle autour de la timide lampe.

De chacun de nous n'apparaissait plus guère que l'éclat du regard et quelques rides déformées par la lueur dansante.

Notre compagnon souhaitait-il que nous priions ? Mon corps trop plein des nouvelles de la journée ne s'en sentait plus la force. J'aurais seulement voulu me blottir contre Simon et fermer les yeux, mais il y a des heures trop belles pour que nous laissions au vêtement de notre âme la liberté de dicter sa loi. Il y a des heures trop lumineuses pour qu'on puisse simplement les regarder passer.

Joseph plongea sa main dans un sac noué à sa ceinture et en sortit une poudre qu'il répandit en un cercle rapide autour de la lampe.

"Je dois vous parler encore d'Ei A Wallach, dit-il d'une voix puissante, en accomplissant ce geste. Ou plutôt, je dois vous parler de cet homme, ce "fils des veines de la Terre" qui règne sur les landes et les marais alentours. Pendant tout ce temps où je séjournai à son côté, un sentiment de profonde amitié est né entre nous. C'était un sentiment qui m'amena rapidement à penser qu'il fallait faire de sa terre une ambassade de la parole de Kristos. La volonté, la clarté d'esprit que ce nouveau compagnon manifestait chaque jour ne faisaient que me conforter dans ma sensation première. A moi seul incombe la responsabilité de l'action dont je veux vous parler maintenant. Je ne sais si le Maître a agit alors à travers moi, s'il m'a inspiré des élans mais j'ose l'espérer car la certitude du bien-fondé et de la nécessité de ma décision ne m'a jamais quitté."

"Tu veux dire que tu n'as pas agi selon une demande précise de notre Frère Jéshua ?" questionna Zachée.

"Tu dis vrai... pour tout ce dont je vais vous entretenir maintenant. Comprenez bien que notre Frère nous a légué un trésor et que parmi les joyaux de celui-ci il y a la responsabilité et le libre-arbitre. Lorsqu'il a émis le souhait que certains d'entre nous aillent vers les contrées lointaines, il n'a pas eu d'autre commandement que celui de répandre l'amour, non pas le sien, mais l'Amour en tant qu'absolu. Il ne nous a pas légué de dogme à implanter là où nous irions. Le dogme c'est toujours la petite voix des hommes, celle de leurs carcasses, qui l'impose. Ce qu'il a voulu exprimer à travers nous c'est la grande voix de l'Esprit qui réveille les esprits et non leurs apparences.

200

Cette force, vous devez le comprendre, passe par l'écoute intérieure et par son application dans l'exercice de la liberté.

L'homme ne devient pas Homme s'il se contente de vouloir grandir avec ce que l'on fabrique et que l'on digère pour lui, à sa place. Il se fait lui-même et retrouve sa place dans le Plan du Père s'il plante et absorbe lui-même sa propre nourriture... pourvu que sa volonté soit à l'image de celle de la Création, pourvu que sa volonté en soit le reflet et la juste continuation.

Ainsi, mes frères, au sortir d'une longue nuit de prière, j'en suis venu à la certitude que s'il n'y a pas de dogme à communiquer, il peut cependant y avoir des structures à suggérer... L'univers du Sans Nom est la négation même du chaos. Tous les grands élans de conscience que nous avons vécus en présence du Maître nous l'ont prouvé s'il en était besoin !

Lorsque je parle de structure, je veux dire des structures pour un temps, peut-être le temps qu'une civilisation puisse naître, respirer et mourir, le temps qu'elle accepte ce qui manquait aux hommes à un moment précis de leur réveil.

Je sais que ces choses vous troublent, ce sont des notions étrangères à l'immense majorité des âmes de ce monde. Je parle des peuples comme je parlerais d'un être et de son avance... Mais en vérité, n'en est-il pas ainsi ? Tout fonctionne à l'image de Tout. Ce sont les mêmes lois qui poussent la poussière et le soleil vers l'ultime But.

Ainsi, il y a de cela maintenant bien des lunes, j'ai demandé au "fils des veines de la Terre" de réunir autour de lui ceux de ses hommes en qui il plaçait plus que de la simple confiance.

Je lui ai dit, et puissai-je ainsi avoir rempli ma fonction : "Réunis autour de toi ceux de ton peuple capables d'incarner au mieux l'idéal de Kristos, des êtres dont les yeux savent se plonger jusqu'aux étoiles mais aussi des hommes aux racines bien plantées dans les profondeurs du sol. Ils doivent être le levain d'une nouvelle souche d'hommes à faire jaillir sur d'immenses territoires.

Mais ne les choisis pas réellement... laisse-les se choisir eux-mêmes... car c'est ainsi que l'ordre du monde est conçu depuis toujours. Il n'y a pas d'âmes élues, il n'y a que des âmes qui ont le courage de s'élire !

Lance l'appel en prononçant les paroles du Kristos puis laisse le temps agir et tenter d'émousser toutes les volontés qui se présenteront.

Je vais te livrer le fond de mon coeur. Il me semble indispensable de générer à partir d'ici une Fraternité d'hommes capables de faire respecter par leur présence ne serait-ce que les plus simples lois d'amour et de tolérance.

Les hommes de ces landes et de toutes les terres que j'ai parcourues pour venir jusqu'à toi sont rudes, trop rudes et si leurs prêtres ont des regards de lumière, ils sont trop savants, trop loin du langage nu dont a besoin le coeur.

Ceux qui viendront à toi devront être semblables par l'apparence à tous les hommes de ta contrée. Qu'ils portent l'épée et le métal importe peu si l'épée et le métal rassurent et génèrent encore le respect. Qu'ils fassent seulement voeu de ne jamais, au grand jamais, brandir leur lame vers le ciel sans y être acculé... Et du fond de ma conscience, je ne pourrais concevoir que deux raisons à cela : la défense de l'opprimé et l'ultime protection de sa propre vie. Ils devront surtout se sentir prêtres du Kristos dans le secret de leur coeur !

Si cela doit être, que cette Fraternité d'hommes ne possède pas de biens ainsi que ceux d'Essania qui accompagnèrent le Maître."

Ecoutez-moi bien, maintenant, Zachée, Myriam et Simon. Il y en eut plus de quarante qui se présentèrent au fil des jours pour accomplir un tel service... et ces quarante s'effritèrent sous les coups de l'orgueil, du pouvoir, du désir ou de la faiblesse pour n'être plus que onze."

Devant toutes les implications du récit de Joseph je m'étais redressée et une question me brûlait les lèvres.

"Devons-nous comprendre, Joseph, que tu as suscité la création d'une Fraternité de prêtres-guerriers ?"

"Non, Myriam, et vous non plus mes amis, n'interprétez pas mes paroles en ce sens.

Il s'agit bien d'une Fraternité de prêtres mais certainement pas guerriers. Prêtres, ils doivent l'être au sens premier du terme ; ils doivent, dans la tâche qui leur ont confiée, servir de pont entre la lumière révélée par le Maître et les lourdeurs de notre Terre, ils doivent être de constants rappels du "sacré" qui se cache derrière toute chose. Mais guerriers, Myriam, ils ne peuvent l'être, car il n'y a pas de guerre à mener et il ne peut surtout pas y en avoir lorsqu'il s'agit de la force que nous sommes chargés de véhiculer. Il y a simplement des injustices à éviter et des êtres à protéger.

Ainsi, si ces hommes viennent à dépendre l'épée de leur côté cela doit s'accomplir sans haine et sans les feux rongeants de l'agression.

Souviens-toi du Maître lorsque à l'aide d'un fouet il fit tomber les étals et éparpiller les marchands dans la cour du Temple !

Violence n'est pas toujours brutalité, ni colère inséparable de haine !

Le véritable sage sait bien qu'il doit utiliser le langage de ceux à qui il s'adresse. Il y a des âmes qui sont encore comme du granit à la surface de notre sol, et ces âmes-là ne tolèrent pas que l'on s'adresse à elles avec la douceur d'une plume..."

Joseph s'interrompit brutalement et nous éprouvâmes tous le besoin de retenir notre respiration.

Dehors, en bas dans le village, des chiens s'étaient mis à japper de façon inhabituelle.

Zachée poussa la porte frêle de l'abri et nous tendîmes l'oreille. Le vacarme des aboiements s'amplifiait et un pas saccadé de chevaux semblait maintenant s'y mêler.

Notre hôte se leva alors et manifestement inquiet, se précipita à l'extérieur sans un mot. Incapables de comprendre, nous l'avions rejoint, muets nous aussi. La nuit était encore claire et nous vîmes tout de suite sa silhouette penchée au-dessus du muret, près des lauriers.

"Taisez-vous" dit-il comme s'il parvenait à déchiffrer toutes nos interrogations contenues. Et tandis qu'il lançait ces mots d'une voix étouffée, son regard plongeait dans le vide, en direction des quelques toits que l'on apercevait à grand-peine.

Les chiens aboyaient toujours et il y avait bien des bruits de chevaux...

"Ils sont une bonne dizaine certainement, chuchota Zachée. La dernière fois que j'ai entendu cela en pleine nuit, c'était l'arrivée d'une bande de pillards... Nous n'avons rien pu faire, ils ont brûlé la plupart des maisons et fait plusieurs morts."

"Ce sont peut-être des Romains... ?

"Il est bien rare qu'ils viennent ici et sûrement pas à cette heure... Nul ne se hasarde à voyager en pleine nuit !"

Nous restâmes figés de la sorte un long moment, sans rien ajouter à ce qui venait d'être dit. Que fallait-il faire ? Sortir l'épée comme l'auraient fait ces hommes dont Joseph venait d'évoquer l'existence ? Je me dis que Simon, Lévi et l'Iscariote[1] auraient agi ainsi autrefois... ils étaient souvent armés et parfois si proches des Zélotes. En ces instants de tension voilà que je me mettais presque à les comprendre !

En bas, dans les ruelles, toujours pas de lumière, pas d'appel, personne pour brandir une torche... Enfin, contre toute attente, les chiens se calmèrent et seuls quelques hennissements montèrent encore jusqu'à nous, décuplés par l'écho que renvoyait la montagne.

"Nous connaîtrons la réponse demain, dit Simon, s'il y avait eu quelque chose à redouter, nous le saurions déjà."

Nous eûmes presque envie de rire et en convenant qu'il avait raison nous repartîmes d'un pas tranquille vers la maison de Zachée. La petite flamme qui sentait bon l'huile épaisse était toujours là, vacillante mais toute de paix, au centre de la pièce.

Joseph avait hâte de reprendre son récit et même si nous devions passer la nuit ainsi, ces heures étaient trop belles, trop pleines de la présence du Maître pour que nous les laissions s'enfuir.

1— Pierre, Matthieu et Judas.

"Hormis le "fils des veines de la Terre", ils sont donc onze à avoir prononcé le vœu de Fraternité, poursuivit notre compagnon. Les symboles sont des êtres d'une autre Terre auxquels nous pouvons parfois demander assistance, les formes doivent être leurs alliées... J'ai donc appelé tout ces hommes afin qu'ils s'assemblent régulièrement autour d'une table de pierre carrée. Une table dont quelques-uns connaissaient l'existence au fond d'un labyrinthe souterrain près d'Ei A Wallach. Là ils organiseront la mise en place de leur royaume et prendront toutes les décisions dans la voie de l'équilibre. Je leur ai rappelé que le carré représente une assise stable à toute chose mais que ce carré devrait un jour s'étendre en un cercle pour appeler à lui la fluidité de la voûte céleste, pour qu'une eau coule entre la Terre et les Etoiles.

Alors, j'ai vu qu'une telle compréhension des choses leur avait été également transmise par un barde et que la route que je leur proposais était déjà à demi-tracée en eux. Mais voyez-vous, mes frères, ainsi que Kristos l'a ciselé dans nos mémoires, je leur ai fait remarquer qu'avec leur roi, ils étaient douze et que la lumière du douze, si elle porte en elle une sorte d'achèvement et de perfection, engendre aussi une mort, la nécessité d'un passage et d'une transmutation !

Aujourd'hui, je vous le dis, mon cœur est heureux car celui que j'appelle "le fils des veines de la Terre" est venu un jour lui-même m'annoncer la décision qu'il lui semblait bon de prendre.

"Je vais mettre en place un treizième siège autour de la table, m'assura-t-il. Mais je crois bien que ce siège restera longtemps vide. Je ne le vois occupé que par un homme dont le cœur sera semblable à la cupule que tu portes sans cesse avec toi. S'il doit exister, cet homme-là saura emmener ce royaume jusqu'au point de rencontre avec la substance de l'Awen. Je doute que je voie cela moi-même s'accomplir un jour mais ce siège inoccupé nous rappelera notre attente, notre espoir et aussi notre idéal. Il est bon qu'un objet puisse parfois nous parler car notre mémoire et notre volonté sont si faibles..."

Lorsqu'il s'exprima ainsi, j'ai su que c'était bien et j'ai ajouté ceci .

"Si un être est un jour capable de s'asseoir à cette place, dis-toi que sa venue aura sans doute été générée par vous tous... ce sera aussi la preuve que votre amour a été assez fort pour créer une pensée capable d'agir en ce monde."

La petite lampe à huile de Zachée répandait péniblement ses dernières lueurs. Elle finit par s'éteindre au milieu d'un silence alors que notre compagnon posait sa main sur celle de Joseph.

"Cette cupule de pierre, dis-nous, que comptes-tu en faire ?

L'obscurité etait totale et tout se passait comme si, douée d'une volonté secrète, sa densité retardait elle-même la réponse à la question de Zachée.

"Sa destination précise, voyez-vous, m'échappe encore. Je sais simplement que partout, où je vais, jc porte avec moi quelque chose qui n'est pas humain, pas humain dans le sens où nous l'entendons. Je sais aussi que la pensée de Kristos continue d'entretenir son pouvoir dynamisateur. C'est la raison pour laquelle son rayonnement peut ébranler l'âme de plus d'un homme. C'est un miroir savez-vous ? Un si beau miroir... il est comme l'eau d'un lac qui nous oblige à voir en parallèle l'image de ce que nous nous complaisons à rester et celle de ce que nous sommes fondamentalement... tout amour dans le cœur du Père. C'est une image parfois insoutenable et qui secoue notre édifice... C'est un flambeau qui éclaire non seulement tout les excréments de notre âme mais tout ce que nous prenons plaisir à croire à notre propre sujet et qui est un dernier rempart de vanité.

Oh mes frères, ne vous imaginez surtout pas que si notre petite lampe s'est éteinte à l'instant, ce soit simplement parce que l'huile en a été consumée. Il y a toujours des souffles que nous ne voyons pas !"

Nous entendîmes Joseph bouger puis se déplacer à tâtons vers une extrémité de la pièce. Nul n'osait ajouter quoi que ce soit. Sous notre toit, il n'y avait plus que le tintement de quelques ustensiles que l'on déplace et des froissements de tissus.

Dehors, cependant, une chouette hululait depuis longtemps dans le lointain et donnait l'impression de parler à son écho.

"La voici..." murmura Joseph en se faufilant à nouveau parmi nous.

Je sentis Simon me prendre la main et je me souviens encore m'être dit que cette nuit ne s'arrêterait pas ; elle avait enfanté une force si magique, un amour si clair que l'on n'en sait pas le nom... On sait seulement qu'il existe lorsqu'on l'a vécu comme un œil qui s'ouvre en soi !

"La voici... il n'est pas nécessaire que nous puissions la contempler. En vérité il nous suffit de savoir qu'elle est là, au milieu de nous tous. Ce n'est jamais qu'un morceau de pierre taillée mais..."

Nous comprîmes que Joseph avait la gorge nouée et qu'il ne désirait plus continuer à parler longtemps.

"... moi non plus je ne la regarde plus depuis longtemps. Je n'ose plus... elle réveille tant et tant de choses..."

La voix de notre compagnon suspendit là son vol dans l'obscurité de la pièce. Elle nous laissait brusquement seul avec nous-mêmes et avec cette Présence... J'ai alors voulu non pas l'imaginer mais la visualiser, cette Présence, petite coupe de pierre enfouie dans les replis d'un carré de lin blanc, réceptacle si discret de toute la joie du Maître !

Le temps passa, je sentis bientôt mes tempes se mettre à battre, puis c'est tout mon être qui devin tambour. J'étais comme une peau tendue sur laquelle frappaient les pèlerins à l'entrée du temple d'Héliopolis. Les paysages du pays de le Terre Rouge et les collines sèches de Judée commençaient à défiler en moi et chacune de leurs pierres paraissaient vouloir marteler mon âme.

Je ne savais plus où j'étais... tout s'était modifié si soudainement... Où étaient mes jambes, mes mains ? La vie s'en était retirée, il n'y avait guère que du vide ! Mais quelle Paix pourtant, quelle Paix là-bas tout au fond de cc tumulte de l'âme ! Il me fallait aller vers elle, la saisir... même du bout des doigts ! Alors avec la soudaineté de l'éclair, je vis la présence d'un grand voile que l'on déchire et que l'on écarte.

Je me trouvai dans une immense pièce toute blanche, si limpide, si pétrie de lumière, que ses murs étaient presque transparents. Il y avait là aussi deux rangées de colonnades qui s'élançaient vers un plafond si haut que je n'en saisissais pas la réalité.

"Myriam..."

Une voix s'était glissée en mon centre, vive et fraîche comme un ruisseau de montagne.

"Myriam..."

Je me mis à distinguer une silhouette à quelques pas de moi, elle-même tellement immaculée qu'elle paraissait issue de la matière du lieu.

"Myriam...," répéta encore la voix qui réveilla cette fois une onde de souvenirs.

Je m'avançai vers la silhouette... je savais... ce ne pouvait être qu'elle !

Je vis son visage, ses mains, ses pieds nus qui semblaient toujours effleurer le sol... la mère du Maître !

"C'est Son cœur qui t'est présenté Myriam... Celui dont j'ai façonné la chair est mon frère et mon époux en esprit devant l'Eternel. Reçois la présence de cette coupe comme tu acceptes le flot d'amour qui jaillit de Son cœur. Elle est Son essence toute entière qui perdure parmi vous. Elle est forme et symbole parce que lui-même est forme et symbole, parce que vous aussi devez manier la forme et le symbole, la matière et l'idée divine qui la façonne.

Vois, Myriam, vois cette pierre creuse au fond de ton être. Elle y apparaît ainsi qu'à la source de tous ceux qui ne rêvent plus leur existence. Le cœur est une coupe. Mon frère le Kristos sera à nouveau parmi vous le jour où des centaines de millions d'êtres auront compris cela. Ce sera le jour où l'humanité ne formera plus au-delà de ses facettes, qu'une seule volonté, qu'un unique cœur comme un réceptacle.

Il faut appeler pour être entendu, Myriam... et il faut aussi faire la moitié du chemin.

Respire maintenant le parfum qu'exhale cette coupe, je

dis bien ce parfum... car il ne s'agit pas d'une odeur de sang. Il n'y a jamais eu de sang à boire, ni de sacrifice. Tout s'est accompli dans l'amour et l'amour est une simple question de don et de joie. Le sacrifice, fais-le bien comprendre est une mortification, une frustration. La coupe du Kristos représente l'inverse d'un tel sacrifice, elle est l'épanouissement total des facultés d'aimer et de vivre de l'homme qui s'est retrouvé.

Je vois certains retourner la terre et ses rocs afin de la faire leur... qu'ils commencent par se retourner eux-mêmes puis, qu'ils s'en retournent là d'où ils viennent, alors ils verront qu'elle les y attend. Il y aurait tant à dire, Myriam mais en vérité, si simple est la compréhension..."

Soudain, un craquement terrible en moi et l'impression insoutenable de tomber dans mon corps comme au fond d'un précipice... J'étais à nouveau en pleine obscurité, la nuque tendue, ma main dans celle de Simon et dehors quelqu'un qui criait d'une voix rauque :

"Joseph, Joseph !"

Nous fîmes tous un bond et nous devinâmes en un fugitif instant notre compagnon dissimuler à la hâte son précieux fardeau.

Joseph murmura quelque chose d'incompréhensible puis paraissant reprendre de soudaines forces, il dit :

"Cette voix, je la connais !"

Nous ne bougions toujours pas. A l'extérieur, des bruits de pas précipités et des grincements de gonds s'étaient multipliés. Joseph se leva alors, nous enjamba, fit pivoter la porte de notre abri et sortit. La clarté blafarde de la lune qui vint lécher nos corps engourdis fut presque une agression.

Il y eut des éclats de voix, de surprise, de joie ou de crainte, nous ne savions trop, mais ceux-ci achevèrent de nous tirer de notre torpeur.

Nous trouvâmes Joseph face à quatre ou cinq silhouettes dont celle longiligne et apparemment très austère d'un prêtre de Kal. Tout d'abord, je ne perçus qu'une série d'accolades entrecoupées de bribes de discours empressés. A l'écart, les yeux grands ouverts sur ce spectacle, se tenait un petit homme trapu en braies noires ; il était du village d'en bas et brandissait une torche à la flamme nauséabonde.

Les présentations furent vite faites. Nos visiteurs venaient des terres du Nord, d'une contrée où avait séjourné Joseph avant de partir pour Ei A Wallach. Cela ressemblait, précisa l'un d'eux à Simon, à un énorme rocher[1] qui jaillissait au cœur d'une profonde forêt.

Puis après sur des milles et des milles, les terres se mêlaient aux sables et les sables aux eaux salées en d'interminables bandes marécageuses.

Sur ce rocher avait été érigé un temple de pierres levées où l'on nourrissait constamment un gigantesque brasier. Les traditions affirmaient qu'un être de lumière y était descendu dans les temps anciens et c'était lui qui aurait donné à notre monde l'équilibre de ses formes.

Joseph se tourna vers nous, le regard rempli d'inquiétude :

"Je partirai tout à l'heure lorsqu'il fera jour. Mon âme et mon corps auraient pourtant voulu prendre du repos à vos

1— L'actuel Mont Saint-Michel.

côtés... C'est ma sœur qui envoie ces hommes. Plus d'une année après notre arrivée sur la terre de Kal elle est venue me rejoindre en un point donné. Je pressentais depuis longtemps cette nécessité. Elle a dû fuir notre pays. Là-bas, voyez-vous, les ordres de Rome rendent la vie de plus en plus difficile aux nôtres. On m'a parlé de massacres mais je ne dispose d'aucun détail.

Maintenant, c'est ici plus au Nord qu'elle est en danger, c'est ce qu'ils sont venus me dire. Le commandement romain aurait réussi à lever la population contre elle et ses deux fils qui l'accompagnent."

Le prêtre dont la chevelure claire était démesurément longue sortit de sa réserve et s'approcha de Joseph pour prendre part à la conversation. Mon regard était attiré par son pectoral de métal doré qui évoquait le dessin d'une hache à deux lames surmontant un cercle. L'homme émacié était jeune encore. Sa voix faisait pourtant songer à celle d'un vieillard. Assurément, c'était celle d'un être rompu aux jeûnes et aux intenses face à face avec lui-même. Un être qui avait dû souffrir jusque dans sa chair mais qui ne s'était pas laissé prendre par les sables mouvants de l'amertume. Ses yeux murmuraient trop de paroles de bonté et d'humilité pour cela.

Comme il s'avançait vers nous, Joseph le saisit fortement entre ses deux bras selon la coutume de notre peuple.

"Voici mon frère, dit-il, ...un de plus ! Les hommes qui l'accompagnent l'aident à organiser tout un réseau de communications discrètes reliant un village à un autre, une contrée à une autre. Cela facilitera le voyage de la pensée du Maître... et aussi celui de tous ceux qui la colportent !

Notre but est de mettre à jour une immense trame, jusqu'ici invisible, mais d'ores et déjà tissée par des milliers d'âmes qui s'attendent les unes les autres."

Le druide commença à sourire en entendant ces mots. Il chercha en lui puis entreprit de s'exprimer en une langue qui nous parut âpre et dont Joseph dut se faire l'interprète.

"Bien avant que nous ne nous soyons rencontrés, j'ai été instruit par un barde du nom de Myrdrinn. Lui aussi parcourait des terres entières. Lors de notre dernière rencontre, il m'a dit :

"Voilà environ quarante années, les étoiles se sont exprimées pour moi et après les avoir bien écoutées, j'ai compris que des milliers d'âmes de la même famille avaient pris corps en ces jours pour une même raison, une même destination."

Je sais aujourd'hui pourquoi j'ai retenu ces paroles plus que d'autres.

Alors, avec mes compagnons, avec tout ce que je sens comme force dans mon cœur, j'ai entrepris de tout faire pour relier les membres de cette famille... et aussi, aussi je crois avoir enfin compris que cette famille ne devait pas rester une sorte de Fraternité qui se réunit dans l'ombre puis qui s'exprime avec son propre langage, connu d'elle seule !"

"Oui, surenchérit Joseph, si l'heure est venue de nous remémorer tous nos rendez-vous et tous les vœux que nous nous sommes échangés, nous ne devons pas croire que nous donnons naissance à une nouvelle Fraternité, la Fraternité de Kristos. Je vous le dis, celle-là a de tout temps existé et toute forme de vie y est rattachée même au fond de l'oubli le plus poisseux.

Je ne sais plus comment cette conversation se termina ni combien de temps nous demeurâmes là sous les étoiles entre le cri de la chouette et les crépitements du flambeau. J'ai juste souvenir d'un vent tiède qui nous poussa tous vers les abris du rocher ; souvenir aussi de l'herbe sèche que l'on étale sur le sol afin d'y faire sa couche. Et puis surtout derrière mes paupières de plomb, cette présence de la Mère du Maître qui au milieu de tant de complexité résonnait toujours au centre de mon front.

"... Il y aurait tant à dire, Myriam, mais en vérité si simple est la compréhension..."

## CHAPITRE X

# Glaives rouges sur robes blanches

Joseph de la famille d'Arimathie nous quitta ainsi qu'il l'avait annoncé, aussi soudainement qu'il était venu.

Quelques jours plus tard, nous abandonnâmes à notre tour les abris de la "grande cassure". Notre place n'était pas là. Il ne fallait pas que nous nous accrochions trop à ces rochers brûlants ni que nous aimions trop la douce sécurité de Zachée et de ses compagnons.

Peut-être notre Frère terminerait-il ses jours parmi eux... Peut-être ! Une voix secrète me poussait à croire que je ne le reverrais plus.

Mais avec ce volcan paisible que nous avions au cœur, peu importait. Il fallait avant tout que nous partions ! Les chemins s'ouvraient une fois de plus.

Simon voulait redescendre vers les terres du Sud. Elles avaient pour lui un arrière-goût d'amertume et il ne pouvait imaginer ne pas y trouver enfin celui à qui était destiné son précieux chargement de parchemins.

"Il me brûle parfois au côté, disait-il lorsque nous étions seuls. Je ne saisis pas encore la portée de ses écrits mais je le vois comme un maillon dans une grande chaîne qui nous dépasse et nous projette au-delà des siècles."

Lorsque nous reprîmes la route des grands plateaux puis celle des forêts denses, c'est tout de blanc vêtus que la nature nous reçut à nouveau.

A l'annonce de notre départ, nos amis du village nous avaient fait présent à chacun d'une ample robe immaculée. Le jour de notre départ nous les enfilâmes avec émotion, mais je crois aussi, sans fierté. Dès cet instant, je compris pourquoi elles nous avaient été proposées.

Sous l'automne qui déroulait son manteau d'ocre, il y eut des journées entières perdues dans les fougères, parmi les pins et les châtaigniers. Tous les soirs, lorsque nos pas ralentissaient nous prenions plaisir à suivre du regard la courbe du soleil qui rougeoyait de collines en collines. A l'heure où il s'estompait derrière la ligne des forêts, un vieux rite d'Essania ressurgissait en nous et nous éprouvions un bonheur intense à nous allonger la face contre le sol, la tête tournée vers ses derniers rayons. C'était notre façon d'entretenir nos propres braises et de nous relier à cette Force qui nous avait permis de marcher jusque-là.

En ces longues journées de face à face avec nous-même, nulle fatigue ne s'est inscrite en nos mémoires ; l'avance silencieuse de nos deux silhouettes était régulièrement ponctuée par la rencontre avec des hordes de cochons sauvages aussi farouches que des sangliers puis par des troupeaux de grands cervidés qui détalaient dans notre dos.

Un soir, alors que nous avions décliné l'invitation d'un groupe de chasseurs et de leurs femmes, nous aperçûmes une bande de dix ou douze animaux, la tête basse et le torse large. Ils ressemblaient à de grands chiens qui se plaisaient à nous escorter à la lisière de la forêt. Ce devait être ces loups dont on nous avait parlé mais que nous n'avions encore jamais vus. Je me souviens m'être surprise à discuter spontanément avec eux dans le silence de mon âme.

Je marchais derrière Simon. L'herbe roussie était haute encore et nous nous y frayions notre chemin à grandes enjambées, tout en poussant des exclamations face aux pollens qui volaient. Cependant, mon regard ne quitta bientôt plus ces animaux ; curieusement je n'éprouvai aucune crainte et sans réfléchir, je me mis à les appeler "mes frères" et je commençais à les voir un peu comme des pèlerins. Et sans doute pèlerins étaient-ils ! Mérite-t-il d'autre nom celui qui animal ou homme est pleinement dans sa vie, ni plongé vers le futur ni ruminant le passé, mais incarné jusqu'au bout de ses ongles, présent dans la justesse de ses gestes, centré dans l'orientation de son cœur.

je ne pouvais que les aimer ces étranges pèlerins, témoins d'une autre vie, d'une autre conscience et qui pourtant étaient *la* vie, *la* conscience, tout aussi vraies que les nôtres.

Se pourrait-il qu'un jour, l'homme se souvienne enfin des âges où son âme respirait comme celle de l'animal, de la plante puis de la pierre ?

"Oh non, ce ne sont pas des fables avait affirmé Zérah à la petite Myriam... Crois-tu que l'homme soit homme de tout temps ? La vie est la vie de tout temps... L'amour est amour de toute éternité, mais l'homme que tu vois et qui te parle en cet instant ne s'appelle homme que pour un petit moment. Il faudra bien qu'il prenne une autre forme, vois-tu ; tout cela parce que la Vie est une pensée et qu'une pensée grandit, grandit encore et toujours et qu'il n'y a rien qui ne soit trop petit, trop insignifiant pour qu'elle n'y habite et ne puisse s'empêcher de la faire croître.

Cette Vie là, Myriam, c'est surtout une conscience, c'est *la* conscience... Tu peux l'appeler "Sans Nom" ou "Eternel" ou ne pas l'appeler du tout... cela n'a pas d'importance. La seule chose qui compte c'est de la respecter et de chercher à comprendre pourquoi tu vis un peu en elle, partout.

Et partout, vois-tu, cela veut bien dire partout !"

J'eus de la peine à saisir leur regard, à ces créatures de la lisière des arbres. Mais lorsque cela s'accomplit dans une seconde de fulgurance je sus que Zérah avait dit vrai. D'où pouvait-elle venir cette flamme dans un œil ? De là où la terre s'arrêtait ? Du grand fond de l'univers ? Mais il n'y avait pas de fond ! Elle était bien du même élan que celui qui me faisait respirer. Et il me semblait que si un jour je ne l'aimais plus ou si je devais me forcer à l'aimer, ce serait ma propre source que je ne reconnaîtrais plus.

On perd facilement une page dans le Grand Livre de Vie !

Aussi mystérieusement qu'ils étaient venus, les loups disparurent avec la discrétion de tous les êtres qui font corps avec la nature.

Parfois la montagne était sèche et mauve et nous nous perdions dans des immensités de bruyère, là où les sentiers des bergers s'effilochaient. Alors, pour seul repaire, nous guettions à l'horizon des plateaux, la fumée toujours fuyante des villages. Le ciel bientôt devint plus lourd et les étoiles firent plus rarement leur apparition. Lorsqu'il arrivait que Lune-Soleil clignotât quelques instants derrière les branchages de nos abris de fortune, c'était à chaque fois une fête, une joie simple mais qui ravivait des souvenirs tenaces.

Comme elle nous paraissait déserte cette terre de Kal... de si grandes étendues pour si peu d'hommes... des hommes si différents dans une telle diversité ! Pourquoi donc l'appeler "terre de Kal" alors que la nature y avait tant de visages et que les êtres y ignoraient tant leurs semblables presque d'un mille à l'autre ?

Il devait pourtant bien y avoir quelque chose qui dictait à un assemblage aussi beau mais aussi épars cette sensation confuse d'unité ! Quelques veines secrètes, itineraires obligatoires d'un certain accomplissement des choses... ? Cependant, plus nos pas descendaient vers le Sud plus il nous semblait que l'air se chargeait de bleu et de blanc et nous croyions nous rapprocher davantage de "nos" rivages.

Ainsi, nous continuâmes inlassablement pendant des semaines, sans autre plan précis que de faire confiance à ce que nous rencontrerions. Nous ne fîmes véritablement halte dans aucun des hameaux traversés. Une force nous obligeait à aller toujours plus bas.

Un jour, une ligne imprécise d'un bleu sombre se déroula loin à l'horizon. C'était la mer et avec elle toute une ribambelle de grands espaces argentés, les marécages. Les dernières cigales vibraient encore dans les fourrés et de longues bandes d'échassiers muets s'étiraient sous la couche des nuages. Très vite notre sentier nous conduisit à mi-pente d'une sorte de pic en partie recouvert de pinèdes. Toute une côte de terres sablonneuses s'étendait à nos pieds où apparaissaient les uns après les autres les contours informes de petits hameaux lacustres.

"Si vous allez à Nemesus, c'est par là.."

Un cavalier s'était approché de nous par l'arrière, silencieusement. C'est le son clair de sa voix qui, seul, nous signala sa présence et nous fit nous retourner. Instinctivement nous tressaillîmes. C'était un Romain. L'homme était fièrement dressé sur sa monture et en caressait la crinière avec vigueur. Sans doute voyageait-il depuis le matin car il avait enroulé son manteau pourpre en travers de sa poitrine et le cuir sombre de son vêtement était terni par la poussière.

Son visage arborait un large sourire et ses yeux pétillaient. Il était manifestement ravi du réflexe de crainte qu'il venait de déclencher.

Nous répondîmes que oui d'un signe de la tête. Alors, d'humeur bavarde, il poursuivit :

"Vous avez du chemin à faire d'ici là ! Mais à votre place, je n'irais pas par la côte. Il y a des troubles là-bas en bas. Et si vous voulez mon avis, vous n'êtes pas vêtus pour y aller !"

Simon fit quelques pas vers l'homme :

"Comment cela, pas vêtus pour y aller ?"

"Allons,... je ne sais pas d'où vous venez mais ne me dites pas que vous ignorez tout ce qui se passe !"

Notre mutisme fut sans doute éloquent car le Romain frappa des deux talons sa monture afin de se rapprocher de nous. Je pus mieux distinguer son visage. C'était celui d'un homme mûr aux rides profondes qui suggéraient les longues routes, la discipline et les combats. C'était aussi, me semblait-il, celui d'homme bon et naturellement gai.

"Au cas où vous ne le sauriez réellement pas, il y a toute une bande d'hommes qui vous ressemblent et qui sèment le désordre partout où ils passent, y compris à Nemesus. Ils incitent le peuple à la rébellion contre César en vertu de je ne sais quel dieu... et croyez-moi, ils n'hésitent pas à prendre le glaive !"

Ces paroles eurent pour nous l'effet d'un coup de tonnerre.

Il ne paraissait pas possible que les nôtres aient pu en arriver là. Il devait y avoir confusion.

"Après tout me dis-je immédiatement, que signifient une robe blanche et les cheveux longs ? Ce sont sûrement des prêtres de Kal qui ont pris les armes !"

Mais comme s'il lisait dans ma pensée, le Romain poursuivit :

"Ils ont franchi la mer il y a plus d'une année ; je vous le dis, ils vous ressemblent. Je connais certains de mes compagnons qui vous auraient déjà enchaînés s'ils vous avaient vu traîner par ici ! Vous ne portez pas d'armes ?

Simon fit signe que non de la tête.

"Je ne sais pas ce que vous voulez mais je vous le dis, passez par la montagne si vous voulez avoir quelque chance d'éviter les ennuis. Salut à vous."

Sur ce, le soldat releva le menton d'un geste sec et reprit toute la dignité d'un officier romain. Il frappa d'une lanière l'encolure de son cheval puis nous dépassa au petit trot sur l'étroit sentier accroché à flanc de montagne.

Nous restâmes là quelques instants complètement aba-sourdis. Simon finit par trouver une grosse pierre sur laquelle il posa son sac de toile et s'assit. Une foule d'idées nous assaillirent comme un essaim de mouches. Elles étaient couleur de doute, couleur de colère, couleur de révolte et de refus. Aucun de nous deux ne voulut pourtant les formuler, nous communiquions au-delà des mots, dans un silence que nous sentions devoir cultiver.

Après les longs mois de paix passés auprès de Zachée, la douleur et le trouble faisaient à nouveau surface et j'éprouvai le besoin de laisser fleurir en moi une vieille pratique de notre peuple, une pratique qui n'a pas d'âge, un appel au Grand Océan de Plénitude. Avec tout l'amour du monde, il fallait tisser une sphère toute bleue, bleue comme l'or des terres invisibles. Il fallait lui donner forme au-dessus de la tête et peu à peu la faire descendre jusqu'au cœur du fais-ceau tracé par l'esprit, la flamme coronale, puis jusqu'au centre de la tête et enfin, lentement, jusqu'au creux de l'estomac car si là s'enracine le siège des craintes, là aussi peut éclore l'œuf de la sérénité qui veut s'incarner.

Simon se leva :

"Quoi qu'il en soit, nous devons avancer. Même si c'est pour cette seule rencontre et cette nouvelle que nous sommes venus jusqu'ici, il le fallait. Nous ne pouvons pas fermer les yeux."

Le cœur un peu plus en paix mais gonflé d'interro-gations nous reprîmes donc le chemin. Nous avions résolu de poursuivre jusqu'au prochain village dont les formes se découpaient déjà non loin de là sur un coteau, puis nous aviserions. Après tout, nous aurions toujours le temps d'éviter la plaine s'il le fallait.

Comme elle fut étrange cette descente vers les toits de pierre que nous apercevions en aval dans un bosquet d'oliviers et de tamaris. Fallait-il redouter une pluie de cailloux ou pouvions-nous espérer des âmes telles des coupes prêtes à recevoir ?

"...Mais il n'y a pas d'âmes qui n'ait pas soif avait souvent dit le Maître. Même au fond de votre refus vous avez tous soif car en vérité, pourquoi mon Père vous aurait-il donné un corps si ce n'est pour répondre à l'appel de votre âme ?"

Nos premiers pas dans le village nous glacèrent d'horreur. Partout il y avait des corps sur le sol de son unique ruelle, la plupart mutilés et exangues. Ni les femmes ni les enfants n'avaient été épargnés. Le massacre devait dater de la veille car le sang qui recouvrait les corps était déjà sec et absorbé par la terre. Seul un chien pleurnichant trottinait en flairant partout entre les masures.

Une nausée monta en moi. Avec Simon, nous avions déjà vu une fois un tel carnage... c'était il y avait bien longtemps presque dans un autre monde, à Gennesareth.

Il fallait prendre une décision : ou passer rapidement notre chemin ou nous attarder là pour être bien certains qu'il n'y avait plus personne à secourir. Au fond de nous il n'était même pas question de délibérer. Il ne pouvait y avoir deux solutions. Les yeux de Simon et les miens se croisèrent une fraction de seconde et nous commençâmes à pousser les portes des habitations les unes après les autres. A l'intérieur, ce n'était bien souvent que le même horrible spectacle, des corps étendus sans vie parmi un désordre indescriptible. Il fallait pourtant continuer. Soudain, dans la pénombre d'une pièce très basse où de la paille était

225

entreposée je vis Simon faire un bond de côté comme s'il avait été happé par le mur lui-même;

"Ne bouge plus !"

Une voix fauve était sortie de l'obscurité qui venait d'avaler Simon.

Je restai pétrifiée.

Quelque chose se mit à remuer dans la paille et que je ne pouvais distinguer.

Lentement je vis la silhouette de Simon réapparaître. Il était étroitement maintenu par quelqu'un qui lui appliquait un coutelas sur la gorge.

C'était un homme petit et trapu. Il transpirait toute la sueur de son corps et tremblait de tous ses membres tendus à l'extrême.

"Pourquoi êtes-vous revenus ?" hurla-t-il.

Simon essaya un instant de se dégager mais l'homme maintenant adossé à un mur l'immobilisait bien, lui laissant à peine la possibilité d'articuler quelques mots.

"Que dis-tu.. ? Nous ne sommes jamais venus ici... explique-nous..."

"Voilà des semaines que nous marchons... nous ne savons pas ce qui s'est passé. Crois-moi nous ne voulons rien d'autre que la paix."

Pour toute réponse nous n'eûmes droit qu'à un rire sarcastique. En proie à une tension qui ne faisait qu'augmenter, l'homme transpirait et soufflait de plus belle.

Mon regard s'était enfin habitué à la demi-obscurité et je le voyais mieux maintenant. La cinquantaine, il était chauve et avait le visage rougeaud, les yeux dilatés. Il ne représentait plus qu'une masse de peur et de haine que rien ne semblait pouvoir apaiser.

"Tu vois bien que nous ne sommes pas armés, dis-je en tentant de rassembler mes forces qui s'éparpillaient. Dis-nous seulement ce qui s'est passé ici. Si nous ne pouvons pas t'aider nous partirons..."

L'homme hurla à nouveau.

"M'aider ? S'il n'y avait toute cette horreur je n'en pourrais plus de rire de ce que tu me dis ! M'aider ! Avez-vous vu ce à quoi vous nous avez menés ? Vous et les autres, c'est pareil... même si vous n'êtes jamais venus ici !"

S'il n'y avait pas eu ce couteau sur la gorge de Simon sans doute me serai-je laissée tomber sur le sol. Puisque le Romain avait dit vrai, il n'y avait plus rien à comprendre. Ainsi nous n'étions plus qu'une petite poignée à essayer de faire vivre tout l'amour que le Maître avait révélé dans nos cœurs.

Si tous les autres avaient oublié, à quoi pouvaient bien servir Joseph, Zachée, Marthe, Simon, Myriam et quelques uns encore dont les noms se dispersaient comme des feuilles au vent ?

Etait-ce la fin du rêve d'une bande d'hallucinés bourrés d'orgueil ?

"Ecoute, dit Simon en tentant de calmer sa respiration, je ne comprends pas bien tout ce que tu racontes, mais si ce sont les nôtres qui ont engendré un tel massacre je ne saurai plus porter la robe que tu vois. Si ta volonté est de m'ôter la vie, permets-moi au moins de savoir pourquoi..."

Sans réfléchir je portai enfin mes deux mains au visage peut-être pour y puiser inconsciemment un flot d'énergie qui s'en enfuyait... Mes paupières se fermèrent une seconde dans le creux de mes paumes, une seule seconde mais une si belle seconde... juste pour que le visage du

Maître m'apparaisse, fugitif mais nimbé d'une telle paix ! Son regard, même en cet instant je ne l'oublierai jamais, c'était celui qu'il m'avait tendu lorsqu'on l'avait chargé de cette barre de bois dans les ruelles de Jérusalem. Un regard qui était à lui seul un sourire, un sourire par lequel il disait simplement quelque chose comme :

"Regarde donc Myriam, pourquoi pleurer ? Le rêve dont est fait chaque jour, vous permettra enfin de vous réveiller si vous acceptez sa matière pour ce qu'elle est : une chance de comprendre. Non, ne te laisse pas attraper par la douleur, passe, passe à travers..."

Un flot de paix descendit alors sur moi, semblable à une robe de silence que quelque doigt de lumière m'aurait enfilée.

A ce moment-là, je me mis à l'aimer, l'homme au coutelas. Soudainement ce n'était plus un être menaçant et haineux qui maîtrisait Simon mais un être écartelé qui pleurait sans larme et qui ne savait plus que hurler sa peur.

C'était pour des milliards de situations identiques à celle-là que Kristos était venu nous rejoindre. Jamais le bonheur n'engendre la violence.

"Si tu rejettes loin de toi le bras qui ne sait que brandir l'épée, tu nourris un peu plus encore son appétit féroce. Aime donc. Aime non pas par crainte du mal mais par amour de l'amour."

Ces mots je les avais recueillis quelque part autrefois sur les bords de la Mer de Galilée et c'était maintenant seulement que je les découvrais.

Quelque chose se produisit sans doute dans les radiances de nos corps qui s'entrechoquaient. Nos murailles s'effritèrent. Lentement le petit homme rougeaud baissa son

228

coutelas et fondit en larmes. Enfin son étreinte se relacha totalement et je le vis se traîner derrière des gerbes de paille, là où l'obscurité était la plus dense.

Simon alla immédiatement le rejoindre et je compris qu'ils resteraient longtemps ensemble. Alors je sortis de la petite grange sombre, cherchant vainement à l'extérieur quelque endroit pour reposer mon regard.

Le petit chien que nous avions aperçu vint vers moi tout noir et tout frétillant. Je le sens encore se dresser dans les plis de ma robe. Il ne demandait qu'une chose : déverser son amour sans retenue, sans question, sans condition et en recevoir un peu. Saurait-il au moins être aussi beau, celui que je pouvais lui offrir ?

Combien d'hommes, me suis-je surprise à penser, combien d'hommes ont-ils su garder l'âme aussi simple que celle de cet animal, dans leur longue ascension vers la conscience ?

Voyager de vie en vie, j'en étais sûre, cela ne pouvait être se déplacer vers quelque chose pour gagner quelque chose, mais marcher en soi, faire le tour de nos écorces pour enfin accepter de les perdre. Dans les méandres de notre esprit, il est toujours facile d'être en mal d'amour alors qu'il est si difficile d'aimer simplement.

La journée était encore longue devant nous et je sortis quelque peu du village afin de me défaire de son cauchemar. Je trouvais une belle pierre ronde et bleutée parmi les tamaris. Je m'y assis et le chien sauta sur mes genoux pour s'y blottir. Enfin Simon parvint à me rejoindre. Il y avait beaucoup de douceur dans ses yeux, comme si son inquiétude venait d'être gommée par une compréhension, une acceptation de plus.

"J'ai pu longuement parler avec lui, dit-il en m'aidant à me relever. C'est bien l'unique survivant et il veut qu'on le laisse seul. Il tient absolument à ensevelir lui-même tous les siens.

Il dit que ce sont les Romains qui sont venus hier. Tous les villages des alentours et celui-ci ont commencé à se soulever contre leur présence et leur armée il y a plus de six lunes. Alors les Romains ont réagi pour faire un exemple. Nous avons le résultat devant nous. Le plus grave, c'est qu'il semble bien que ce soient des Frères qui les aient poussés à la rébellion. La description qu'il m'en a faite est troublante. Il y a à peu près une année qu'ils parcoureraient la région. Seules les paroles que cet homme leur prête me laissent de l'espoir. Elles mêlent étrangement le métal et la lumière. Mais je peux t'affirmer Myriam que le nom du Maître Jéshua a été souvent prononcé ici.

Il est familier à cet homme et si terriblement chargé d'implications qu'il ne veut plus l'entendre."

Nous reprîmes la sente qui se faufilait le long du coteau entre les ronces et les herbes grises aux senteurs puissantes. Etait-ce sagesse ou folie, je ne sais, mais nous ne pûmes nous résoudre à éviter la longue plaine de la côte et ses marécages. Un appel irrésistible nous obligeait à marcher dans cette direction. Il fallait que nous comprenions.

Nous n'eûmes pas plutôt fait un mille le long d'un petit torrent à demi-asséché qu'un groupe d'hommes dévala la colline à notre droite. Comme nous, ils revêtaient la longue robe blanche, comme nous, ils portaient la chevelure abondante, comme nous enfin, ils avaient la peau couleur du pain roussi au soleil.

Nous en dénombrâmes une bonne vingtaine.

"Salut à vous, dit d'une voix essoufflée mais enthousiaste le premier d'entre eux qui fut à notre portée. Que le Maître vous bénisse ! Joignez-vous à nous... vous ne devriez pas voyager seuls ici ."

L'homme venait assurément de nos collines, de nos déserts. Sa langue était la nôtre ; son accent à la fois doux, volontaire et chantant ne pouvait tromper.

Sans nous laisser le temps de répondre, il enchaîna :

"Depuis quand êtes-vous là ? C'est étrange que nous ne nous soyions pas encore rencontrés. Nous sommes partis de Césarée il y a au moins vingt lunes !"

"Ne sois pas étonné, il y a des années que nous parcourons toutes ces montagnes loin de la mer."

Disant ces mots, je portai instinctivement la main droite au niveau de mon cœur selon notre vieille coutume.

L'homme qui se tenait en avant des autres répondit par un sourire un peu froid. Enfin il porta lui aussi la main à son cœur puis l'éleva jusqu'à sa bouche.

C'était le salut des frères nazarites. J'étais à la fois soulagée et violemment interpellée. Que faisaient-ils là ? Etait-il possible que le Maître les ait envoyés ici également ? Nous les avions toujours connus si proches des lestaï[1] si intransigeants du fond de leurs demeures et si prompts à la révolte !

"Je vois... ajouta l'homme dont le sourire s'était figé... Nous nous doutions un peu de votre présence. Quelques uns d'entre vous, des femmes surtout, ont déjà laissé des traces ici."

---

1— Autre nom des Zélotes.

Le gros de la troupe se rapprocha. Il nous fut pesant d'observer les ceinturons du cuir, les glaives et les larges couteaux qui pendaient en abondance le long de leurs robes de lin blanc.

C'était pourtant ainsi qu'ils se présentaient à nous ces hommes, bardés de métaux et une flamme farouche dans les yeux. Nous retrouvions chez eux l'énergie des quelques moines guerriers qui lors des derniers temps avaient cherché à se rapprocher du Maître.

Je fus frappée par les fines tresses dont certains avaient agrémenté leur chevelure et que nous ne leur avions jamais connues autrefois.

De part et d'autre, nul ne savait que dire ; nous nous dé-battions dans la sensation confuse de nous retrouver, mais avec une joie forcée, sans nous comprendre, avec la certi-tude que tout restait à redéfinir.

Peu à peu néanmoins, nous pénétrâmes au sein du petit groupe et il y eut des accolades. Nous remarquâmes alors que certains d'entre eux étaient blessés et que tous parais-saient durement éprouvés dans leur chair.

Les mots échangés allaient bientôt sombrer dans la banalité sans doute étouffés par une vague crainte de devoir en venir à l'essentiel.

Puis brusquement, l'un des Nazarites s'adressa à Simon :

"C'est pour le rabbi Jéshua que tu es ici... "

"C'est pour Kristos..."

Il y eut un instant de silence que quelqu'un rompit par un rire de toute évidence calculé.

"Ne restons pas ici" finit par dire celui qui paraissait mener la bande. Il peut y avoir des cohortes dans les parages et je ne tiens guère à les rencontrer."

Le conseil était sage et nous escaladâmes la colline jusqu'à un bosquet situé à mi-hauteur et qui pouvait servir
d'abri momentané. Un vent dru se levait et tandis que nous
montions dans les éboulis, il balayait nos visages de mille
touffes duveteuses arrachées aux buissons. Dès que nous
fûmes protégés de tout regard, chacun s'assit à même le
sol ; de petites outres remplies de vin aigre circulèrent et la
conversation reprit.

Emporté par certaine fougue, Simon lança les interrogations :

"Que dit-on du Maître chez nous ? Sa parole se répand-
t-elle ?"

Pour réponse il y eut d'abord un brouhaha dans notre
assemblée improvisée. Finalement, une voix s'en détacha,
un peu fragile, nasillarde;

"Oh... une bonne partie du peuple qui le suivait continue
de dire qu'il est ressuscité et ma foi, nous devons bien re
connaître que nous n'avons rien fait pour leur prouver le
contraire !"

La réponse émanait d'un petit homme à l'allure malingre
et à la barbe brune qui s'effilochait jusqu'au creux de sa
poitrine. En vérité il était bien peu taillé pour le combat
dans lequel il semblait s'être engagé. Sa remarque déclencha quelques réflexions amusées puis il reprit :

"Ne voyez pas de mal dans nos rires... Nous respectons
la parole du Rabbi. le peuple aussi la respecte et il doit en
faire sa force. C'est sa chance pour se secouer et se débarrasser de tout esclavage. nous avons longtemps cru que
c'était Saül qui allait rendre aux hommes toute leur énergie
et qui imposerait à tous la volonté de l'Eternel. Mais non...
c'est le peuple lui-même qui a décidé de son roi et ce roi-là

peut bien être celui de toute la terre. Les signes sont si clairs ! Le rabbi Jéshua a indisposé Rome et le grand Sanhedrin comme nul ne l'a jamais fait. Le glaive qu'il nous a tendu, nous ne le refuserons pas. Maintenant sa parole peut s'étendre au monde. Beaucoup sont prêts à l'entendre pour retrouver leur liberté !"

Ainsi, rien n'avait changé... Dans les veines de nos Frères nazarites il y avait toujours et toujours ce vieux feu de révolte au goût de rancœur tenace contre Rome.

J'aurais voulu fermer les yeux, mais il fallait au contraire les tenir ouverts, tellement plus ouverts, pour les faire s'exprimer à leur tour, pour leur faire dire tout ce que ma langue ne pourrait jamais traduire.

"Nous ne parlons pas du même être, dit calmement Simon. Vous vous battez pour un chef militaire tandis que nous cheminons avec Kristos. Faut-il que nous soyons si étrangers les uns aux autres, mes Frères ?"

Le chef de la bande intervint

"Comment t'appelles-tu ?"

"Simon,... mais cela ne t'évoquera rien. Dis-moi cependant, quel est ce Saül dont le nom vient d'être cité ?"

"Ce riche descendant de la famille de Benjamin[1]... Souviens-toi, on voyait sa propriété de partout à l'entrée de Jérusalem. Nous avons longtemps cru qu'il pouvait beaucoup jusqu'au jour où il fut clair que les Romains l'avaient acheté. Il avait tellement le goût du pouvoir pour lui-

---

1— Saül de Tarse connu plus tard sous le nom de Saint Paul.

même ! Quelques honneurs et des promesses de responsabilités...le peuple ne s'y est pas trompé. Tandis que le Rabbi... ! C'est par lui que les Ecritures s'accomplissent et que la volonté du Tout Puissant dictera enfin sa loi dans tous les royaumes."

"Est-ce lui qui vous a envoyés ici ?" demandai-je.

L'homme tourna la tête dans ma direction puis plissa les yeux avec intensité avant de me répondre.

"Nous ne savons où il est... mais la marque qu'il a laissé sur notre terre s'exprime à elle seule. Connaissait-il lui-même l'étendue de son pouvoir ? C'est à nous maintenant de le répandre et de lui faire prendre sa véritable dimension."

Simon se leva d'un bond.

"Veux-tu dire que tout ce que vous entreprenez ici est du fait de votre seule volonté ?"

"La volonté qui animait le Rabbi est venue vivre dans nos poitrines et jusque dans nos bras. Il est temps que tu comprennes que l'on ne parle pas aux hommes avec du miel. Tant qu'ils ne comprendront que le glaive, le glaive aura sa raison d'être."

Je vis les doigts de l'homme se crisper et se mettre à jouer nerveusement dans sa chevelure. Cependant sa petite troupe s'agitait, elle aussi. Certains faisaient pourtant mine de garder leur calme en renouant d'un air détaché les grosses lanières de cuir qui maintenaient leurs sandales...

"Crois-tu qu'ils ne puissent réellement comprendre que le glaive ?" dis-je.

"Ce que nous croyons, c'est qu'il faut un royaume, un immense royaume pour que sa paix puisse commencer à rayonner."

"Peux-tu me dire si c'est sa paix ou la vôtre que nous avons vu régner dans ce petit village là-haut ?" lança Simon.

Le chef de troupe nazarite sursauta et alla le rejoindre en dehors du cercle. La main sur le pommeau de son épée.

"Ecoute-moi bien, Simon des nuages, je respecte vos croyances mais nous nous battons ici pour une cause si grande qu'elle ne peut s'attarder aux destins individuels. Le long de cette mer, sur ces montagnes et ailleurs, nous ferons descendre la volonté revivifiée de l'Eternel. N'en vois-tu pas la nécessité ?"

"Je vois mon frère, que tu répètes l'éternelle histoire de tous ceux qui ont voulu incarner leur propre soif de pouvoir. Le Tout-Puissant est le plus beau prétexte dont une âme humaine puisse s'emparer, je te le dis sans colère ni ironie.

Nous aussi nous souhaitons un royaume, sais-tu, une seule et grande terre. Mais plutôt que d'abaisser la Force jusqu'au plus lourd de notre monde, pourquoi ne pas élever ce monde jusqu'à elle ?"

"Le Rabbi vous aura au moins appris à parler ! lança narquoisement l'un des hommes qui s'était allongé sur le sol dans une fausse nonchalance. Amener la terre vers les étoiles, continua-t-il, l'image est belle... Cessez de rêver et comprenez-nous bien tous deux. Le Rabbi Jéshua était homme et c'est l'homme que nous suivons, l'homme qui a élaboré un gigantesque plan de liberté. le mysticisme de nos pères prend désormais racine de cette façon. Pourquoi courir après la silhouette d'un Massiah dont la chair ne serait pas semblable à la nôtre ?"

Le vent qui sifflait dans les arbres nous imposa un long

236

silence et j'en profitai pour rejoindre Simon qui rassemblait son manteau sur ses épaules. Quelque chose était brisé entre les Nazarites et nous. Ni Simon ni moi n'eûmes l'énergie de reprendre la conversation.

A quoi cela pouvait-il bien servir de découper la parole du Maître en tranches de justifications ? L'épée, il n'était pas question de la renier, mais ainsi que l'avait formulé pour Joseph le "fils des veines de la Terre", il n'était pas concevable de la saisir autrement que par la lame.

"J'essaie de comprendre vos raisons et d'admettre votre idéal, murmura enfin Simon qui ramassait son sac, mais je vous le répète, je crois bien que nous ne parlons pas du même être. Votre Rabbi n'est pas le Kristos que nous avons connu, il est vous-même dans ce que vous croyez être de plus beau !"

Quelques uns haussèrent les épaules et d'autres se mirent à rire ouvertement.

Le chef poussa alors une exclamation sèche et tous se levèrent sans attendre. Il y en eut qui esquissèrent un rapide salut nazarite et nous les regardâmes dévaler le pan de la colline pour disparaître finalement dans des replis du terrain.

Simon m'attira à lui. Cela voulait dire qu'il ne devait pas y avoir de plaie dans notre cœur. Cela voulait dire aussi que plus que jamais tout devait être clair. Il y a un amour avec lequel on ne tergiverse pas. Si on le perçoit clairement, alors on sait qu'il ne permet pas à l'âme de serpenter sur le chemin des mille excuses.

Contre ces hommes non plus nous ne voulions pas entrer en combat. Cela aurait été nourrir la différence ; non pas nous tromper de cible, mais créer une cible.

"Tu vois Myriam, m'avait dit un jour le Maître, en vérité il n'a pas de but celui que la lumière habite, car il est déjà lui-même dans le but.

Ainsi, ne marche pas à la rencontre de l'amour en brandissant sa bannière pour le défendre. Sois toi-même l'Amour, ainsi il parlera et nul ne saura l'étouffer..."

# CHAPITRE XI

# Les jardins de l'espérance

C'est ainsi que nous nous enfonçâmes résolument dans l'automne et ses vents chargés de senteurs encore chaudes. Les semaines qui suivirent, nous les vécûmes à nous déplacer rapidement de villages en villages, tantôt rejetés par les uns tantôt accueillis à cœur ouvert par les autres.

Notre but se résumait alors à bien comprendre la situation présente. Face aux événements suscités par l'action des Nazarites nous sentions la nécessité de nous recentrer et de lever la présence de ces autres "frères en blanc" que nous en venions à redouter, sinon à fuir.

Nous comprîmes qu'ils étaient en vérité bien peu nombreux mais que seule leur détermination, voire leur zèle fanatique, les rendait aussi efficaces qu'une armée organisée.

Ces quelques semaines passées de droite et de gauche parmi les cités marécageuses et les longues bandes de terre sablonneuse, nous donnèrent l'impression de nous déplacer dans un labyrinthe. C'était à la fois celui de nos remises en question et celui que notre mode de vie obligatoire nous imposait dans la nature. L'insécurité régnait partout. Les habitants des petits villages que nous traversions se déclaraient nécessairement pour ou contre quelqu'un ou quelque chose et exigeaient qu'on les imitât. Des chefs de tribus en étaient venus à s'engager ouvertement dans une lutte partisane qui opposait le Rabbi Jéshua aux forces romaines. Ils entretenaient ainsi un perpétuel brasier de volontés duelles, un piège sournois dans lequel il ne fallait pas tomber.

Un jour que nous avions fait halte au creux d'un amoncellement hétéroclite de maisons de pêcheurs, nous entendîmes parler avec précision d'un groupe de femmes. Le village, s'il est permis d'utiliser ce terme, était bâti aux trois quarts sur l'eau et ses maisons de joncs tressés juchées en haut d'une forêt de pilotis avaient pris depuis longtemps l'odeur et la teinte rousse des algues. On allait de l'une à l'autre par des passerelles précaires où pendaient souvent des filets. Il y avait, à l'écart de tout cela, une sorte d'embarcadère protégé des regards par une végétation sauvage peuplée d'oiseaux multicolores. Elle sembla nous tendre ses bois à moitié vermoulus, nous inviter à la prière, à un dialogue avec notre cœur et avec ce qui le faisait pulser.

La prière, ... en ces jours de trouble et d'isolement, elle demeurait sans doute notre seule planche de salut ou notre rocher d'amarrage. La prière... la prière, ce n'était plus ces psalmodies de notre enfance où le rythme des sons nous reliait à une force toute construite, à l'égrégore d'un peuple, réservoir des peurs, des interrogations et des volontés. Notre prière... c'était un dialogue sans cesse réinventé, dialogue avec cette autre partie de nous-même qui ne cessait de nous aiguillonner, dialogue avec l'air que nous respirions et au cœur duquel résidait l'Amour du Tout. C'était ainsi que le Kristos nous l'avait non pas enseignée mais fait comprendre, fait aimer.

"La prière, disait-il, est une construction de l'âme qui rejoint l'Esprit, le contraire d'une attente pieuse et généralement faible où l'être s'effrite parce qu'il ne connaît que le monologue de la demande."

Assis sur le bord de l'embarcadère, nous venions à peine de rabattre nos voiles de lin blanc sur nos visages, lorsque nous entendîmes un bruit de pas suivi d'un bruissement de branchages que l'on écarte. Il venait d'un groupe de trois femmes et d'autant d'hommes qui marchait tranquillement dans notre direction. Selon toute vraisemblance, ils appartenaient aux peuples de ces bords de mer.

Vêtus de grosses toiles délavées maintenues par des lanières de cuir savamment tressées, ils nous abordèrent avec un air où l'humilité se mariait admirablement à la détermination et à la fierté.

Leur propos était de nous faire part de l'arrivée d'un groupe de femmes et d'un homme sur leurs rivages. Cela faisait maintenant longtemps, affirmèrent-ils, que comme nous, ils parcouraient les petites cités de la côte.

"L'une d'elles est noire, précisa quelqu'un, presqu'aussi noire que les galettes que l'on laisse sur la braise...

D'abord, elle nous fit peur puis nous avons compris que son cœur était plus blanc que le nôtre..."

Le petit groupe semblait entretenir une réelle dévotion pour ceux dont ils parlaient et qui avaient bouleversé toute leur vie.

Lorsque l'un d'entre eux prononça timidement le nom de Kristos, plus aucun doute ne fut permis. C'était l'ultime soulagement, la certitude infinie que tout pouvait continuer envers et contre les coups de boutoir des hommes trop petitement humains.

Nous nous remîmes en marche, tout d'abord nourris du secret espoir de rencontrer ceux de chez nous puis simplement heureux d'être là pour continuer à témoigner de la Grande Présence et pour soigner. Simon se montra moins pressé de confier son précieux chargement.

Ce furent des semaines et des mois bénis où nous nous fondions dans le seul instant présent, ne nous fixant nulle part et tombant toujours à point nommé pour quelque blessé ou une oreille prête à entendre.

Simon et moi nous nous étions presque faits un devoir de ne jamais passer deux nuits sur les mêmes lieux. C'était à la fois une précaution pour notre sauvegarde et le moyen d'être partout actifs, de rendre partout éclatante la parole du Maître.

Les Frères nazarites que nous croisâmes encore à plusieurs reprises faisaient mine de nous ignorer avec un certain dédain mais peu importait. Nous vivions un de ces moments de grâce miraculeux où le cœur devient comme une parcelle de soleil.

Parfois dans le silence velouté de la nuit, sous nos toits de branchages et de toiles tendues, je faisais revivre en moi les visages d'autrefois, ceux qui appartenaient à ce temps que j'appelais déjà "ma jeunesse". Combien étaient-ils à être venus jusqu'ici ? Quelle savante trame, ce qu'on appelle le destin avait-il mis en œuvre ?

Je ne rencontrai jamais celles dont les pêcheurs nous avaient entretenues. Nous les savions parfois à quelques milles de nous également affairées à prodiguer des soins, à faire résonner une fois de plus la voix du Kristos. C'était bien ainsi.

Nous avions totalement chassé de nous toute idée de "résultat" à obtenir ; c'est ainsi que notre âme ne s'épuisait plus en vains défis personnels.

De vallons en bords de mer, de cités en villages, d'homme en homme, il n'y avait ni succès ni échec, mais une force à incarner bien au-delà de la trahison des mots.

Cette vie de bonheur et de cœurs nus que nous connûmes à travers garrigue et marécages devait prendre fin un jour de ciel bas lorsque je sentis les premiers tremblements d'une forte fièvre.

Nous marchions alors dans les collines sèches à quelque distance de la longue traîne bleue de la mer. Parmi les épineux aux branches grises et les touffes d'asphodèles, Simon aperçut une minuscule cabane délabrée, toute de branchages et de boue séchée. Il m'y mena, c'était la seule main qui nous était tendue. Sur le sol, le dernier occupant avait disposé une couche précaire d'herbes et de vieilles toiles au travers desquelles le vent parvenait à s'engouffrer en sifflant.

C'est là que je m'allongeai, abasourdie par un mal aussi inattendu. Plus que le feu soudain qui m'attaquait, c'est le regard interrogateur de Simon qui m'inquiéta. Je le voyais s'agiter, chercher dans toutes les directions puis s'immobiliser dans le mien. Je dus m'endormir quelques instants car je me souviens d'un voile terne et poisseux que l'on jetait sur moi et qui m enfonçait dans le sol. Lorsque je revins à la conscience, la hutte était gorgée d'une odeur âcre et le visage de Simon émergeait de la pénombre.

Au centre d'une grosse pierre, un reste d'herbes grésillait à peine sur quelques braises timides et mon compagnon murmurait une vieille litanie de chez nous, un chant grave qui résonnait jusqu'au plus profond de mon corps.

Nous restâmes longtemps ainsi me sembla-t-il, sans avoir la force ni l'un ni l'autre de prononcer un seul mot.

Cependant à travers ma vue qui se brouillait, je crus deviner une main posée sur mon flanc gauche. Puis ce fut tout. Il y eut comme un trou dans lequel je dus tomber... le toit de la hutte qui s'enfuyait à une vitesse insensée et mes mains qui cherchaient sans jamais rien palper. De la braise ou de la glace, je ne savais plus ce qui l'emportait en moi. Dans une sorte de soubresaut je m'entendis appeler Simon... puis brusquement apparut ce grand couloir qui s'ouvrait devant moi... il donnait l'impression d'être taillé dans une roche si belle, si pure, blanche comme la lune des nuits si froides ! Aucune douleur en mon âme, aucun remous au plus profond du lac.

Le couloir défilait et je glissais en lui telle une bille qui roule, parfaitement lisse.

De tout temps, il me semblait que je connaissais sa sortie. Il devait y avoir une herbe verte... tellement verte... comme sur les hauteurs de la mer de Galilée... te souviens-tu Simon ?

Simon ! ? Et comme je criai son nom, un visage, un corps, une lumière inondèrent toute ma vue.

Le Maître... ! Il était là sur la rosée d'une herbe si tendre, si miroitante à chacun des pas que ses pieds nus faisaient vers moi !

Je me sentis alors plaquée au sol, face contre terre, mais je ne savais ni quel sol ni quelle terre... pourtant, j'étais bien droite, droite face à lui et il me tendait ses deux mains comme pour me dire "avance".

Je me souviendrais à jamais de la sensation du sol humide sous la plante de mes pieds, de la fraîcheur sereine et cependant si folle de son gazon. A cet instant seulement, je pris conscience que les murs chancelants de la petite hutte s'étaient envolés pour toujours. Le Maître ne disait rien, il me regardait.

Je devinais mes joues comme des torrents, mes mains comme des rayons de lumière qui ne savaient encore où aller.

Derrière lui, derrière sa haute silhouette, je reconnus enfin les toits blancs et ocres des collines de Samarie et de Galilée, avec leurs épousailles de rocs et de fleurs, d'herbes sauvages et d'épineux.

"Est-ce fini ?" m'entendis-je murmurer.

"Qu'est-ce qui est fini, Myriam ? A-t-on fini lorsqu'on vient à peine de terminer les semailles ?"

"Est-ce bien toi Shaddaï ? Mon corps est-il si fatigué ?"

"Tu l'as dit Myriam... ici est le pays de l'Autre Rive, l'un des jardins de mon Père... tu en as ouvert la porte !"

"Mais ces collines si douces, ces maisons, ces amandiers en fleurs, c'est bien notre terre..."

"Souviens-toi, petite sœur, souviens-toi... le lieu est un espace de l'âme, un état de la conscience. Si ton cœur l'aime, il le bâtit et donne forme à la moindre de ses pierres."

Je ne me sentais plus que Regard, qu'Ouïe, prête à recevoir toutes les senteurs de l'univers et j'aurais tant voulu me jeter dans Ses bras pour qu'il me dise de continuer.. même s'il fallait tout recommencer, redescendre dans ce corps fatigué...

"Mais toi Shaddaï... toi aussi tu es..."

"Non, Myriam, la terre des hommes supporte toujours le poids de mon corps et pour longtemps encore ; la tâche de ton Frère Jéshua n'est pas achevée... Je suis ici parce que je me déplace dans l'espace de ton cœur. Ne m'as-tu pas tant appelé ces jours derniers ?

Dans le secret de ses pages, une âme connaît toujours le temps qu'elle s'est fixée ; alors, elle se laisse emporter comme une feuille qui tombe ou comme un épi de blé que l'on fauche...

C'est ici que tu pourras servir le plan du Kristos, désormais ici ou plutôt au centre de toi-même, au Centre !"

Une vague d'amour inouï me balaya alors, me pulvérisa dans toutes les directions de l'univers et j'eus la certitude d'être tellement présente dans tout ce que je sentais. Mon corps était celui des mondes, un nuage de paillettes d'or en incroyable expansion.

Puis, brusquement, se produisit une fulgurance de douleur muette. Tout là-bas, sous moi, l'image d'une petite hutte battue par les vents se dessinait. Devant sa porte, il y avait Simon. Il était bien loin mais si proche pourtant et je voyais son regard vide. Soudain il se retourna et s'engouffra dans la cabane. Il était maintenant au pied d'un corps sans vie dans un désordre de feuilles sèches et de tissus.

J'aurais voulu lui murmurer que ce n'était pas vrai, que j'étais là, ne fut-ce que poser ma main sur son épaule...

246

mais quelque chose me tirait en arrière, un lumière, une lumière qui parlait comme la paix !

"N'aie crainte disait-elle, il suit son chemin... ainsi en avez-vous décidé en prenant corps sur cette Terre... mais souviens-toi aussi, aucun lien ne peut être tranché, aucun !"

La lumière continua de me tirer en arrière. Simon et notre petite hutte s'évanouirent, scellés au fond de mon cœur dans une joie indescriptible. Puis doucement, tout s'apaisa encore ; il y eut un mouvement au centre de moi-même que je ne perçus plus, une sorte de fardeau que l'on vient de poser, l'âme pétrie d'Amour et de l'incroyable sensation de comprendre... enfin !

Il y avait en moi, autour de moi, un espace blanc, doré, je ne sais pas... Il ondulait telle une brise de printemps et vivifiait comme l'air des cimes. En silence, il s'exprimait et je buvais ses paroles qu'il me semblait connaître de tout temps.

Alors, à la fois ivre et terriblement lucide je feuilletai le grand livre d'une vie mêlée à *la* Vie.

La voix disait : "Il y a sur la Terre des hommes, depuis l'aube des aubes, une incroyable et merveilleuse histoire qui flotte au centre des êtres. C'est une histoire dont beaucoup, beaucoup ont oublié le nom et le sens... et beaucoup, beaucoup ont même oublié jusqu'au fait que c'est une histoire. Et une histoire, Myriam, il faut toujours s'en réveiller ; c'est pour cela qu'il faut la comprendre, parce qu'elle a sa raison d'être et nous rapproche du But. Non pas devant nous, vois-tu, mais en nous !

Il y a sur la terre des hommes, un combat depuis l'aube des aubes. Un combat, oui, même si ce mot fait peur ! Et la faute, c'est ce combat, c'est lui qu'il faut dissoudre.

Multiples sont les races d'hommes qui existent sur cette Terre. Elles proviennent des continents d'autres mondes, comme des exilées qui ne veulent encore brandir qu'une seule force : l'orgueil ! Ces âmes rebelles sont un fardeau dans la course des soleils, une fêlure dans l'harmonie des étoiles. Elles en sont venues à se repaître de leur propre malheur et à ne plus engendrer d'autres horizons que leurs grises limitations. C'est pour cela que l'Esprit de Kristos est venu dans ma chair, parce qu'il n'y a pas une Terre qui soit trop sombre pour que l'Amour en détourne son regard.

C'est pour cela que des milliers d'âmes se sont données rendez-vous autour de Sa présence et continueront de dé-pierrer chaque conscience, chaque cœur... pour tous les rendez-vous à venir !

De la foule des différences naîtra l'Unité, telle qu'on ne parvient pas encore à la penser.

C'est pour cela que chaque peine ne doit plus se vivre comme une peine, afin que s'épousent l'idée du Bien et du Mal et que s'incarne la Terre du Milieu, celle qui est ciel et roc, puis Amour au-delà du dense et du subtil.

Ecoute-moi Myriam, les hommes feront un culte de plus de la Parole qu'Il a placé sur mes lèvres. Ils n'ont pas encore fini de parler en leurs propres noms. On invente des règlements tant que l'on n'est pas capable de vivre des Lois. Quels que soient les bruits qui parcourent la Terre, il n'y a pas, il n'y aura pas — car il ne peut y avoir — de religion du Kristos. Il y aura celle des hommes qui penseront Le comprendre et qui ne verront pas que leur regard est extérieur. On a toujours bâti des cultes mais les cultes vieillissent juste un peu plus lentement que les peuples qui s'éteignent et meurent. On en bâtira jusqu'à la

Grande Soif ! La Révélation est progressive et ne peut se concevoir autrement. Elle ne demande pas à ce qu'on l'impose ; pas de rêve nécessaire, pas de sang à verser, pas d'amour à asséner à coup de mots... juste la volonté de Comprendre ce qui ne sera jamais dit dans un livre : Aimer au-delà de ce que vous connaissez de l'amour.

Ta vie est une goutte de patience, une goutte parmi d'autres ; tu en témoigneras un jour d'ouverture afin qu'elle serve de marche à la tolérance. Tu leur diras qu'il n'y aura pas d'écrits pour englober la totalité de Celui que j'ai servi et de la Force que Lui aussi servait. Tu leur diras que ma vie restera une énigme tant qu'ils demeureront dans l'énigme de leur propre vie, tant qu'ils s'adonneront à la passion des histoires et des intérêts en délaissant l'Histoire du cœur de l'humanité.

Tu leur diras enfin qu'il y a aussi mes Frères dans le centre de leur centre et au-delà des cimes blanches, parce qu'ils devront les recevoir. Ces Frères-là, je te l'affirme, sont de la Race des Hommes qui ont placé leur joie au dessus des dogmes.

Comme tant d'autres, petite sœur, vis afin qu'aux jours du Début, on ne dise plus "je sais" mais "j'apprends, je comprends, je suis et enfin j'aime..."

Ainsi entre Terre et Soleil se tourna une page du chemin de Myriam.

# LIVRE II

## CHAPITRE I

# Errance

Il y a des jours qui ressemblent aux nuits et ces nuits-là, l'âme humaine les passe à pleurer sur elle-même, engluée dans la toile d'araignée de sa courte vue...

J'avais enseveli Myriam sous un amas de pierres parmi les ronces, bien haut sur la colline où son coeur avait cessé de battre. Je ne me révoltais pas. Chez ceux d'Essania ce qu'on appelle sinistrement la mort n'était guère plus injuste que la naissance. Elle répondait à une logique étrangère aux hommes mais que ceux-ci devaient savoir tissée de fils d'or. Je ne me révoltai pas mais je me trouvai brutalement au bord d'un gouffre auquel je n'avais jamais voulu songer.

En ce temps-là, ceux qui se seraient aventurés hors des chemins parmi les touffes de lavande sans cesse balayées par les vents auraient aperçu un homme amputé de son souffle et ne parvenant pas à s'arracher à quelques arpents de terre où il n'avait plus rien à faire.

Cela se prolongea ainsi de longues, longues semaines, avec la conviction que Myriam était bien là, quelque part, poursuivant sa tâche sous un autre soleil, conscient aussi que c'était moi qui n'étais plus là.

"Est-ce bien cela l'amour me disais-je ? Se peut-il qu'il puisse dessécher notre corps et ronger notre coeur dès qu'il n'a plus de fruits à cueillir ou de ciel bleu à partager ? il manque toujours quelque chose à l'amour pour qu'il devienne l'Amour !"

Comme tous les êtres de cette Terre, je pensais à la présence qui s'était éloignée mais je ne parlais à moi-même que de moi-même. Ce que je prenais pour de l'amour ne pouvait s'appeler qu'apitoiement. Comme tous les êtres qui se cloisonnent dans une solitude, je refusais de voir les horizons que l'Eternelle Lumière savait bon de me faire encore parcourir.

Parce qu'il n'y a rien de gratuit ou d'anodin, parce qu'il n'y a pas de fossé à franchir ni de mur à escalader qui n'aient leur raison d'être, puissent ces quelques lignes pointer leur aiguillon sur ceux d'aujourd'hui qui ont le visage de Simon s'endormant...

Le hasard et l'injustice sont les raisons des êtres qui ne peuvent comprendre parce qu'ils demeurent dans la vallée, leur propre vallée.

Dans la petite hutte dont j'aurais presque fait un sanctuaire, je me réveillai une nuit en sursaut.

"Si tu te nourris de toi, avait dit une voix puissante au milieu de mon sommeil, tu plonges dans l'océan d'immobilité. Casse le rempart et pousse la porte !"

C'était comme un ordre.

Stupidement et l'esprit encore hébété, je poussai du pied la porte de la hutte. Le ciel offrait sa voûte dégagée et je le fouillai du regard pour mieux fuir mon lit d'herbes sèches. Lune-Soleil scintillait de la même façon que jadis au-dessus de la ligne sombre des crêtes, elle que j'avais presque oubliée. Peu à peu je me secouai de ma torpeur. Etait-ce elle qui m'avait fait signe, elle et ses Frères en robe de nuées ? Je n'avais sans doute pas poussé la bonne porte, mais au moins, je la voyais à nouveau et je me souvenais...

Je sais être resté assis jusqu'à l'aube, le souffle suspendu et l'esprit émergeant d'une sorte de brume, affairé à démonter le mécanisme de l'égoïsme subtil et de sa rouille.

"Ton découragement, Simon, poursuivit une autre voix tenace qui se faufilait jusqu'à la surface de ma conscience, ton découragement est celui d'un homme qui s'attarde sur sa propre image d'un instant. L'âme et le cœur qui ont appris à voir ne peuvent se permettre de baisser les yeux. De tous temps, il y a eu et il y aura des heures où il est demandé aux hommes de ne plus simplement et quotidiennement être hommes. En tout être de ta race s'exprime à chaque pas un peu du minéral, du végétal et de l'animal presque autant que de l'humain. T'es-tu jamais demandé si l'ange à venir ne pouvait lui aussi avoir droit à la parole ? Te l'es-tu demandé non seulement comme une promesse mais comme un possible présent... ne fut-ce que l'espace d'une journée d'une heure ? Se dépasser, ne vois-tu pas que ce n'est rien d'autre qu'aller vers Soi, vers ce que l'on repousse trop souvent dans un avenir brumeux ?"

Lorsque les premiers rais de soleil vinrent lécher mon front à travers les branchages de mon abri, je rassemblai les dernières affaires de Myriam auxquelles je m'étais cramponné comme à des reliques. J'en fis un petit tas dehors sur les quelques braises qui rougeoyaient encore de la veille. Les flammes jaillirent immédiatement et tout disparut haut dans le ciel, en longues bandes de fumée blanche.

J'ai alors connu un bonheur intense ; en moi éclatait un incroyable hymne à l'Amour pour Myriam, pour la vie. Et je me surpris à dire tout haut sur la colline :

"Voilà, maintenant, tu es libre, je t'ai retrouvée !"

C'est ce jour-là que le rempart s'effondra et que furent sciés les barreaux de ma prison mentale. L'effet ne tarda pas à se faire sentir. Pour la première fois depuis plus d'une lune, des silhouettes humaines se profilèrent sur le versant de la crête voisine. Elles se dirigeaient droit vers moi. Les visiteurs avaient entendu parler d'un homme et d'une femme qui pansaient les plaies et soignaient les malades. Beaucoup souffraient dans les villages voisins, racontaient-ils... peut-être une épidémie ?

Cet appel fut l'ultime secousse qui me fit redresser l'échine. Le nom de Iesus fut prononcé, un nom que nul n'avait plus fait résonner à mes oreilles depuis tant et tant de jours.

Mes visiteurs, deux hommes, l'avaient annoncé maladroitement et j'eus la sensation qu'ils me le plaquaient au visage presque comme un défi. Ce fut à la fois un claquement de fouet et une caresse. J'y répondis sans tarder en ramassant sur le sol de la hutte mon sac de grosse toile et mon manteau de laine.

Je suivis donc mes visiteurs par les chemins de rocaille et je connus ainsi le début d'une nouvelle vie de hameau en village et de marécage en garrigue.

Parfois, la voix de mes maîtres du Krmel prenait le dessus sur le chant strident des oiseaux et les bruissements du vent dans les pinèdes. Elles m'entretenaient de cette blessure que je portais encore malgré tout au coeur. Je songeais à Moshab parlant de l'amour humain aux enfants que nous étions alors derrière des murailles où ils ne voyaient nulle femme pénétrer :

"L'histoire de l'amour entre homme et femme est l'histoire d'une longue nostalgie. Savez-vous que l'être humain vêtu de chair est mâle et femelle au tréfonds de sa racine, or, la racine est esprit et l'esprit qui nous anime est androgyne à l'image du Sans-Nom.

C'est l'éloignement, la séparation d'avec le Sans-Nom qui brise l'unité première et dissout le mariage originel. Ainsi, chaque esprit donna-t-il naissance à deux âmes voguant chacune à travers les mondes et les terres, la première vêtue d'une robe de lune, l'autre d'une parure de soleil. Voilà pourquoi chaque lune cherche son soleil, voilà pourquoi chaque soleil pleure une lune dont il garde l'image idéale dans les replis de son coeur. L'amour humain est beau, tellement beau dans sa tentative de recréer l'unique vase de l'Esprit. Mais sachez pourtant qu'il n'est qu'un souvenir, que la nostalgie d'un autre Amour tellement plus beau, au rayonnement si incommensurable qu'aucun de nous ne peut en concevoir l'idée juste.

L'homme et la femme qui se cherchent sont semblables à l'oeil gauche et à l'oeil droit d'un même visage. Ils doivent apprendre à regarder exactement dans la même direction, sans qu'aucun des deux ne prime sur l'autre. Vous devez savoir enfin qu'ils sont appelés à fusionner en un seul oeil ; ils seront alors la Lampe Unique qui brille au front de l'être réalisé, de celui qui s'est souvenu et reconnu...

De par l'immensité des mondes, mes frères, il existe des myriades d'âmes qui voyagent ensemble, qui se retrouvent d'âge en âge ; nous les appelons les âmes-compagnes. Elles forment de grandes familles qui naviguent à travers les temps afin d'apprendre qui elles sont, parfois s'aimant, parfois se déchirant.

Ne voyez pas en elles des âmes-soeurs. Celles-ci ne se retrouvent que le jour du grand éveil du Coeur et de la Conscience. Elles sont deux fois le même être et leurs épousailles scellent la fin de leur pacte nécessaire avec les mondes de chair.

Ces épousailles-là sont l'ultime transmutation d'où s'apprête à germer l'Homme."

Je marchais ainsi pendant de nombreuses lunes, entre montagne et mer, répondant aux peuples de Kal partout où ils m'appelaient. De bergeries en villages lacustres, les temps étaient aux épidémies et une bonne partie de mes jours fut consacrée à la cueillette des simples.

Dès cette époque, je commençais à sentir une présence à mes côtés, ou plutôt en moi, très profondément mais aussi très discrètement. Dans les moments de fatigue et de peine, elle se manifestait comme un élan mélodieux. C'était aussi une certitude nouvelle et une force inconnue qui me faisaient poser le pied où il le fallait. J'y reconnus l'empreinte de Myriam et les soins que je prodiguais n'en furent que plus nourris de paix. Myriam me donnait le son juste à chanter pour réaccorder la lyre des corps malades, elle plaçait presque ma main aux points où les troubles naissaient.

256

Ce fut l'époque aussi où tout un groupe de petits chefs guerriers se prirent d'amitié pour moi. Etrangement, peut-être lassés par les bains de sang, certains s'étaient détournés des Frères nazarites lesquels étaient amenés à se réfugier de plus en plus dans les montagnes.

Le printemps fut gai. Les amandiers en fleurs et les oliveraies à demi-sauvages qui poussaient le long des coteaux évoquaient les couleurs de mon enfance et la chevelure rousse de celle qui y courait.

Je ne parvins pas à pénétrer à nouveau dans la ville que nous avions fuie des années auparavant. Son collège de rabbis distillait encore un goût d'amertume dans ma gorge. Sans doute n'étaient ils pas prêts à accepter, à moins que ce ne fût moi... Hormis les détachements romains qui contrôlaient tout ce qui portait robe blanche, quelque chose m'empêchait de franchir les porte de Nemesus[1]. Cela se passait comme si une fois de plus, la parole du Kristos devait s'inscrire d'abord dans le coeur du petit peuple des campagnes avant de pouvoir s'imposer à la conscience des autorités.

"Vous me questionnez souvent à propos de royaume, nous avait dit un jour le Maître sur les pentes surplombant l'étendue bleutée de Tibériade, mais savez-vous ce qu'est un royaume et ce qu'est un roi ?

Un royaume, selon la volonté de mon Père, est l'incarnation de l'âme-groupe de tout un peuple. Il est l'aboutissement, la prolongation de ses aspirations et des nécessités

---

1— Nîmes actuelle.

qu'il doit vivre. En vérité ce n'est pas le roi[1] qui le gouverne mais la masse des hommes qui l'habitent et lui donnent vie. C'est cette masse qui génère le roi tel qu'il est, qui lui demande, sans même qu'elle le sache, de lui faire vivre ce qu'elle a à vivre, qui le forme à ouvrir la voie par laquelle elle doit passer. En vérité, je vous l'affirme, tout être qui croit diriger un peuple sera de tout temps serviteur de ce peuple. Il est le moyen par lequel la loi de distribution des forces et l'équité doivent s'exprimer. Il est le lien par lequel les hommes et les femmes acceptent ou refusent les mille possibilités de leur avance. Le roi se nourrit des pensées de son peuple. Il en exécute les desseins mystérieux aux consciences terrestres. Ainsi, mes frères, tout être qui se hisse jusqu'aux règnes d'un royaume prend sur ses épaules le poids du passé de ses habitants et met ceux-ci face aux conséquences de leur petitesse ou de leur grandeur.

Le Royaume de mon Père, lui, n'est pas de cette Terre. Pourtant je vous l'affirme, il étend sa lumière à toutes les Terres. Par cela, en vérité, il appelle tous les bâtisseurs de peuples à les élever jusqu'aux premiers rayons du soleil. Mes amis, sachez enfin que le beau et le juste demandent à être incarnés. N'en faites pas de simples promesses à développer sous d'autres cieux..."

Au long de mes marches solitaires, je me pris à penser que les écrits que Joseph m'avaient confiés devaient être de nature à élargir de semblables concepts, voire à faciliter

---

1— Entendre par "roi" tout dirigeant de nation.

leur implantation sur les horizons de Kal. Ils étaient d'un tracé très ancien et maints contours différaient quelque peu de ceux que nous avions coutume de déchiffrer couramment ou d'utiliser.

J'avais conçu pour eux un tel respect qu'il ne m'avait pas paru juste d'en pénétrer le total contenu sans qu'on me l'eût auparavant signifié. Seuls ce qu'en avait dit hâtivement Joseph, puis les grandes lignes qu'il avait lui-même choisies sur sa route m'amenaient à la conclusion que ce qu'elles renfermaient était doué d'une force capable de hâter la cohésion des peuples de Kal, de leur tisser un idéal commun, pétri de lumière, comme une proposition possible pour la conscience à venir.

Un petit matin frais, à la sortie d'un village de pierre et de chaume, j'aperçus trois femmes qui marchaient d'un bon pas, traînant un âne flanqué de gros couffins. Elles étaient vêtues, selon l'usage de la contrée, de longues robes couleur de terre et de miel, de tuniques de grosse laine et la chevelure maintenue par un bandeau de perles.

Lorsque nous arrivâmes à peu de distance les uns des autres, chacun fit halte. Nous nous dévisagions. Sous ses cheveux de jais, l'une d'elles avait la peau si brune qu'elle faisait songer à ces femmes gorgées de soleil du pays de Pha-ra-won. Je cherchais... il me parlait, son visage un peu émacié et aux prunelles si claires. C'était un visage de chez nous, maintes fois croisé dans les ruelles de Jérusalem, mille fois rencontré sous les oliviers aux côtés du Maître.

Cependant, celui des deux autres femmes était tout sourire ; derrière les trames de leurs rides on y voyait l'azur et les petites maisons au toit plat. Le nom de Béthanie flottait dans ma mémoire.

Au bout de quelques instants d'émotion, les bras se croisèrent sur les coeurs et nous ne fûmes plus qu'un grand élan de joie. C'était la fête, une nouvelle bouffée d'espoir et de certitudes.

La plus brune d'entre elles se nommait Sarah. Elle m'apprit qu'elles avaient dû quitter précipitamment leurs collines de Judée. L'action qu'elles y avaient entreprise pour le Maître les avait mises dans les plus grands dangers tant face aux Romains que vis-à-vis d'une partie du peuple qui ne comprenait pas et en était venu à crier au blasphème. C'était ici quelles continueraient, elles dont la nature même du sol en faisait un ferment... pour peu que les hommes le veuillent !

Nous passâmes la journée ensemble, sous quelques arbres placés en dehors du chemin, accompagnés dans nos confidences mutuelles par les enfants et les chiens du village qui avaient accouru en masse. Nous nous étions peu connus dans le creuset de cette foule qui entourait autrefois le Maître... mais les regards furtifs et complices échangés en ces temps-là, témoignaient bien aujourd'hui d'un seul coeur et d'une seule volonté vibrante.

Puis chacun poursuivit sa route, le regard nourri d'encore un peu plus de paix que la veille, elles vers les villages voisins, moi vers le couchant où elles m'avaient appris la présence de Myriam de Magdala. Les renseignements étaient vagues. Ils leur avaient été fournis par une caravane de marchands en provenance du Nord-ouest. Ceux-ci n'avaient pu taire la renommée d'une femme leur ressemblant, tout là-bas dans les collines et les forêts.

Mais le long des sentiers qui s'agrippaient aux premières montagnes, l'homme que j'étais s'interrogeait sur l'opportunité d'un tel rapprochement. Etait-il juste de retourner d'où nous étions venus, de poursuivre le chemin plus loin encore que la Grande Cassure ? A quoi bon parcourir une terre en tous sens s'il n'y a pas une logique pour guider chacun de nos pas ? Non, Simon ne devait pas fuir ce qui pouvait ressembler à une solitude. Il n'y avait pas de solitude s'il comprenait sa place. Il n'y a pas de solitude pour qui a l'humilité d'accepter le rôle que la vie lui a proposé, sans chercher l'action qui va satisfaire sa seule fierté.

Je m'isolai quelque temps dans un abri de berger à l'écart de tout regard. Il me fallait une véritable lumière, certes pas celle, illusoire, que procure la chair qui se met à réfléchir.

En poussant la porte basse de la maisonnette je me fis la promesse de n'en sortir que fermement muni d'un flambeau. Celui de ma véritable route.

Suivre les veines de la Terre avait été jusque là le guide souverain de nos marches ou de nos haltes. La difficulté résidait maintenant dans le fait de savoir si de telles lignes de forces acceptaient ma présence, telle que ma volonté l'entendait.

En pénétrant dans la bergerie, j'étais nourri du secret espoir d'y accueillir un signe du Maître ou la main tendue d'un Frère invisible. Je me trompais. C'était tourner mes attentes vers l'extérieur, ne pas essayer d'écouter ce qui avait été évidemment inscrit dans le fond de mon être. Ainsi que tous ceux qui se questionnent à l'heure des choix, un filet de brumes mentales menaçait de s'abattre sur moi.

"L'introspection, nous répétait-on souvent lors de nos pratiques entre les hautes murailles du Krmel, doit être un labeur accompli par le coeur. S'il en est autrement, c'est une volonté de jugement qui l'emporte... et cette volonté-là, elle n'aime pas, elle tranche, elle classe selon les normes d'un temps et d'une morale, puis se fabrique des raisons comme autant d'obstacles aux décisions sereines."

Il me restait un portail, celui de la confiance. C'est sous celui-là que je m'engageai enfin, emporté par la conviction que mon premier élan était le bon.

"C'est étrange, me souvint-il avoir murmuré dans l' obscurité moite de la petite construction qui fleurait bon la paille, pourquoi l'esprit humain, muni de toute sa puissance mentale, aime-t-il donc tant jouer avec lui-même ? Il existe en nous un savant mécanisme, un réflexe tenace qui nous fait prendre plaisir à des discours de complexité, à contorsionner les concepts et les mots afin d'en extirper des prétextes, des excuses ou des arguments.

La simplicité ferait-elle peur ?"

Je repris donc mon chemin sous les bois plus vite que je ne l'aurais pensé. Parmi les châtaigniers aux feuilles encore tendres et sous l'ombre des grands pins, mon avance fut rapide. Je bénéficiais pour tous renseignements de quelques noms de bourgades qui s'inscrivaient comme des bornes auxquelles je ne pouvais me soustraire. Rien de plus. La plupart des villages que je rencontrai étaient fortifiés. Les pierres s'ajoutaient aux pieux de bois noircis par le feu et montaient en palissades infranchissables. A leur image, les hommes qui y vivaient avaient la carapace rude. Plus que tous ceux avec lesquels j'avais partagé jusque là un peu de mon existence, ils aimaient la lutte et le vin sans guère se soucier de ce qui animait leur vie. Il leur suffisait d'assister périodiquement aux rites célébrés par les prêtres de la contrée et de plier devant quelques superstitions pour donner à leur conscience une sensation de quiétude. Leur paresse naturelle et la souveraineté tranquille de leurs prêtres avait semble-t-il laissé leur âme en friche. C'était la loi du plus fort qui dominait là. Il y avait un code de vie qui faisait songer étrangement au mode d'emploi d'une certaine conception du bonheur, et qui délivrait en quelque sorte un laisser-passer vers les Champs Eternels.

Pour ces peuples oubliés au fond de leurs forêts, l'univers était clos, fini et réglé jusque dans les moindres détails. Il leur suffisait de respecter et de perpétuer les coutumes religieuses et sociales pour mériter plus tard des étendues de lumière où couraient d'inépuisables troupeaux. Ils achetaient ainsi leur droit à l'éternité. Puisque la loi le prescrivait, c'était ainsi. Lorsque j'entrepris de leur transmettre la parole du Maître, je n'imaginai pas à quel point la notion d'une âme qui travaille à son perfectionnement leur était étrangère.

Sans doute dans le fond de leur être, ces hommes et ces femmes n'étaient-ils pas doués de moins de bonté et de lumière que tant d'autres mais la beauté d'un coeur qui s'épure leur posait des questions nouvelles et sans réponse.

Je les vis semblables à des blocs de pierre qu'un sculpteur aurait dû dégrossir à grands coups de masse. Leurs prêtres, des silhouettes trappues aux épaules couvertes de peaux de bêtes, les longs cheveux rejetés en arrière du dos et noués en une queue, m'accueillirent froidement. L'enseignement que le Kristos nous permettait de délivrer exigeait de celui qui le recevait en tant que possibilité, qu'il acceptât de considérer les écorces de son âme comme une réalité. C'était trop pour eux. A troubler la quiétude d'un coeur et les bases d'une conscience avant que leur heure n'ait sonnée, on ne recueille que rejet et violence.

"Ecarte un voile si le coin s'en soulève, nous avait-on appris, ne le déchire jamais !"

Aux forêts succédèrent les étendues désertiques des plateaux cailhouteux et ce furent d'interminables sentiers enserrés entre les genêts où on lisait la trace des chariots à boeufs. Régulièrement j'étais dépassé par des émissaires romains, parfois par des chasseurs aux longues nattes qui s'enquerraient de mon sort. Pour me nourrir, je ne disposais que des dons consécutifs aux quelques soins que je prodiguais çà et là dans les hameaux. En cette saison la nature n'était guère généreuse. Elle ne me fit cadeau que de la beauté de ses fleurs qui couvraient parfois des milles entiers d'un fin tapis blanc et mauve.

Enfin arriva un pays où la terre et l'eau semblaient s'être mélangés à tout jamais.[1] Ce n'était qu'une immense forêt qui recouvrait des rochers ocres et des coteaux entiers aux reliefs très marqués ; une immense forêt dans laquelle une multitude de rivières, parfois très larges serpentaient et se perdaient secrètement. Le spectacle me parut d'une beauté inouïe. C'était une vision infiniment douce, la sensation grisante d'une terre vierge où la vie est intensité.

A la fin de la première matinée de marche, je compris que les marécages y étaient innombrables et qu'il me faudrait beaucoup de temps pour me rendre à la prochaine localité dont j'avais le nom.

---

1— Le futur Périgord beaucoup plus irrigué que de nos jours.

J'aperçus un ensemble de huttes de pierres jaunes d'où s'échappait un fin filet de fumée blanche. Il était habité par un homme en longue tunique de peau et sa femme. Quelques cochons et des poules pataugeaient dans un bourbier malodorant à peu de distance de leur habitation. Considérant sans doute ma fatigue, ils m'accueillirent avec grande bonté tandis que dans une langue difficile à mes oreilles ils tentaient de me dissuader de me rendre au village dont j'avais dû prononcer maladroitement le nom.

Contre toute attente et à l'issue d'interminables palabres autour d'une sorte de bouillie de farine de châtaignes, j'appris que le bruit avait couru selon lequel une femme étrange s'était installée dans la contrée. Mais il y avait bien deux ans de cela et ils ne savaient d'ailleurs pas si c'était vrai. De toutes façons, m'affirmèrent-ils avec de grands gestes, c'était très loin encore... ou alors, suggéra l'homme, il me fallait une barque. La femme habitait croyait il sur une rive.

Fort de ces informations, je pris repos plusieurs jours chez eux en échange de quelques menus travaux sur leur lopin de terre. Puis ce furent à nouveau les longues marches dans la forêt. Je cherchai une route au sommet des collines. Peut-être me permettrait-elle d'apercevoir au plus vite la grande rivière que je souhaitais trouver et d'éviter ainsi le cloaque des petites vallées encaissées. Après des nuits humides subies dans des abris de fortune et des villages traversés à la hâte, je découvris les larges méandres de ce qui pour moi était un fleuve.

Il ressemblait à un majestueux ruban argenté qui se déroulait doucement au pied de chaudes falaises couleur de soleil. En maints endroits il se séparait en plusieurs bras et formait des îles couvertes de grands arbres. Vers l'horizon, là où le rocher se faisait moins sauvage, des banderoles blanches montaient de la terre en tournoyant. C'était l'empreinte d'un gros village vers lequel je résolus de me diriger.

Je l'atteignis dans la journée et je vis qu'un énorme pont en constituait le coeur, sans doute même la raison d'être. Mon arrivée passa inaperçue car dans les ruelles une fête battait son plein. Il y avait là un marché qui paraissait s'étendre à la bourgade tout entière et, entre les étals, la plupart à même le sol, une foule nombreuse circulait en chantant au rythme d'un énorme tambour et de clochettes aux tintements aigrelets.

A quelque distance de moi, au-dessus des têtes, je finis par distinguer l'effigie noire d'un taureau qui brinquebalait sur une plate-forme portée à bout de bras. On lui avait peint les cornes couleur de l'or et ceux qui constituaient le noyau de la procession, sans doute un collège de prêtres, avaient tous le visage caché sous un grand voile rouge. Leur allure était martiale et la foule, exhubérante dans ses gestes et ses chants, créait un contraste violent à leurs côtés.

C'était la fête d'At, l'un des dieux-créateurs, m'apprit-on.

Le tumulte se prolongea tard dans la soirée et l'on voulut bien de moi sous le toit d'une grange.

"Non, non, fit-on le lendemain en réponse à mes questions concernant "une femme étrangère qui serait venue là"... Non, elle n'est pas ici, pas le long de cette rivière."

Le groupe de villageois auquel je m'étais adressé était unanime. On n'avait guère entendu parler d'une semblable femme ici... Par contre, sur l'autre rivière, oui, peut-être...

266

il avait déjà été question de quelqu'un qui parlait avec les dieux de la nature et préparait de curieuses huiles !

La certitude qu'il s'agissait bien de notre Soeur de Magdala me gagna immédiatement.

"L'autre rivière" fut à son tour en vue après une journée de marche en compagnie d'un homme à l'allure débonnaire qui tirait son âne chargé de grains. A l'approche de ses berges, la forêt devenait plus touffue encore ; elle fleurait bon l'humus et les essences sauvages gorgées des sucs du ciel et de la terre.Sous les mousses et les lichens, les arbres paraissaient avoir mille ans et par endroits notre chemin disparaissait dans des enchevêtrements de feuilles qui se tressaient comme des lianes. Connaissant mon intention, mon compagnon d'un jour me mena jusqu'à un petit embarcadère vermoulu qui s'avançait assez loin sur l'eau. Sur ses côtés un fouillis de troncs d'arbres cassés s'était accumulé depuis des mois.

"Regarde !" fit l'homme en me montrant du doigt quelque chose dans leur amoncellement.

Parmi les écorces et les feuilles décomposées je devinai une sorte de modeste embarcation ou plutôt un radeau déjà à demi-rongé par l'eau.

"On s'en servait autrefois pour la pêche, tu peux le prendre !"

C'est ainsi que le cours d'une rivière m'emporta paisiblement en ce printemps tissé d'interrogations et de certitudes. Encore une fois la confiance se montrait grande maîtresse d'oeuvres en me faisant ce cadeau. Je ne sais combien de temps je passai sur mon esquif consolidé à la hâte avec force branchages et un bon lit de fougères. A l'aide d'une perche, je me mis à le guider tant bien que mal de méandre en méandre. Une quantité de petits hameaux défilaient sur ces rives sauvages. La plupart étaient de boue séchée et de pierres plates. Ils semblaient tout autant le domaine des boeufs ou des porcs que celui des hommes. D'autres, plus rares, constituaient de véritables places-fortes logées dans les rochers qui surplombaient parfois l'eau. Ceux-là se montraient plus peuplés et c'est dans l'un d'eux que j'obtins les derniers renseignements nécessaires à mon avance semi-aveugle.

"Oui, me lança du haut de son promontoire fortifié un homme vêtu de lanières de cuir tressé et qui tenait un arc..., il se pourrait que celle que tu cherches soit à un mille d'ici. Tu verras, le rocher fait comme une île dans le bras de la rivière..."

Lorsque mon radeau atteignit l'endroit qu'il m'avait décrit, il faisait presque nuit. Un grand feu crépitant brûlait à flanc de falaise et faisait danser dans la pénombre les ouvertures de quelques grottes.

"Voilà, murmurai-je, si telle est la volonté de Kristos, c'est ici que je continuerai à servir..."

# CHAPITRE II

# La grotte aux huiles

M yriam de Magdala portait toujours la robe blanche. Plus qu'autrefois encore, les longues mèches rousses de sa chevelure en bataille creusaient les traits de son visage. Lorsque j'apparus devant elle à flanc de rocher après une périlleuse ascension par des échelles de corde, elle me reconnut immédiatement et croisa les mains sur la poitrine en signe de salut.

"Simon... j'aurais dû me douter que tu viendrais jusqu'ici !"

Sur l'instant je me sentis un peu stupide, sale et trop occupé à reprendre mon souffle pour prononcer quelques mots.

Alors seulement, je fis quelques pas vers elle et je vis qu'elle non plus ne savait plus que dire ni que faire. Je crois bien qu'en cet instant, l'un et l'autre, nous abandonnâmes l'idée d'ajouter quoi que ce soit à ces retrouvailles. Il suffisait qu'elles existent, sans pourquoi ni comment ni justification... et l'on verrait après... Il n'y avait là dans un creux de rocher suspendu au-dessus de l'eau, ni Myriam de Magdala, ni Simon mais simplement deux âmes qui se retrouvaient, deux âmes qui nourissaient encore en elles les mêmes scènes dans les mêmes rues de Capharnaüm.

"Myriam..." arrivai-je enfin à articuler.

"Je sais... m'interrompit-elle immédiatement... Elle est venue me voir l'autre nuit, lorsque la lune était noire. C'est bien que tu sois parvenu jusqu'ici... c'est elle qui t'a mené."

Sa voix s'incrusta en moi. C'était une voix grave, extra-ordinairement chaude et douce mais aussi aux accents parfois un peu rocailleux comme les collines de chez nous.

Je n'en demandai pas plus. Il me suffisait de savoir que la trame continuait de se tisser, que le fil n'était pas rompu.

"Il n'y a guère plus de deux années que je suis ici, dit Myriam. J'ai tant parcouru de routes et cet abri a semblé m'appeler pour un plus long travail."

Me saisissant par le bras, elle m'entraîna le long d'une série de grottes d'inégale importance. Certaines étaient naturelles, d'autres creusées de mains d'hommes mais toutes donnaient presque à pic sur la rivière qui serpentait plus bas. Par endroits, on communiquait de l'une à l'autre au moyen de lourdes passerelles de bois et de cordages surplombant le vide. C'était toute une architecture improvisée par laquelle l'ingéniosité humaine avait été magnifiquement mariée aux propositions de la nature.

Au bout de quelques pas, je me rendis enfin compte que nous n'étions pas seuls. Des hommes et des femmes, peut-être une dizaine, avaient assisté à mon arrivée, à nos retrouvailles. Ils s'étaient montrés silencieux, discrets mais maintenant ils commençaient à manifester leur présence, à questionner Myriam et leurs yeux se portaient de plus belle dans ma direction. Leurs vêtements disaient qu'ils étaient de la race de Kal. Ils se résumaient à de grosses tuniques de cuir et de laine. Leurs cheveux pendaient sur leurs épaules, tressés à la va-vite en longues nattes.

Nous fîmes halte à l'entrée de la plus importante des cavités. Elle aussi se voyait prolongée par une sorte de balcon dominant la rivière. C'était là que crépitait le grand brasier que j'avais aperçu. On avait mis à brûler un tronc d'arbre entier, semblait-il, et celui-ci projetait sa clarté jusque sur l'eau.

Cette fois la nuit était tombée et les feuillages enchevêtrés dans les balustrades de fortune, contribuaient à rendre le lieu plus sauvage, plus secret encore. Les vols de chauves-souris étaient légion et sans la présence de quelques femmes qui s'affairaient autour de grands chaudrons posés sur un lit de braises, je me serais aisément cru dans une contrée suspendue entre ciel et terre, hors de notre monde.

"Ce sont eux qui ont construit tout cela, dit Myriam en montrant du doigt ses compagnons. Ils ont trop vu leurs parents se faire massacrer dans les vallées. N'as-tu pas remarqué la lumière singulière qui se dégage de ces rochers ? ajouta-t-elle ; elle ne trompe pas. C'est pour elle que j'ai voulu faire halte ici. Parce que cela montre qu'elle veut parler aux cœurs. C'est le signe sacré que le Maître nous demandait toujours de chercher. Il n'est pas de la volonté des hommes ou des rites de leurs prêtres. C'est bien une offrande de la nature, je le comprends maintenant comme l'une des leurs. Eux aussi, ainsi que le rocher ou peut-être à cause du rocher ont autour d'eux une certaine lumière qui ne trompe pas... et à cause de cela j'ai entrepris de leur apprendre qu'eux aussi étaient des nôtres...

"Des nôtres !" Si le Maître était à nos côtés, il me reprocherait ce mot ! Quelle terrible habitude que celle de vouloir séparer !

Toujours ce vieux réflexe qui nous fait trancher entre "les autres et nous", et qui sous-entend si clairement que la dualité nous mène encore insidieusement.

Sans cesse, Simon, je me répète qu'il n'y a qu'*une* famille... Le comprends-tu toi ?"

Je ne sus que répondre. Il me semblait que je ne pouvais dire que des banalités face à l'énorme rêve dont il fallait que l'humanité se réveille, le rêve des regards qui ne sont pas convergents et des mots qui séparent.

"Les nôtres, les vôtres... ! réussis-je enfin à m'exclamer... Kristos lui-même ne pense pas "les miens" car si sa force nous habite c'est qu'en chacun de nous il vit dans sa totalité. Il se reconnait jusque dans l'herbe qui pousse le long du chemin !"

A quelques pas du brasier nous nous assîmes tous deux sur une pierre et une petite femme ronde aux yeux vifs vint nous servir une pleine jatte de soupe à l'aide d'une impressionnante cuiller de bois.

"Myriam, dis-je alors, je ne connais pas la raison profonde de mon arrivée ici... je ne puis qu'offrir ce que je suis comme tu le souhaiteras..."

Myriam se laissa envahir par un immense sourire et posa son bol fumant sur le sol.

"Je la connais, la raison, Simon. Si ta force est disponible, tu m'aideras à orienter les capacités de ces hommes et de ces rochers dans une direction bien précise.

Depuis ma petite enfance, j'ai toujours été étonnée par le nombre des hommes qui souffrent dans leur chair, et la non moins grande quantité d'âmes qui se torturent elles-mêmes.

Je n'ai commencé à pénétrer le mystère de ces choses que lorsque les Frères d'Essania ont entrepris de m'instruire sur la nature des différentes matières qui constituent le corps humain, sur la façon également dont la plupart de ces matières échappent à nos yeux, interfèrent les unes sur les autres.

Lorsque le Maître a pris sa place dans ma vie j'ai découvert certains éléments capables de parfaire l'art que les Anciens de notre peuple m'avaient enseigné : celui de l'élaboration des huiles et des baumes.

Par cet art, Simon, j'ai vu que l'être qui a l'âme trop roide pour prier apprend enfin à prier, j'ai vu aussi que face au don de l'huile, les carapaces les plus épaisses s'effritent.

Cette connaissance, de même qu'il m'a été donné de la recevoir, il est temps pour moi de la communiquer. Il y a deux années en arrivant en vue de ce rocher, sur une petite barque, j'ai entendu dans ma poitrine une voix qui disait quelque chose comme : "Myriam, ce sera là..."

Aujourd'hui, ce que tu vois est en passe de devenir un bethsaïd.

Il m'a fallu tout ce temps pour instruire ces hommes et ces femmes et aussi pour élaborer à nouveau toutes les huiles avec lesquelles je travaillais chez nous.

Maintenant, nous sommes prêts, il est urgent que tout cela puisse s'ouvrir. Mais viens plutôt voir..."

Myriam se leva énergiquement et se dirigea vers un débordement de la roche qui se dessinait comme un sentier plaqué sur la muraille. La nuit était noire et je ne distinguais pas les touffes de végétation qui pendaient le long de la paroi et qui me fouettaient le visage. Notre trajet fut de courte durée car bientôt nous fûmes en vue d'un flambeau crépitant planté dans un creux du rocher.

Il dégageait une odeur âcre et signalait l'entrée d'une véritable pièce aménagée dans la montagne elle-même. Myriam le saisit d'une main et nous nous y engageâmes après avoir écarté une lourde tenture. Immédiatement nous fûmes enveloppés d'un parfum pénétrant. C'était une singulière présence chargée d'une vie intense et où l'on sentait flotter les mille manifestations de la nature.

"Regarde, dit Myriam en brandissant sa torche dans toutes les directions, il y en a plus de cinquante !"

La pièce n'était pas grande mais remplie de petites jarres de terre et de récipients de pierre dont certains paraissaient scellés à la cire.

Myriam me confia alors son flambeau et souleva précautionneusement le couvercle de l'un des vases afin que j'en hume le contenu. A la lueur de la flamme, je vis un liquide jaune doré, presque aussi épais que le miel. Il s'en dégageait une puissante senteur qui avait quelque chose d'indéfinissable et d'envoûtant, un parfum qui me faisait plonger dans la mémoire de nos ruelles d'autrefois. Fugitivement elle ravivait des secrets enfouis et faisait ressurgir des saveurs oubliées.

Myriam de Magdala y trempa le bout d'un doigt qu'elle appliqua ensuite sur mon poignet gauche avec un lent mouvement circulaire.

"Cette huile, Simon, je vois en elle l'Eau de l'Ether. Elle est le réceptacle total de l'univers vital qui nourrit chaque manifestation de notre monde.

La plante qui lui sert de base y met un peu de son âme et de l'âme de la terre où elle a poussé. C'est le mariage de ces deux âmes qui lui donne son apparence. Ce qu'elle propose de son âme propre, la plante le recueille auprès de ce que le soleil a de plus pesant ; ce qu'elle offre de l'âme de la terre, la plante le récolte de ce que la terre a de plus léger.

Toute huile est la conséquence d'un tel échange. C'est pour cela qu'elle est à la fois pesante et fluide parce qu'elle réunit ce que l'on croit trop aisément opposé. Elle n'est en fait rien d'autre qu'une proposition d'union, un calice qui permet aux mondes de s'interpénétrer... c'est-à-dire que l'on peut en faire un grand fleuve qui les parcourt tous !

Maintenant, Simon, il faut savoir ce que l'on met dans ce calice. C'est là très précisément que la grande communication avec la Nature intervient. Le langage d'Amour que l'on tient avec le corps dense du Père permet seul la compréhension de la spécificité de l'âme vitale propre à chaque plante qui vient s'y ajouter. Voilà la racine de la compréhension que je tente de refaire fleurir ici.

Pour cela doit naître une communauté d'hommes et de femmes prêts à tout offrir afin d'alléger le poids de l'humanité. La parole du Maître peut cheminer aussi de cette façon... Veux-tu m'aider Simon ?"

Je me rappelle encore la joie que souleva en moi cette question.

"As-tu vraiment besoin d'une réponse ma sœur ? m'exclamai-je avec force, tu sais bien..."

C'est ainsi que je résolus de poser mon sac. Pour une année ou pour dix, peu importait. L'essentiel était de continuer à ouvrir la marche, encore et toujours. La révolution des consciences et des corps, voilà tout ce que nous voulions. L'huile, telle que la vivait dans son cœur Myriam de Magdala, devait devenir par les maintes élaborations auxquelles elle la soumettait, une entité à part entière, transmutatrice.

Je l'écoutais parfois des heures entières en compagnie de tous ceux qu'elle instruisait méthodiquement. Elle en parlait comme d'un œuf à faire éclore et dont il fallait comprendre la genèse, la sublimation et enfin les divers niveaux d'existence ou de prolongements. Lorsque l'occasion s'y prêtait, elle ne manquait pas de la comparer au Kristos.

"Je parle de l'Huile, disait-elle, de celle que nous ne sommes pas encore parvenus à élaborer. Mes frères, vous le voyez bien, nous demeurons encore au stade *des* huiles, celle que je veux offrir aux hommes pour l'amour du Maître sera toutes les autres réunies plus quelque chose d'autre, d'infiniment lumineux ; elle sera le Kristos du monde végétal. Elle "sera"... mais je sais aussi qu'elle "Est" déjà. Il faut seulement l'aider à se révéler par un appel du fond de notre cœur. C'est lui qui façonne le terrain.

Croyez moi, le Kristos de la plante est l'allié du Kristos des hommes. Toute conscience est le prolongement d'une autre puis le germe d'une autre encore. Tout dépend du niveau sur lequel l'essence même du soleil se condense..."

Un jour où nous bâtissions des murs de pierres pour protéger davantage des vents l'entrée de certains de nos abris,

Myriam s'approcha de moi afin de m'aider à pétrir la boue avec laquelle nous devions colmater les trous de la paroi.

"Il y a beaucoup de choses dont il me faudrait te parler, Simon... mais je ne sais s'il en est temps. Tant de choses ont été dites à mon propos par le peuple de Jérusalem. Certains jours, les ruelles étaient si pleines de paroles..."

"Nul d'entre nous ne les a crues, Myriam. Il nous suffisait bien de te voir si souvent aux côtés du Maître et de sa mère..."

"Je confesse volontiers que ma forte indépendance n'a guère simplifié la situation. Pourtant si j'ai réussi à me faire accepter parmi les Soeurs du Temple du Feu, c'est en désobéissant à mon père Joseph. C'est là que pendant des années j'ai appris à aimer puis à préparer les baumes et les parfums. Tu sais que chez nous les femmes n'avaient guère le droit d'évoquer longuement ces choses... mais je ne sais plus où est "chez nous" et je ne crois guère plus que les heures et les jours soient les mêmes qu'autrefois.

Il m'arrive même de me demander si le peuple d'Essania existe toujours. Derrière son souci de pureté, il y avait encore une muraille de trop, peut-être un nom, son nom, si peu de ce monde ; c'est cela qui était encore trop.

Te souviens-tu comment certains d'entre nous ont reproché au Maître d'ébranler leur édifice ? Il ne se voulait plus de notre peuple, ni d'aucun peuple d'ailleurs.

Etais-tu présent aussi le jour où face aux Romains, il s'est écrié "je suis de tous les peuples et ma demeure est dans chacun de vos coeurs !" Certains même parmi les nôtres en ont ri ouvertement !..."

Myriam s'exprimait ainsi tout en pétrissant la boue avec vigueur. Et sur l'onde de ses mots je saisissais une force que je ne lui avais jamais soupçonnée.

"Je crois qu'il me faut te parler un peu du Temple du Feu, finit-elle par dire à mi-voix. Promets-moi simplement de n'évoquer ces choses qu'en un temps où une page aura été tournée."

Je portai ma main droite sur mon cœur.

"Nous n'étions guère nombreuses dans le temple. Le nôtre se montrait très discret dans la montagne à la sortie de Jérusalem et on ne nous permettait pas d'y pénétrer avant notre treizième anniversaire.

A vrai dire, il fallait que nous soyions femmes car seules les femmes, affirmaient celles qui nous enseignaient, re-présentaient un pont permanent entre le monde des forces vitales et le nôtre. Seules les femmes, nous disait-on, étaient dotées de la capacité naturelle de puiser dans l'air à chaque instant de leur vie une quantité importante d'éner-gie subtile, de l'orienter et d'en rejeter à chaque lunaison les cendres.

Cette faculté suffisait seule à en faire un être sensitif, une terre d'échange entre le royaume des vents de lumière et le monde des formes.

Pour cela, on nous apprenait à ouvrir notre cœur afin d'y recevoir sans cesse la présence de l'Eternel. La lampe du creux de nos poitrines s'en trouvait dilatée et nous ne pou-vions plus rayonner que la joie... Les anciens qui savaient cela nous appelaient "les filles de la joie", vois-tu..."

"Ce nom, Myriam, je le connais. Le vieux Zérah qui a nourri toute mon enfance le prononçait parfois. Pour lui il désignait quelques-unes de nos sœurs des Etoiles[1] dont les

1— Ishtar ou Lune-Soleil.

nuées nous visitent parfois. Zérah disait toujours que ceux qui ont compris ne connaissent plus que les mots de la Joie et que dès lors aucun rempart ne leur est utile."

Myriam s'agenouilla alors et avec l'eau d'une cruche commença à se nettoyer les mains :

"Je n'ai pas été instruite de cela, fit-elle en plongeant son regard dans le mien, mais j'ai appris que le corps d'une femme plus qu'un autre pouvait condenser des forces capables d'ouvrir la matière et de la métamorphoser... la matière des huiles par exemple..."

Je dus paraître un peu surpris car elle précisa avec un large sourire amusé :

"Non, Simon, ce n'est pas quelque pratique magique que l'on m'a enseignée. On m'a simplement aidée à reconnaître l'amour qui est dans un cœur et à l'associer aux lois subtiles du corps humain. Cela fait peur à beaucoup car le corps est un temple que l'on méprise et un outil que trop d'artisans de l'Éternel rejettent ! C'est une force que l'on se complaît aussi à rendre trop étroitement humaine alors qu'elle est un véritable prolongement de la puissance divine à un point précis de son éveil. Mais pardonne-moi, les mots compliquent bien souvent les choses. Je veux te dire que pour parachever les huiles et les baumes que nos aînées nous apprenaient à élaborer, nous devions apprendre tout aussi bien que la maîtrise de nos pensées, la domination de nos gestes. Le corps humain concentre en lui, par endroits, des forces inouïes qu'il faut savoir reconnaître et utiliser avec amour et justesse. Afin que ces forces vitales parviennent à un maximum de leur rayonnement, nous devions pratiquer certaines danses parfaitement réglées, où n'intervenait nulle fantaisie de l'âme qui se plaît à se satisfaire. Cela constituait dans ce domaine la première marche physique de notre apprentissage. Puis, lorsque nos corps s'étaient imprégnés de la compréhension sacrée d'une telle danse, on nous apprenait à reproduire et à concentrer les mêmes mouvements dans nos mains et nos doigts. Là encore, Simon, aucun écart à la logique des gestes enseignés n'était permis. Cela ne nous pesait gère car nous savions et sentions bien qu'il n'y avaient en eux aucun arbitraire[1]. Chacun de nos doigts est la manifestation des qualités de l'Eternel. Il en est de même de certaines zones précises de la main et du poignet. Dès qu'on met ces zones ou ces doigts en rapport les uns avec les autres et qu'on leur permet d'exécuter des signes justes, ils deviennent les capteurs des grandes rivières de lumière qui nous entourent et que nous voyons si rarement. Ce sont alors eux et tout l'amour qui les fait se mouvoir qui font don à l'huile de son ultime principe régénérateur.

On nous apprenait parfois aussi à associer à nos gestes le port d'une bague dont la couleur et la pureté de transparence étaient choisies en fonction du but exact de l'huile ; laquelle était offerte ensuite aux bethsaïds de notre peuple. C'est ainsi que j'ai pratiqué, vois-tu, jusqu'au jour où j'ai pris conscience de ce qui animait le cœur du Maître.

Aujourd'hui, et depuis que Kristos a parlé en moi, de même que je ne cherche plus qu'une seule Huile, je suis en quête de l'unique Geste qui résume et transcende tous les

---

1— Cette pratique est à comparer à celle des mudras orientaux. On la retrouve aussi embryonnaire dans les offices chrétiens.

autres. Ils existent, car quelque chose en moi les a vus, cette Huile et ce Geste. Ce quelque chose est parti à leur rencontre ici même."

"Myriam, dis-je, ne crois-tu pas pourtant que le seul feu qui vient du cœur puisse briller plus fort que le plus pur de tous les baumes ?

Je sais bien que notre peuple a toujours utilisé les onguents et les huiles pour panser le corps et réconforter l'âme mais depuis que le Maître s'est exprimé, est-il encore nécessaire qu'une force extérieure à l'être humain et à son amour soit conçue ? N'est-ce pas reculer encore devant le parachèvement qui est demandé à notre cœur ?"

Myriam de Magdala plissa les yeux puis se mit à rire en réunissant les longues mèches de sa chevelure dans une seule main.

"Je ris, Simon, parce que je suis heureuse... parce que je vois bien qu'Il n'a pas parlé en vain, parce que je marche tant à ses côtés que je vois toujours pas à pas la profondeur des traces qu'Il laisse !

Ta question, je me la suis posée mon frère... mais il m'a paru que pour ne pas tomber dans les filets de la paresse des hommes, nous ne devions pas non plus découvrir les subtilités de l'orgueil. On ne peut enseigner aux hommes à cheminer plus vite qu'à leur allure. Combien sont-ils aujourd'hui ceux qui peuvent présenter leur cœur gonflé d'amour, nu, au bout de leurs doigts ? Ce n'est pas un être ou une lumière qui parle à leur place que je veux offrir à tous ceux qui croisent ma route, c'est un interprète pour certains mots qu'ils bégayent encore, un bâton sur lequel s'appuyer mais qui ne saurait les dispenser d'avancer. Mes huiles parlent la seule langue que certains sont susceptibles

281

d'apprendre et de comprendre. Elles disparaîtront puis réapparaîtront, inlassablement, tant que la présence de l'Awen, comme l'appellent les frères d'ici, n'aura pu s'étendre à la majorité des âmes."

Dans les méandres de nos abris tels des nids d'aigles, les jours et les mois défilèrent très vite. Pendant des lunes Myriam paracheva certaines huiles, aidée de quelques-uns de ses nouveaux compagnons. Puis vint le temps où nous commençâmes à accueillir des malades, sans cesse plus nombreux, dans une grande hutte de bois construite un peu à l'écart de la falaise et de l'eau. Je me mis quant à moi à arpenter inlassablement les mille sentes moussues qui menaient aux villages voisins. Il fallait venir en aide à ceux qui ne parvenaient pas à se déplacer. Myriam me confia son âne, présent d'un petit chef de tribu et c'est ainsi que les huiles voyagèrent dans des fioles de terre par toute la contrée.

La renommée de leur pouvoir guérissant devint bientôt telle qu'il fut aisé de parler du "Maître" qui nous avait envoyés.

"Il y aura des moments dans ta vie, m'avait-on dit entre les murs du Krmel, où tu verras les hommes et les femmes te présenter la clé de leur cœur. Sois attentif à ces moments-là. Tu n'auras pas le droit d'en abuser car ils seront sacrés. Tu n'auras pas non plus le droit de les laisser s'échapper car une porte qui s'entrouvre d'elle-même est aussi une porte qui demande à ce qu'on la pousse un peu plus. Parfois tu verras qu'il ne faut pas hésiter à en faire grincer les gonds puisque certains aiment qu'on leur parle haut, mais surtout tu sauras que tolérance et douceur font disparaître ces gonds eux-mêmes."

La difficulté avec l'humble peuple qui se présentait à notre bethsaïd était de ne pas formuler de dogme ou de lois autres que celles de l'Amour. Face aux récits des actes du Maître et aux échos de ses paroles, nombreux étaient ceux qui attendaient que nous leur dictions une règle de vie avec ses tabous, ses interdits, ses obligations absolues. Les quelques prêtres qui nous rendaient visite régulièrement disaient souvent ne pas non plus comprendre. Ils étaient prêts à reconnaître la divinité du rayonnement de Kristos mais réclamaient des rites pour enrichir les leurs. La simplicité de l'Amour sans "mais", la nudité de l'âme qui apprend à contacter sa source sans intermédiaire obligatoire était une notion que peu admettaient.

Il a toujours été difficile de tendre aux hommes un miroir qui fait fi de leurs vêtements. La parole de Kristos est semblable à un tel objet. Elle leur restitue l'image de ce qu'ils sont sans artifice. Elle ignore les carapaces et exige l'authenticité. C'est là, dit-elle, en pointant le cœur de l'homme que tout se passe. L'Essence est là... tout autour il n'y a que le manège des édifications mentales et des boucliers de l'individualité.

Auprès de Myriam, le petit groupe que nous formions n'avait de cesse d'apprendre à ceux qui nous écoutaient, comment casser leur chaînes. Il fallait chasser d'eux ce vieux réflexe de peur face à une Divinité qu'ils voyaient si extérieure à leur être et qui sanctionnait leurs moindres gestes.

"Aimez l'Amour parce qu'il est l'Amour, leur dit un jour Myriam, assise quelque part sur les bords de l'eau. On ne pratique pas l'Amour par crainte du Mal, si c'est ainsi, on le singe, rien de plus. On ne pratique d'ailleurs pas l'Amour, on s'identifie à lui. Ainsi l'enseigne le chemin que nous empruntons."

L'une de mes tâches consista bientôt à entretenir des contacts étroits avec les prêtres de la religion de Kal qui vivaient aux alentours. Par bonheur ils étaient hommes sages. Cependant, je craignais que le peuple ébranlé dans ses croyances en vienne simplement à les rejeter. Notre but n'était pas de diviser en créant un affrontement mais d'ouvrir des horizons.

Je fis part de mon souci à deux vieillards vêtus de toile blanche et qui célébraient leurs rites dans les profondeurs de la forêt, parfois seuls, parfois face à une assemblée de villageois.

"Nous savons, me répondit l'un d'eux en peignant des doigts sa longue barbe, que les respirations de la lune et du soleil s'accélèrent. Nous savons que la parole de ton maître contient la nôtre et nous reconnaissons qu'elle fabrique aussi des mots que nous ne connaissons pas. Pour cela nous respectons ton chemin et nous l'honorons... Mais écoute, les anciens de notre race ont su montrer aux hommes la divinité de la nature... prends garde à ce qu'en révélant à ces hommes leur propre divinité vous ne leur fassiez oublier les pulsations de leur nourrice, celle sur laquelle ils font leur premier pas chaque matin.

Maintenant écoute encore... le lieu où toi et les tiens vivez était appelé autrefois "le lieu de la profonde vie". L'étrangeté des temps a voulu que nous ne l'habitions plus. Sache pourtant que nous en connaissons encore chaque rocher. Voici ce que je vais te dire et qui facilitera le travail de ta Sœur : Bien haut dans la paroi, peut-être aujourd'hui sous les épines et les mousses, nous savons une roche qui transpire l'eau. Retrouvez-la, c'est une eau de Santé. Elle vient d'une source qui n'en est pas vraiment une... Peut-être devriez-vous creuser la pierre pour mieux la recueillir..."

Du fond de leur forêt, comme des arbres noueux mais encore pleins de sève, les deux vieillards avaient su parler juste à mon cœur. Dans leur retraite de verdure au milieu des décoctions et des objets rituelliques, ils nous tendaient un flambeau, déjà insensibles à l'autorité qu'ils pouvaient perdre.

Après deux millénaires, leur présence, peut-être un peu austère mais si paisible et si lumineuse, imprègne encore mes souvenirs d'un parfum de sagesse.

Selon leurs indications, la "roche-fontaine" comme nous l'appelions, fut retrouvée puis dégagée des herbes. Faisant corps avec la paroi elle était imposante et suintait une eau discrète qui se perdait dans les cailloux du sol. L'un de nous agrandit avec mille précautions la petite cupule creusée autrefois dans son milieu et une bonne partie de l'eau fut ainsi canalisée. Elle était toujours là, inépuisable, comme un don de l'Invisible exhalé par le cœur du rocher, même aux jours les plus chauds.

Nous la mettions sur les plaies des malades qui séjournaient chez nous ou nous rendaient une simple visite et force nous était de constater qu'elle véhiculait une lumière qui ressemblait à celle des huiles.

Un soir d'été alors que nous étions en prière à l'entrée du plus grand de nos abris, Myriam de Magdala se tourna brusquement vers moi.

"Mon frère Simon, chuchota-t-elle, j'ai peut-être compris... Cette eau que le rocher nous offre, je vois bien que la terre la prend du soleil. Mes huiles sont encore filles de la lune ; les plantes que j'y fais baigner sont toutes gorgées de sa radiance d'argent. Faut-il choisir entre le soleil et la lune ? Je ne le peux... ce qu'il me faut c'est les marier... c'est ainsi que sera rejoint le Grand Soleil, celui qui les contient tous deux, celui qui ne fait pas d'ombre !"

Pendant quelques temps nous ne vîmes Myriam que très fugitivement. Elle ne regagnait même plus les éboulis de grosses pierres sous lesquels elle dormait dans le fond du grand abri. La grotte aux huiles devenait sa seule demeure.

Nous étions aux jours les plus chauds de l'été lorsqu'elle vint vers moi avec une lueur inhabituellement claire dans les yeux. Son visage n'était plus le même. Il avait cet étonnement que l'on manifeste au sommet d'une montagne où l'on a découvert des horizons inexplorés. Sa silhouette aussi semblait avoir changé. Ce n'était plus simplement celle d'une femme qui avait *vu* mais celle d'un être qui venait de toucher du doigt une réalité absolue.

En cet instant, je l'ai perçue comme une source, presque comme une autre image du Maître qui s'avançait.

"Pourquoi continuer à ne compter le temps qu'en lunes, Simon ? fit-elle d'une voix chaude et discrète. Il faut aller au bout de notre mutation.

Veux-tu me suivre ? Aujourd'hui, je crois que je chargerai un peu ton dos..."

# CHAPITRE III

# Histoire de Myriam

Non loin de l'abri du rocher où étaient entreposées les jarres d'huile et les cupules à onguents, existait une pièce très discrète. Il était bien rare que nous y pénétrions.

C'était là que Myriam se retirait de plus en plus afin de parfaire sa tâche. Le lieu était protégé des bords du précipice et de l'eau par un gros roc. Au sommet de celui-ci avait été fixée une lourde et large coupe de métal où se consumaient en permanence des herbes odorantes. Nous observions souvent les nuages de fumée blanche qui s'en dégageaient. Ils constituaient une offrande que nous faisions à l'esprit de Vie omniprésent dans la nature, ils prolongeaient aussi les prières de nos cœurs.

A l'ombre du gros roc, on accédait au lieu où œuvrait Myriam par une solide porte de bois, très basse, étroitement ajustée à la muraille. Lorsque j'en franchis le seuil pour la première fois depuis des mois, mes yeux cherchèrent longtemps à découvrir quelque contour dans l'obscurité de la pièce. La lueur vacillante d'une minuscule lampe à huile suffisait à peine à ce que l'on s'y déplace Elle était comme absorbée par la densité des murs.

Seul un fin et délicat faisceau de lumière venant de l'extérieur frappait le sol en un point précis. Seule aussi la clarté blanche qu'il diffusait permettait au bout de quelques instants de se mouvoir et de deviner un étrange spectacle.

Dans le sol de la grotte avait été creusé sans apparente logique un nombre assez important de petits trous aux bords évasés. Certains communiquaient entre eux par de fins canaux également creusés dans la pierre, d'autres restaient isolés.

Sans me laisser le temps de poser quelques questions, Myriam m'attira vers une des parois et me montra du doigt un canal également pratiqué dans le sol mais plus large et plus profond que les autres. Il naissait sous l'un des murs de la pièce et s'achevait dans une des cupules du sol, apparemment plus évasée. Je me penchai vers elle, attiré par un reflet.

"C'est l'eau de la roche-fontaine, dit Myriam. Des êtres avant moi ont songé à la capter jusqu'ici. Je n'ai eu qu'à ôter la terre et la mousse qui s'étaient accumulées dans les trous et les fentes du sol.

Ses propriétés viennent maintenant s'ajouter à celles de l'huile. J'ai pu enfin marier leurs principes respectifs et obtenir une substance de vie. Regarde...[1]"

---

1— Myriam de Magdala avait dans le creux de ses mains un petit récipient de pierre grise mal polie dont elle ota le couvercle.

Je me penchai pour mieux voir et mieux sentir. Il y avait là un liquide épais, ambré et qui dégageait un parfum subtil, totalement inconnu pour moi.

"C'est l'Huile, dis-je, l'Huile ultime que tu cherchais ?"

"Je le pense Simon, c'est en ne fragmentant plus la vie ni dans ma tête ni dans mon cœur que je l'ai retrouvée...

Tu vois ce rayon de soleil qui vient balayer la pierre... il nourrit chacun des trous du sol où reposent huile et plantes selon les périodes de l'année et les heures de nos jours. La lune agit de même. J'en choisis les influx. L'eau intervient, elle, à un moment précis du travail, au moment où l'âme vitale de l'huile demande à être adombrée par l'Autre Lumière. A cet instant ultime, l'huile meurt et laisse place à son Kristos. Elle nous montre la porte que nous devons ouvrir en nous, elle abandonne son nom et ses résistances, ce pour quoi également les plantes qui la composent croyaient être faites.

Oh, Simon... pour quoi les hommes se croient-ils nés eux-aussi ? Certains s'imaginent nés pour retourner la terre, d'autres pour vendre, pour panser les plaies, d'autres encore pour commander et que sais-je... ! Il en est si peu qui se croient faits pour la Vie... tous traversent la Vie en s'identifiant à une seule de ses couleurs... si rares sont ceux qui laissent la Vie les traverser. C'est cela que je veux te dire, c'est cela que le Maître m'a révélé dans le travail de cette Huile.

Il ne faut pas me dire "est-ce tout ?" car je répondrai "c'est Tout".

Il y avait du feu et de l'eau dans les paroles de Myriam. Je les sentis presque physiquement tournoyer dans l'espace de la petite pièce et lorsqu'elles cessèrent de résonner, un long silence s'étendit sur nous. Une fois de plus, je comprenais que toute la vie d'un homme doit tendre à incarner ce qui est plus que sa vie, plus que ce qu'il croit être sa vie.

Quelque chose en moi criait que la véritable maladie de l'homme résidait dans le fait qu'il ne faisait de lui qu'une imitation de lui-même, une réplique décolorée de sa propre nature qui se perpétue d'époque en époque par paresse, par égoïsme.

Curieuse maladie que celle de se croire incarné si l'on ne manifeste qu'une ombre ! Se retrouver, c'est voir en soi l'Esprit qui se prolonge en un corps et non plus se sentir tel un corps en quête de son Esprit.

Mes yeux s'étaient figés sur les trous du sol et leur étrange réseau. Lorsqu'ils s'en dégagèrent, Myriam s'était déjà assise dans un angle de la pièce sur une sorte de banc creusé en hauteur à même la roche. Il y avait là quelques gros tissus de laine. Sans doute était-ce à cette place qu'elle veillait tandis que l'Œuvre s'élaborait.

Alors, elle rajouta un peu d'huile à sa lampe qui se mourait et je compris qu'elle voulait parler.

Myriam regardait dans ma direction mais ce n'était pas moi qu'elle voyait. Elle voyait la Mémoire du Temps et un présent qui ne s'était pas encore manifesté.

"Simon, ce que j'ai encore à te dire maintenant, n'est pas bon pour les oreilles d'aujourd'hui..."

Elle s'arrêta un instant puis reprit d'un ton plus ferme et plus décidé :

"Ce que j'ai à te livrer me contraint encore à parler de moi, mais en vérité, sache que ma personnalité a ici bien peu d'intérêt.

Mon cœur et ma mémoire sont aujourd'hui comme des coffres, un peu trop pleins sans doute, mais dont le contenu peut modifier grandement l'histoire des hommes.

Tu sais que je suis de la famille d'Arimathie et qu'Eliazar est mon frère. Tu sais ce que j'ai fait pour être enseignée par ceux d'Essania et tu comprends sans doute mieux aujourd'hui pourquoi l'Eternel a placé l'âme de mon père dans le corps d'un riche notable. Nous sommes tous des ponts entre deux rives, entre deux façons d'être. Tu dois maintenant savoir que dès ma sortie du Temple aux huiles, je me suis éprise d'un homme... Saül".

"Saül ?"

"Oui, Simon, il s'agit bien de celui auquel tu penses[1] ! Tu te souviens comme il était puissant et respecté dans toute la Judée... même par les Romains. Quoi qu'il en soit mon père a favorisé notre union. C'était l'époque où il commençait à recevoir à sa table d'étranges Frères en blanc et aux regards si clairs... ils venaient des sables d'Héliopolis... C'était l'époque aussi où j'étais fascinée par la fierté et la fougue de Saül. De plus, je m'étais rendue compte qu'il nourrissait secrètement des espoirs pour représenter notre peuple face aux Romains. N'était-il pas l'héritier de Benjamin... ? et les chefs des autres tribus semblaient s'assoupir...

Cependant, dès que le mariage fut célébré, son attitude changea rapidement. Là où j'avais vu de la fierté et de la noblesse je ne trouvais plus que de l'arrogance et de l'or-

---

1— Saül de Tarse, le futur Saint Paul illuminé sur le chemin de Damas.

gueil. Alors, je compris vite que notre mariage avait été pour lui une façon de se rapprocher de Joseph, mon père... et de son crédit auprès des Romains. Tu sais bien aussi que nous sommes de la tribu de David. Le calcul de Saül finit par m'apparaître dans toute son évidence.

Très rapidement, il me donna un fils qu'il appela Marcus pour satisfaire les goûts de ses amis. Puis notre vie ne fut plus qu'une série de disputes. Saül devenait violent et ne semblait plus préoccupé que par le fait de séduire ceux qui gouvernaient notre pays, prêtres, soldats et marchands. Alors, Simon, j'ai fait ce qu'une femme ne peut pas faire dans notre monde d'hommes. Je l'ai quitté, je me suis enfuie, loin de Jérusalem, là où mon père avait une autre maison, à Migdel[1], là où il y avait des amandiers près du lac, là où il y avait un peu de paix et une vie simple, sans serviteurs ni rencontres troubles.J'ai dû lui abandonner Marcus. Pour moi, vois-tu, ce fut le début d'une autre vie... Tu sais sur notre terre la réputation que l'on fait à une femme qui quitte son époux !

Pendant de longs mois je n'osai presque pas sortir de notre maison de Migdel, rongée par la crainte d'être lapidée. Seuls, mon père, Marthe de Béthanie et quelques autres qui me savaient là venaient me rendre visite. Joseph, mon père me comprenait et m'assura qu'il prendrait une bonne partie de l'éducation de Marcus en charge, qu'il l'emménerait dans ses voyages de commerce au pays de Pha-ra-won et ailleurs.

Mon existence commença seulement d'être un peu plus paisible et, durant des années, je me tournai à nouveau

1— Magdala.

vers les Frères en blanc et les onguents. Ce fut ainsi jusqu'au jour où une singulière rumeur se mit à courir dans les ruelles du petit port de Migdel.

Tu imagines la suite, Simon... C'était le Maître qui foulait notre sol. Très vite j'ai voulu savoir et très vite j'ai su qui était le Grand Rabbi blanc dont les paroles et les actes frappaient tant les esprits.

Saül, dont mon père me donnait régulièrement des nouvelles, savait aussi qui il était... du moins il pensait le savoir ! Le Rabbi appartenait à la famille de David et en était le fer de lance ! Dès que Saül apprit que des zélotes et une partie du peuple voulaient en faire le libérateur de notre terre, on m'annonça qu'il s'en était déclaré l'ennemi personnel. Si notre peuple devait n'avoir qu'un roi pour traiter avec les Romains ce ne devait être que lui, mon époux, comprends-tu ?"

Je crus que le récit de Myriam s'arrêtait là car sa voix se suspendit brutalement dans la pénombre comme un flot douloureux qui s'est tari.

Sur le sol luisant, le léger scintillement jaunâtre des cupules d'huile figeait maintenant toute mon attention. Je crois que le voile de silence qui se tissa un instant n'en était pas vraiment un. Des mots muets jaillissaient dans le vide de nos esprits. Ils n'étaient ni questions ni réponses mais de simples perles de confiance échangées.

"J'ignore exactement le pourquoi de tout cela, reprit soudain Myriam d'une voix moins grave et plus sereine... cette existence sert un dessein qui nous dépasse tant !"

"Et le Maître ?" fis-je.

"Le Maître, Simon ! Tu sais comme moi qu'il n'a jamais eu d'ennemi en son cœur ! Le nom de Saül ne lui était pas plus difficile à prononcer que celui de ses frères les plus proches... Je crois qu'il l'aimait déjà comme nous ne pouvons pas l'imaginer... et qu'il l'aime encore. Il n'y a pas de mots pour cela Simon, pas de concept pour parler de l'Etre qui est la Vie à l'état pur. Comment peut-il se sentir blessé celui qui est au-delà de l'idée même de combat ? Sais-tu que je l'ai entendu plaisanter lorsqu'il est sorti de chez Pilate et qu'on lui a mis le bois sur les épaules ?

Dès l'instant où mes yeux ont rencontré les siens pour la première fois, ce fut pour moi comme si tout avait été dit... et depuis ce jour tout ce que j'essaie de faire pour les hommes et le sol qui nous porte n'est rien d'autre que le jaillissement de ce battement de cœur-là !"

"Mais, Myriam, demandai-je, ton père ne t'avait-il jamais parlé du Maître auparavant ? Lui-même connaissait depuis toujours son existence !"

"Il avait seulement évoqué la vie d'un jeune garçon qui l'avait accompagné lors d'un voyage et qui était membre de notre famille... mais lorsqu'on le questionnait à ce propos, il contournait toujours le sujet.

Comprends-tu, Simon, c'était un peu comme si dans le creux de son cœur il préservait un vase rempli d'un parfum précieux. Il craignait d'en soulever le couvercle avant l'heure, de peur que le parfum ne perde de sa force... Je me souviens du petit embarcadère de Capharnaüm, il y avait là près de l'eau toute une rangée de dattiers sous lesquels nous étions si nombreux à venir écouter le Maître ! Et le Maître soulevait de telles vagues dans l'assemblée ! Nous ne savions pas si c'était le soleil ou quelque incroyable bourrasque qui s'engouffrait en nous, mais à chaque fois que nous nous quittions, nous n'étions plus les mêmes...

294

Le jour où en pleine foule il m'a pris la main pour m'attirer près d'Eliazar et de ses proches, je t'avoue que mon cœur à battu différemment... Mais je n'ai jamais voulu ressembler à toutes ces femmes qui s'agglutinaient parfois autour de lui. Il fallait que je vive par lui et non pour lui, non pas avec mon regard figé dans le sien, mais avec son regard dans le mien... et dans chacun des nôtres.

Lorsque j'ai pu admettre cela, il s'est installé entre nous une étrange complicité, une tendresse vraie qui n'a pas plu à tous, tu le sais... Cette tendresse, cette fraternité absolue, m'a permis de comprendre à quel point son âme était transparente et tout entière présente dans la moindre de ses paroles. Il n'était plus homme Simon... ou alors ce que l'on entend par humanité n'est qu'une grossière copie de ce qui *est* quelque part... Tout cela on ne le sait pas assez.

Mais il faut surtout que je te parle de mon fils Marcus[1]. Il y a bien longtemps que je ne l'ai vu et s'il me revient sans cesse en mémoire c'est surtout parce que le Maître m'entretenait souvent de lui."

"Il l'a donc connu ?"

"Toi aussi, tu le connais, Simon. Il était jeune encore et par prudence il ne suivait le Maître que de loin afin d'éviter les colères de Saül. Il était pourtant là, la nuit où ils sont venus l'arrêter à Gethsemani. Il s'est enfui immédiatement et est venu m'informer de tout[2].

Mais écoute bien car tout ceci te concerne..."

Je fis quelques pas hâtifs dans la pénombre puis je rejoignis Myriam sur son banc de pierre. Je voulais fuir les

1— Il s'agit dans les textes canoniques de "Marc le mineur".
2— Voir l'évangile.

bruits de l'extérieur qui se faufilaient jusqu'à nous. Dehors, tout en bas sur l'eau, il devait y avoir des marchands qui comme d'habitude, sur de grandes barques de fortune proposaient pêle-mêle quelques légumineuses à qui voulaient bien les entendre...

Leurs cris et les battements de leurs rames sur la rivière faisaient maintenant partie de notre monde.

"Oui, Simon, cela te concerne poursuivit Myriam, ou plutôt cela concerne ceux qui recevront les textes dont tu as la charge.

Vois-tu, le Maître accordait une grande importance au fait que Marcus soit né de l'union des familles de David et de Benjamin. Au sein de ces deux familles, m'a-t-il dit il y a bien longtemps, les Anciens de la Terre Rouge et aussi nos Frères des Etoiles ont fait un dépôt... un dépôt qui ainsi que toute chose selon la façon dont on la regarde, a la brillance de l'argent ou l'éclat de l'or.

Tout se passa dans les salles souterraines d'Héliopolis. Quelques-uns de Benjamin captèrent de Lune-Soleil la radiance argentée, tandis que d'autres, de David, furent sensibles à la résonance solaire de ses paroles. Toute l'histoire de la tradition d'Essania et des Frères Nazarites prend naissance là.

Le Maître m'enseigna ensuite qu'au sortir du pays de Pha-ra-won, les deux tendances demeuraient encore unies. Lorsque plus tard une partie de ceux de Benjamin fut bannie de la race d'Abraham[1], il y en eut néanmoins pour

---

1— Voir la Bible - la tribu de Benjamin aurait été bannie pour des raisons de mœurs, c'est-à-dire une transposition humaine et essentiellement sensuelle de Vénus (Ishtar — Lune-Soleil).

demeurer sur la Terre de Canaan afin que continue de vivre là la Tradition orale d'Héliopolis.

De grands temples de cette Tradition furent alors construits sur les bords de la Mer Blanche[1] et la coexistence entre les différents porteurs de la parole secrète de la lune et du soleil prit racine...

Mais la terre telle que les hommes la pensent est lourde mon frère... et ce que l'on croit comprendre de la lune est plus pesant que ce que l'on parvient à sentir du soleil !

Les Frères d'Essania et les Frères nazarites se mêlèrent dans les mêmes lieux autour des mêmes préceptes et tous les hommes les confondirent. Seule pourtant, la tendance guerrière issue de Benjamin s'est manifestée aux yeux du peuple... il y eut des combats et de telles intransigeances...!

Le Maître m'a affirmé que cette situation s'était prolongée jusqu'à cinq décennies avant sa propre naissance parmi nous. La sensibilité solaire d'Essania refusa alors de taire plus longtemps son amour de la paix et de la tolérance. Elle quitta rapidement les refuges des bords de la Mer Blanche pour ensemencer d'un souffle nouveau les vieux murs du Krmel et bâtir tous ces villages que nous avons connus.

Mon histoire, Simon, s'arrêterait peut-être là s'il n'y avait en la lune quelque chose du soleil et si le soleil ne conservait pas en lui quelques éclats de lune..."

"Et c'est sur cette terre qu'il faut les réunir... n'est ce pas ce que tu veux dire Myriam ?"

1— La Mer Morte.

297

Myriam leva les yeux vers moi et se mit à sourire doucement. De la main elle dégagea une partie de son visage inondé par sa chevelure.

"C'est notre rôle, ne le sens-tu pas ? Notre voix et notre cœur peuvent colporter cela... Mais pour la Terre de Kal, il faut quelque chose de plus, quelque chose inscrit dans la force vitale du corps et que nous n'avons pas.

La force vitale, tu le sais bien Simon, est le siège d'une mémoire[1]... et le monde des hommes obéit toujours à cette mémoire, il ne sait pas encore s'en dégager.

Dès lors, si le Sans Nom le veut, c'est Marcus qui parcourera le chemin que nous commençons à tracer. Il est de Benjamin et de David, souviens-t'en. Dans ses veines coulent deux mondes qui ont bu à la même source, même si jusqu'ici ils se sont manifestés différemment. Il y a un Soleil au-dessus de tout ce qui illumine le firmament ; et l'astre du jour n'est rien face à lui ! C'est pour parler de lui que le Maître est venu, afin que les deux corps d'une même Tradition, ses deux compréhensions soient unies et transcendées !

Bientôt, vois-tu, il n'y aura plus de Frères d'Essania et plus de Frères nazarites. Nous ne devons pas perpétuer une Tradition sur cette terre, nous devons renouveler la Connaissance de l'aube des Temps qui réconcilie l'homme avec l'Homme. Il ne faut pas abandonner le glaive comme le croyaient les anciens de nos villages, il ne faut pas non plus le brandir tranchant vers les cieux ! Il faut le saisir par la lame et le planter droit en terre !"

---

1— Il s'agit d'une mémoire éthérique qui se transmet dans les gènes.

"Comme le fils des veines de la Terre..."

Le récit de Joseph me revenait en mémoire avec la promptitude de l'éclair. Tout se dessinait maintenant si précisément ! Alors, Essania serait désormais presque un nom de trop ! C'était pour l'heure l'ultime souvenir à dépasser. Ce ne serait plus qu'un îlot dans l'océan de notre conscience, un havre de paix qu'il fallait définitivement quitter pour des eaux plus profondes et plus bleues.

Et en moi, ce jour-là naissait une nouvelle certitude, plus puissante, qui soufflait sa tempête. Elle abattait un mur qui jusque-là s'était adroitement dérobé et arrondi là où il blessait.

"Voilà pourquoi Marcus doit parler au cœur de nos frères du bord de la mer, Simon, ajouta Myriam. Eux et leurs rabbis doivent être prêts à élargir l'union que mon âme a déjà engendrée avec celle de Saül... Ton rôle maintenant est bien de commencer à scier les barreaux de leur conscience. Ils vivent dans l'orgueil d'être le peuple élu par l'Eternel... mais il n'y a pas de peuple élu... il n'y a que des âmes qui s'élisent en des terres propices selon les vents du soleil. Celles-là ne renient pas les règles de la chair parce qu'elles sont les doigts par lesquels l'Invisible s'exprime et grandit.

Ces feuilles que tu portes sans cesse à tes côtés et que tu n'as pas osé déchiffrer, lis-les maintenant, mon frère ; elles éclaireront la route qu'avec nous tous tu as accepté d'emprunter."

Lorsque je sortis de la grotte aux huiles, le ciel était en feu et le chant des criquets dans les broussailles était presque semblable à une agression. Il emplissait tout, jusqu'au miroir dans lequel l'âme a coutume de se regarder.

Ce n'est que tard dans la nuit qu'il s'apaisa et que je me résolus à dérouler les feuilles jaunies compressées dans mon sac de toile.

Dans le fond d'un abri de pierre et de bois à demi-suspendu au rocher, la lueur vacillante de ma lampe de terre dansa jusqu'à l'aube. Elle éclairait d'abord l'histoire en partie connue de moi, des errances de la tribu de Benjamin après son bannissement de la terre de Canaan puis prenait un ton prophétique en annonçant la venue d'un roi à demi-poisson sur le pays de Kal.

C'était une incroyable fresque qui se déroulait sous mes yeux, une histoire sans début ni fin qui unissait passé et futur et n'en faisait que les détails d'une réalité omni-présente.

Pour celui qui en avait calligraphié les caractères à peine lisibles, tout paraissait évident... Le destin et la liberté des peuples se mêlaient et devenaient une gigantesque pièce de théâtre dans laquelle il fallait que tout homme redécouvre son rôle et ses choix, les amplifie et les anoblisse.

Qui serait ce roi à demi-poisson que les lignes évoquaient ?

Avec les cornes de son casque, le prophète le faisait plutôt ressembler à un taureau[1] !

Lorsque le ciel se teinta de sombre et que les brumes de la rivière commencèrent à me faire grelotter, je ne parvins plus à tenir mes yeux ouverts, laissant des images flotter sur l'écran de ma conscience.

---

1— On peut sans doute y voir aujourd'hui le personnage de Mérovée fondateur de la dynastie mérovingienne auquel les légendes prêtent une naissance semi-aquatique.

Je me retrouvais sur une barque tant et tant d'années plus tôt. Il y avait là le Maître et Eliazar, Simon-Pierre qui jetait son filet et trois hommes aux noms oubliés qui baissaient la voile. Dans le lointain, les montagnes vertes et mauves de Galilée dansaient sous le soleil et la Grande Silhouette blanche parlait. Elle parlait d'amour et de confiance comme d'un miel qui nourrit le cœur.

"En toute vérité ce à quoi nous sommes destinés compte bien peu mes frères. Laissez à ceux qui lisent les étoiles le soin de tenir leurs comptes. Que vous importe de savoir de quoi demain sera fait ? Demain est déjà là. Vous êtes si nombreux à me demander le chemin pour rentrer chez mon Père ! Je vous le dis pourtant, il n'y a pas de chemin devant vous. Chacun de vous est le chemin par lequel la vie de mon Père s'écoule. N'y dressez pas de barrage et votre place sera toujours la bonne place si vous en faites une ambassade de ma Paix. Que rien ne vous emprisonne et que tout vous stabilise. Soyez enfin mes amis, le poisson qui file entre les mailles du pêcheur et le taureau de la confiance des débuts du monde. Ainsi tout s'accomplira..."

# CHAPITRE IV

# Une retraite forcée

Hayop ! hop ! Le cri du garçon bouvier emplissait la forêt et sa longue badine zébrait l'air d'un mouvement rythmé. La charrette grinçante sur laquelle nous avions pris place avançait d'une allure pesante dans les ornières du chemin qui serpentait jusqu'à la plus proche bourgade. Les bœufs dans un nuage de mouches balançaient nonchalamment la tête, imperturbables. Nous étions quatre à nous agripper tant bien que mal aux bancs de la carriole de bois : un jeune garçon, un compagnon de la communauté nommé Elric, Myriam et moi-même. Lorsque nous avions appris qu'une grande assemblée de bardes devait se tenir à une demi-journée de route de nos abris, la décision fut rapidement prise : nous tenterions de nous y présenter afin de clarifier notre position, le plus officiellement possible.

Dès que les premières masures se dessinèrent dans leur nid de verdure, nous fûmes contraints d'abandonner notre attelage et son conducteur. Le chemin devenait si soudainement encombré que l'on aurait pu croire que toute la contrée s'était donné rendez-vous là. Les hommes et les femmes surgissaient de partout, des profondeurs des mille sentes qui jaillissaient de la forêt et s'agglutinaient les uns aux autres. Pas un seul ne put nous dire l'origine et le but de cette assemblée. Nous apprîmes seulement que les bardes l'avaient décidée rapidement et qu'elle était importante.

Dès que nous eûmes franchi la petite palissade de bois qui servait d'enceinte symbolique au village, des casques rutilants et des fers de lance apparurent au dessus de la foule des têtes. Il fallait se rendre à l'évidence, les Romains étaient là. Dans la ruelle étroite et grouillante de monde, ils avaient posté une sentinelle tous les vingt pas, observatrice imperturbable et garante de l'ordre. Le flot bruyant de la population nous amena bientôt sur une esplanade, sorte de place vaguement circulaire autour de laquelle les habitations se regroupaient. Là, des chiens et des enfants couraient partout alors qu'un grand nombre d'hommes et de femmes étaient déjà assis sur l'herbe sèche. Dans le fond de la place, contre un gros bâtiment de bois, d'autres casques, d'autres lances brillaient au soleil et attendaient avec une apparente bonhomie que cela se passe.

Dès que nous parûmes, il y eut un incontestable remous dans l'assemblée déjà présente. Myriam de Magdala et moi-même échangeâmes un bref regard. Que fallait-il en penser ? Mais il n'était plus temps d'aviser. Déjà des doigts s'étaient pointés dans notre direction et des regards

304

curieux s'immobilisaient sur nous. Ils n'étaient pas hostiles ces regards, simplement inquiets et interrogatifs.

Les âmes simples craignent toujours ce qu'elles ne connaissent pas.

"Je n'ai peur que de la peur, me glissa à l'oreille Myriam sur le ton de la demi-plaisanterie. Sait-on de combien d'injustices et d'horreurs elle peut être la cause ?"

Un homme aux cheveux hirsutes et vêtu de cuir tressé s'avança vers nous.

"Vous êtes ceux de la roche-fontaine ? dit-il en m'agrippant par le coude. Il faut que vous veniez par là... nos prêtres et nos chefs veulent vous voir... c'est un peu à cause de vous si nous sommes tous ici... alors puisque vous aussi vous avez fait la route...!"

Ce fut comme si on nous assénait un coup sur la nuque. L'idée que nous ayons pu être en partie à la source d'un tel rassemblement nous clouait presque sur place. Tout avait été si paisible sur notre rocher jusqu'alors ! Nos rapports avec ceux de la contrée paraissaient si limpides, si dénués d'arrière pensée.

Avant que nous ayons esquissé le moindre geste, un homme fort et aux moustaches impressionnantes fit irruption l'œil soucieux. Il portait une épaisse tunique rouge délavé et des colliers de médailles mêlées de petits ossements lui pendaient au cou.

"Nous ne vous attendions pas étrangers, grommela-t-il d'un air sombre. Espérons que votre présence ne compliquera pas trop les choses...

Vous avez semé de drôles d'idées parmi nombre de ceux que vous voyez ici... Ça peut-être dangereux... pour vous et pour nous !"

J'eus envie de fermer les yeux. L'histoire allait-elle se répéter une fois de plus ? Le Maître avait-il à jamais fait de nous des êtres subversifs ? Quelle sottise de croire qu'on ne touche que les âmes avec les mots qu'Il inspire à nos poitrines et place dans nos bouches !

"Venez, continua l'homme dont les cheveux étaient réunis en une abondante queue au sommet du crâne.

Mettez-vous tout au moins à l'écart... Tout allait bien avec les Romains jusqu'à ces idées de liberté folle et de fraternité absolue que vous avez commencé à répandre partout. Beaucoup veulent voir celui qui vous a enseigné tout cela. Ils veulent vivre dans son royaume, ils veulent l'installer ici... et cela ne plaît pas non plus à tout le monde ! Alors, je vous le dis, il faut décider quelque chose !"

Non loin de nous, entre les mouvements de la foule, se profilait une silhouette blanche, drapée de pourpre. Une énorme fibule placée sur une de ses épaules et qui éclatait au soleil en disait long à elle seule. L'homme semblait attentif à tout et nous dévisageait l'un après l'autre.

Soudain, tandis que nous tentions de nous faufiler hors du cercle de l'assemblée, une clameur monta de la foule comme une vague au mugissement sourd et qu'on ne voit pas venir.

"Partez !" hurla l'homme qui me tenait encore le coude.

Alors, je ne sais au juste ce qui se passa ; nous fûmes bousculés en tous sens et j'eus à peine le temps d'apercevoir un détachement de légionnaires boucliers et lances au poing s'élancer vers l'opposé de la place, là où l'on s'était mis à scander des mots incompréhensibles en courant dans notre direction.

L'homme à la tunique rouge me poussa violemment et Myriam fut emmenée sans ménagement dans une ruelle qui s'ouvrait devant nous. Je ne me souviens plus que des murs de bois qui défilaient, des porches de terre sèche qu'on nous faisait franchir, des granges traversées sous des caquètements de poules. Et toute cette poussière qui volait... ces chiens qui se mettaient en travers de nos jambes, ces cris qui paraissaient nous suivre à la trace !

Puis, brusquement il y eut un trou sous les taillis derrière une sorte de bergerie qui s'écroulait. Nous y tombâmes les deux pieds dans la boue.

Myriam, maintenue contre sa paroi par l'homme à la tunique rouge, avait le visage égratigné par les ronces. Les yeux hagards nous avons tenté avec peine de calmer notre respiration. Au dessus de nos têtes, à quelques pas, on courait encore... et là bas, tout au loin sur la place, des hommes et des femmes hurlaient... et il y avait comme des bruits d'armes s'entrechoquant qui parvenaient jusqu'à nous, des cliquetis insoutenables.

Nous restâmes ainsi dans le fond de notre trou jusqu'à la tombée de la nuit, muets et empêtrés dans nos pensées.

L'homme qui nous accompagnait ne disait rien non plus ; il paraissait attendre quelque chose de précis et se moquer du reste, de cette souffrance sur la place, de toutes ces questions qui nous assaillaient. Enfin, dans l'obscurité grandissante, nous le vîmes esquisser un sourire puis décrisper son buste de taureau.

La hulotte chantait déjà depuis longtemps quand nous nous hissâmes à l'air libre. La forêt était à deux pas et on n'y voyait rien ; à l'horizon vallonné, la lune timide se laissait voiler par les arbres.

Derrière celui qui se montrait notre guide, nous nous sommes alors glissés de taillis en taillis, à demi-courbés. Je ne pus m'empêcher de jeter un coup d'œil derrière nous. Entre deux masures on pouvait encore apercevoir un coin de la place ; il y avait là une grande lueur qui indiquait un feu, puis des silhouettes romaines en armes qui s'agitaient toujours.

Nous étions trois et je fermais l'avance. Elric avait depuis longtemps disparu dans ce tumulte. Quant à notre attelage, il était improbable d'espérer le récupérer. Ce fut alors le début d'une longue marche dans la forêt, une marche rapide et blessante pour nos pieds nus qui trébuchaient sur tout, une marche où chaque branche cassée paraissait vouloir résonner sur des lieues alentour.

De temps en temps nous coupions un chemin puis nous nous enfoncions à nouveau dans les fourrés délogeant des hordes de cervidés et tout un peuple de rongeurs.

Sous l'humus gras et le silex, le sol parut bientôt monter de plus en plus. Nous étions sur le flanc d'une colline où poussaient pêle-mêle les genévriers et les chênes. C'était un fouillis presque impénétrable où régnaient en maîtres les lierres et les lichens.

Une fois le sommet de la colline atteint, notre guide qui se déplaçait avec la rapidité et la lourdeur de l'ours fit enfin halte et nous pûmes reprendre haleine.

"C'est là-bas, se décida-t-il à bougonner en tendant un bras vers un point dans l'obscurité. Il y a des huttes. Vous pourrez y rester quelques jours, cela vaut sans doute mieux.

Vous verrez, j'y connais un prêtre un peu solitaire. D'ailleurs il souhaitait vous rencontrer depuis longtemps."

308

Le reste de notre chemin fut de courte durée et bientôt au plus profond de la forêt, sous les ramures de quelques arbres noueux se profilèrent les contours de trois huttes de pierre, soudées les unes aux autres, comme on en trouvait fréquemment dans la contrée.

La plus grande d'entre elles annonçait une entrée fort basse, sorte de gros panneau de bois sommairement dégauchi à la hache et que venait frapper un éclat de lune.

"Mansel, oh, Mansel... !" Notre guide secoua vigoureusement la porte du plat de sa main charnue.

D'abord, il n'y eut pas de réponse puis, comme l'homme ébranlait à nouveau la porte, nous la vîmes finalement s'entrebailler dans une sorte de râle.

"C'est moi, Mansel... Je t'amène ceux que tu voulais voir. Il y a eu des ennuis au village... Il faut que tu les abrites quelques jours, le temps que ça se calme... Ils te raconteront !"

Un petit visage chauve, plissé comme une vieille pomme et à la longue barbe grise émergea de l'embrasure de la porte.

"Entrez tous, entrez tous !"

"Je m'en retourne immédiatement, fit l'homme à la tunique rouge, sinon en bas, on me cherchera !"

Tandis que déjà il faisait demi-tour, Myriam lui saisit le bras.

"Pourquoi nous as-tu aidés ainsi...?"

"Nous étions nombreux aujourd'hui à vouloir vous aider ainsi, répondit-il après un temps d'hésitation. Vous avez remué trop de choses ici... peut-être sans le savoir. Depuis que les Romains ont saisi la contrée nous nous sommes endormis, ce n'est pas qu'ils soient mauvais mais..."

"Mais vous n'avez rien compris... nous ne voulons pas de révolte."

"Femme, je ne sais pas bien qui tu es, mais quand on prononce certaines phrases qui vont droit au cœur, on doit s'attendre à ce que le corps tout entier soit bouleversé. Tes idées, je les aime et nous sommes beaucoup à les entendre et à les aimer, mais n'oublie pas qu'elles sont dangereuses pour un certain ordre des choses... L'asservissement ne devient plus tolérable et l'Amour dont tu épelles le nom ne vit pas dans les demi-mesures... Dès lors, il faut tout rebâtir et comprends qu'il y ait des grincements de dents !"

Sur ces paroles, l'homme s'enfonça dans la nuit et la porte de la hutte de pierre se referma sur nous.

"Installez-vous, murmura le vieillard en nous tendant à tâtons des peaux dans la noirceur de la pièce, demain il fera jour..."

L'humidité des lieux nous tira du sommeil plus tôt que nous ne l'aurions sans doute souhaité. Nous étions presque en train de grelotter lorsque notre hôte poussa la porte sur l'air frais du petit matin. Transi, chacun fit ses ablutions sans bavardages puis nous nous rassemblâmes afin de rendre grâce à ce que nous appelions "l'ange du matin", ce visage du Sans-Nom qui renouvelle les courants de vie à chaque jour qui se lève. Alors seulement nous commençâmes à parler avec le vieillard qui nous offrait son toit. Il disait s'être autrefois séparé du collège de ses Frères druides. Son être, affirmait-il, l'attirait vers une vision plus "une" de la vie. Il ne voyait pas les humains au milieu de la Grande Architecture de la nature ainsi que le concevaient ses Frères. Il voyait un corps immense, sans cesse en expansion, éternel, comme une conscience qui se déploie, un corps où chaque organe se mettait à penser, à grandir aussi et, par amour, à ne plus se différencier de ce corps tout entier. Alors, eux et lui n'étaient ni deux ni trois. Ils redevenaient Un, parce qu'en vérité cela avait toujours été ainsi avant que l'orgueil et l'égoïsme ne s'en mêlent...

"A l'origine de mon peuple, nous confia-t-il, il n'y avait pas d'idées définitivement acquises. Personne n'aurait pris le risque d'affirmer que notre univers était achevé une fois pour toutes ou que l'Esprit avait fermé les portes. La vie de chacun était une expérience de La Grande Vie dans la matière. Nul ne croyait, mais chacun essayait de connaître. Aujourd'hui, de plus en plus nombreux sont mes frères qui se mettent à croire et qui "savent". Quelque chose se pétrifie dont je ne veux pas. C'est pour cette raison que ce qu'on m'a rapporté de vos paroles a trouvé écho en mon cœur. C'est comme si votre Kristos venait ranimer un vieux souvenir que nous commencions à oublier."

La conversation vint rapidement à se porter sur le lieu qu'habitait Mansel et dont la paix profonde nous troublait. Rien de bien étonnant pourtant au milieu de cette forêt si secrète : des rochers, des mousses et trois huttes de pierre habilement bâties, comme des centaines d'autres.

A nos premières questions, le vieillard se contenta de sourire en remuant d'un air amusé ses épais sourcils, puis il se leva prestement de la souche d'arbre dont il avait fait son siège.

"Savez-vous à quoi servaient ces huttes ? dit-il, manifestement heureux de l'effet qu'il provoquait. Eh bien, pour ceux qui ont bâti les premières d'entre elles, c'étaient de véritables temples. Oh, pas des temples où venait la foule, les anciens de chez nous n'ont jamais aimé cela... mais des temples pour une personne, des sortes de tombeaux pour se regarder face à face."

Nous suivîmes Mansel à l'intérieur de la construction où nous avions passé la nuit. La lumière du jour n'y pénétrait presque pas. Les souverains, c'étaient le roc et la terre du sol, rien d'autre.

La hutte avait été dressée selon un cercle parfait, toute de pierres sèches adroitement assemblées jusqu'à hauteur d'homme. Puis leur circonférence allait se rétrécissant jusqu'à constituer une voûte complète, véritable œuvre d'art où chaque pièce était solidaire des autres.[1]

L'ensemble avait le rayonnement et l'intimité d'une grotte et je fis part de cette sensation à Mansel.

"Mais, c'est une grotte ! C'est une matrice bâtie en plein air. C'est là qu'autrefois certains tentaient d'accoucher d'eux-mêmes. Ils y mûrissaient comme la sève qui se prépare à jaillir des profondeurs de la terre.

Ce n'était pas du bois qui en obturait alors l'entrée mais une grosse pierre que l'on roulait une fois que le futur prêtre en avait franchi le seuil.

Voyez-vous, l'une des clés de notre connaissance a toujours été liée au fait de détendre le lien qui noue l'âme au corps[2] et aussi loin que remontent les souvenirs de notre race, la configuration d'une telle pièce facilite le phénomène.

Mais tout cela aujourd'hui s'est évanoui, ajouta le vieillard avec un sourire amer. Je n'en connais pas un parmi

1— Il s'agissait de ce que l'on appelle aujourd'hui un "borie".
2— La pratique de la "Décorporation".

312

nous qui ait conservé l'exact savoir devant présider à une telle construction... Car il ne s'agit pas seulement d'empiler des pierres d'une certaine façon... non, les pierres doivent être choisies une à une selon des détails bien précis, et dressées à un endroit non moins précis faute de quoi...

Mais peut-être est-il mieux que si peu sachent encore. En ces temps confus, il serait vain que les âmes puissent trop aisément se déraciner du corps qui les accueille. Elles doivent d'abord se bâtir et cesser de se sentir en prison dans ce monde afin d'être autorisées à se déplacer parmi les autres.

Maintenant, voyez-vous, ces lieux d'envol qui attiraient les consciences dans des spirales de paix ne sont guère autre chose que de simples bergeries ou des abris pour des vieillards comme moi ! Alors on se met à en construire de toutes tailles et de toutes formes... parfois même là où la terre les refuse !"

Dans le désordre des peaux qui jonchaient le sol, Myriam faisait le tour de la petite pièce circulaire. Elle en caressait de la main les murs frais et rugueux.

"Tout ce que tu me dis, mon frère, parle à mon cœur. Le secret de ce que nous appelons "l'envol joyeux" est cher à ceux dont nous sommes issus. Je dis bien le secret car c'est un grand secret que d'apprendre à plonger dans son propre océan pour y contempler l'univers. En vérité, celui qui fuit sa chair s'y attache plus fermement encore car seul celui qui a la volonté de quitter la superficie de son être parvient à se rencontrer."

Deux pleines journées passèrent ainsi aux côtés du vieil homme. Nous étions pris entre le désir de rejoindre nos abris pour maîtriser ce qui pouvait se produire en notre absence et celui de prolonger la joie que notre hôte avait à nous faire partager son existence et ses espoirs. Il vivait dans un extrême dénuement et au vu de sa robe qui n'était plus qu'une guenille, quiconque l'aurait croisé sur une route l'aurait pris pour un mendiant. Mansel pourtant se montrait d'une authentique gaieté et sa soif de connaître la pensée du Maître sur tel ou tel sujet se formulait parfois si naïvement qu'elle nous amusait beaucoup.

Cependant, le matin du troisième jour, alors que nous nous apprêtions à le remercier de son accueil, son attitude changea. Son regard devint soucieux et ses paroles hermétiques. Ce n'était plus le même homme qui se tenait face à nous, mais une silhouette soudainement courbée sous un poids indéfinissable.

"Ma sœur, mon frère, finit-il par bredouiller en employant pour la première fois ces mots, vous parcourez notre terre et tous les horizons pour la parole d'Amour d'un Maître que je ne verrai jamais. Je vous ai ouvert ma porte et vous m'avez ouvert votre cœur... mais comprenez que quelque chose ici n'a pas encore été dit..."

Le vieillard s'arrêta là comme s'il n'osait pas aller plus loin ou peut-être comme s'il craignait d'être allé trop loin dans les replis de son âme et de sa connaissance.

"Suivez-moi", ajouta-t-il enfin de façon laconique.

Il y avait une flamme de souffrance dans son regard clair lorsqu'il nous mena à la porte de l'abri adossé au sien et qui était restée close depuis notre arrivée. Un bois lourd bien que déjà rongé par le temps en interdisait l'accès facile si bien que nous dûmes aider notre hôte à le faire pivoter. La pièce que nous découvrîmes était plus exigüe et plus sombre encore que celle que nous connaissions. Un épais

314

tapis de feuilles à demi-décomposées en recouvrait le sol et dégageait une forte odeur âcre.

Du pied, Mansel en repoussa tout une partie vers l'extérieur afin de faire apparaître une grande pierre plate aux contours grossiers. Sur sa demande je m'empressai de la faire glisser sur le côté.

Alors, dans l'obscurité de la petite pièce, un trou plus noir encore s'ouvrit béant dans le sol de la colline.

Nous n'avions rien pour nous confectionner un flambeau tant et si bien que Myriam résolut d'aller chercher dans l'abri voisin deux lampes de terre qui conservaient un reste d'huile.

Mais au fond de ces bois, le feu était aussi rare que la nourriture la plus simple et je ne sais plus au bout de combien de temps une petite braise voulut bien naître de deux silex et d'un tas de feuilles.

Le trou dans le sol était relativement étroit et Mansel n'en avait toujours rien dit. Il fut décidé que je m'y engagerais le premier, ensuite viendrait Myriam et il fermerait la descente.

Je m'y étais enfoncé à moitié lorsque je sentis la pierre et la terre des parois se dérober sous mes pieds.

Je ne pouvais tenir aucune de nos deux lampes et il me fallait seulement espérer rencontrer immédiatement une plate-forme sur laquelle m'immobiliser et tenter de voir ce qui se présentait.

La terre glissa sous mon dos pendant quelques secondes et par bonheur, à l'aide des coudes, je parvins à stopper ma descente dans l'étroit boyau. Au dessus de ma tête le petit visage ridé de Mansel se dessinait à peine dans la lueur changeante de la flamme.

Lentement, avec la crainte de me laisser emporter par la pente, je réussis à hausser un bras dans sa direction et à saisir la lampe qu'on me tendait.

"Ne crains rien, tu ne peux pas chuter bien loin..."

Fort de ce conseil, je fermai les yeux pour me protéger des racines et des poussières, puis je me laissai à nouveau absorber par la pente terreuse et soudain plus abrupte.

Presque immédiatement, mes pieds rencontrèrent les grosses pierres inégales et froides d'un sol ferme. Par chance, la flamme de ma lampe était toujours vive et je réalisai que je pouvais me redresser. Autour de moi, il me paraissait n'y avoir que du roc, lissé et blanchi par de timides concrétions.

Quelques bruits de cailloux qui roulent et la sensation d'un peu de terre reçue dans les cheveux... C'étaient Myriam de Magdala et Mansel qui me rejoignaient...

"A qui d'autre puis-je montrer cela ?" dit immédiatement notre guide. Il faudra pourtant bien que je trouve... tout comme mon prédécesseur m'a trouvé..."

Et sa voix ressemblait à un murmure, semblable à celle qui craint de déranger quelque force vivant dans la quiétude d'un temple.

Le vieillard fit quelques pas presque à tâtons devant nous puis commença à balayer lentement les parois de la cavité avec la flamme crépitante de sa lampe. L'odeur de cet instant magique perdure toujours en mon âme[1], odeur prenante de l'huile mêlée à la fraîcheur d'une atmosphère vierge, senteur de la terre vivante au contact de la peau...

---

1— Vingt siècles après.

316

Brusquement, une tache rouge, puis brune, puis jaune derrière la clarté vacillante de la flamme...

"Voilà les traces de nos pères du temps d'Atl, dit Mansel, la voix toujours aussi chargée de respect. Regardez, il y en a partout... ce sont leurs prières qui sont peintes ici !"

Alors sous les halos de nos deux lampes conjuguées, nous commençâmes à découvrir ce qui pour nous était l'invraisemblable : les contours animés d'une quantité d'animaux peints à même la roche, des taureaux, des chevaux, des formes parfois indéfinissables qui semblaient toutes danser une gigantesque farandole. C'était une fresque qui se perdait dans la nuit sur un rocher singulièrement poli, véritable offrande de la nature. Les animaux surgissaient de partout, au plafond, sur les reliefs les plus inattendus des parois et plus nous pénétrions l'obscurité, plus leur nombre grandissait.

Au bout de quelques instants, sous la lampe de Mansel, une mystérieuse silhouette se dessina sur le rocher, à main droite. Elle avait deux fines cornes dressées sur le front, semblables à des dards et aussi des pattes comme nulle autre.

"C'est le prêtre des hommes de ce temps-là, dit Mansel avec une soudaine assurance, ou plutôt le dessin de la force qu'il représentait, la connaissance des deux visages de la nature. Il était l'initiateur des grands chefs de tribus qui venaient chercher lumière et invulnérabilité ici, car la terre, notre mère, ici même palpite ; on peut entendre son pouls... avec une autre oreille !

Les hommes de ce temps avaient coutume d'identifier leur âme à celle d'un animal dont ils admiraient les qualités. Celui qui m'apprit tout cela m'enseigna qu'un peu de

317

la force vitale et de la force de pensée de ces chefs était mêlé au dessin lors d'un rituel. Ainsi se constituait une force qui de génération en génération, protégeait la race tout entière en nourrissant la puissance mentale et spirituelle de ses chefs. Vous comprendrez que le sein de ce rocher n'abrite pas réellement un lieu de culte comme vous l'auriez peut-être imaginé, mais une chambre d'initiation. Des générations des rois-prêtres sont venues ici se connaître, mes frères, par des cérémonies différentes ainsi que le disent ces quelques traits. Se connaître c'était centrer leurs capacités dans leur cœur et vivre dans l'instant présent comme le taureau qui se sait né de la Terre et du Ciel, comme le cheval qui se sait fait de vent et de feu[1].

Mes yeux les ont vus une nuit ; ils étaient semblables à nous et brandissaient dans leurs mains des pierres qui lançaient en tous sens une grande clarté. Certains portaient des robes éclatantes et leurs regards brillaient d'un tel bleu ! Je ne sais plus grand chose d'autre si ce n'est que leur sagesse valait bien la nôtre et qu'il faut en préserver le langage."

"Ecoute Mansel, dit Myriam, il y eut un jour où le Kristos évoqua devant moi ces temps anciens. Il disait que les peuples d'Atl cherchaient à s'étendre sur toutes les terres mais qu'il y avait de petits royaumes pour leur résister car ceux-ci redoutaient le regard qu'ils portaient sur le monde. Il disait que ceux d'Atl s'appropriaient les

---

1— On peut sans doute imaginer là des rituels chamaniques au cours desquels certains se projetaient dans des "animaux-Totem" selon l'expression consacrée aujourd'hui.

airs sans avoir pleinement mérité la terre et que sur les montagnes de Kal il y eut de terribles luttes. Il disait enfin que deux mondes s'étaient affrontés là et que c'était pour unir les deux qu'il venait.

"Je suis l'air qui rencontre la terre, clama-t-il un jour dans le grand temple et je suis la terre qui accueille l'air. Tout ce qui a été sous le soleil l'a été par mon Père... et le Père a mis en moi sa force pour réunir ce qui a été désuni."

Je ne saurais dire quelle sensation déclenchèrent en moi ces paroles du Maître en un lieu de notre terre apparemment si loin de sa façon d'être, mais Myriam savait que si l'âme a de multiples routes, la Paix n'a qu'une seule voie...

Là où elle appelle à sa lumière, il faut lui répondre.

"Glissons nous dans le cœur d'un arbre, dit-elle encore ou prions un arbre, peu importe, mais surtout surtout soyons cœur et soyons prière."

Alors, dans le ventre des rochers aux couleurs de soleil, il y eut trois rires pour le bonheur et l'espoir partagés.

# CHAPITRE V

# Flavius

Lorsque en cette fin de journée nous arrivâmes au bout du chemin qui menait à nos abris, l'atmosphère était au silence. Le ciel avait déjà déployé ses voiles dorés et nous nous laissions attirer par ses rares trouées dans la voûte sombre et touffue de la forêt. Bientôt, ce que nous appelions entre nous "notre bethsaïd" apparut à l'extrémité haute du rocher qui dominait la rivière.

Autour de ses murs de pierre régnait habituellement l'effervescence de nos frères qui répondaient aux besoins de la communauté et des malades.

Cette fois, pourtant, tout paraissait dormir. Une grosse cruche de terre gisait sur le côté et des outils traînaient çà et là. Seuls les braiments de l'âne de Myriam qui nous avait aperçus du fond de son étable disaient que la vie ne s'était pas totalement retirée des lieux.

Après les instants d'émotion de la bourgade, nous nous étions préparés à tout entendre et à tout voir tant il était clair que notre présence finissait par déranger où que nous soyions. Nous étions prêts à accepter beaucoup de choses pourtant un grand froid parcourut nos corps lorsqu'en poussant la lourde porte du bethsaïd nous ne découvrîmes qu'une rangée de couches vides et de couvertures abandonnées.

Notre premier réflexe fut de faire quelques pas dans la pièce au toit de pierre et de bois. Une forte odeur d'huile et d'herbe y flottait encore et les fenêtres y étaient toujours obturées par de grosses pièces de toile. Myriam ne disait rien. Pas le moindre pli sur son front, pas un éclair de douleur au fond de ses yeux entre ces quatre murs privés de leur raison d'être. Rien en elle qui exprimât la révolte face à cet abandon qui semblait nier des années de travail et d'espoir.

Je la vis simplement s'asseoir sur un banc de bois puis me sourire avec des yeux qui voyaient loin.

"Ce n'est pas nous qui avons posé un peu de baume sur les plaies ici, Simon. Nous avons juste dressé un toit quant au reste, quand le reste est l'Essentiel, nous devons le respecter et nous taire.

Je ne veux pas me résigner mais seulement comprendre car il y a une volonté en moi qui sonnera toujours plus fort que ce vent qui veut fermer les portes !

Ce que nous voyons là n'est rien, mon frère, pas une impasse ni même un détour !... Et si c'était un raccourci pour que nos pas trouvent avec plus de justesse les traces dans lesquelles ils doivent se poser ? As-tu la force de regarder cette pièce vide de cette façon ?

322

Vois-tu, dès que le vouloir de l'homme se substitue à la volonté du Sans-Nom, il y a comme un abcès qui se forme en son âme. Dis-moi que chez nous, nous ne verrons jamais cela !"

Je n'eus pas le temps de répondre à Myriam ; la porte grinça et un groupe de silhouettes apparut dans son entrebâillement. C'était quatre ou cinq soldats romains qui casques sous le bras, semblaient aussi surpris que nous.

Profitant de ce bref instant d'étonnement, je crus bon de prendre la parole.

"Où sont nos compagnons ? dis-je. Pouvez-vous nous mener près de vos chefs ?"

Mon assurance était feinte mais je sentais qu'elle nous donnerait l'avantage de ne paraître ni craintifs ni soumis. Après toutes ces années passées sur les routes, je ne voulais plus avoir l'échine de ceux qui acceptent implicitement d'endosser quelque faute à perpétuité. Et d'ailleurs quelle était notre faute ? Parler d'amour et de liberté ? Non... je voulais regarder les Romains en face et le leur faire comprendre, ne plus détourner mes pas du bruit des leurs !

"Qui êtes-vous ?" questionna l'un des soldats, de façon abrupte.

"Qui êtes-vous ?" Comment répondre à une telle interrogation ?

Devant notre mutisme, les hommes nous prièrent de sortir par un éloquent geste de la main.

Et sans ajouter quoi que ce soit, le petit groupe nous emboita le pas sur l'étroit sentier qui descendait le long du rocher jusqu'à nos abris. Là, au détour de ces courbes échelonnées le long de ces marches de bois, apparurent les premières silhouettes en armes. Puis ce fut un ensemble de boucliers bien en ordre qui attendait contre un taillis. Enfin nous passâmes sous les premières constructions de bois élevées contre le rocher en surplomb du chemin et de la rivière. Dès lors, tout changea : la légèreté de l'air devenait quelque chose de soudainement poisseux. Une bonne trentaine de soldats romains se trouvait là sur trois rangées, face à deux hommes qui discouraient en long manteau brun. Nous étions à l'entrée d'un grand abri où le feu crépitait toujours tandis que tout là-bas dans le fond, quelques taches de couleur surgissaient de la pénombre. C'étaient nos compagnons. On les avait assemblés et, désœuvrés, ils paraissaient attendre quelque chose. En nous voyant arriver ils se dressèrent comme un seul homme et approchèrent du brasier. Sous un des longs manteaux bruns, je reconnus l'un des notables romains déjà présent au village quelques jours auparavant. Nos regards s'accrochèrent l'un à l'autre et je crois bien que j'eus la force de sourire.

Elric était là dans un coin. Avec une longue perche à demi-carbonisée, c'était lui qui entretenait le feu au-dessus duquel, au plafond de la grotte, on avait suspendu un énorme chaudron.

En dépit de la présence des soldats, il se précipita à nos côtés tandis que quelques femmes se jetaient dans les bras de Myriam.

"Cela fait deux jours qu'ils sont ici, me dit Elric, à la hâte. Ils ont renvoyé les malades chez eux et ne cessent de nous interroger sur vous...

Du plat du glaive, un légionnaire ne le laissa pas poursuivre plus longtemps en le renvoyant près de son feu. Mais déjà, les hommes au manteau brun étaient face à nous avec leur cuirasse bien lustrée et leur visage de marbre.

"Ne feignez pas de ne pas savoir, fit le plus jeune d'entre eux, c'est vous que nous cherchons. Où étiez-vous tout ce temps ?"

"Nous aimons la forêt, rétorqua Myriam, il y a finalement moins de ronces que dans les villages..."

L'homme eut un haussement d'épaules puis nous tourna brutalement le dos pour donner des ordres inaudibles.

Dans la foule de nos compagnons monta alors un début de clameur vite étouffée. J'en compris la raison lorsque je sentis la pointe d'une lance que l'on appliquait au creux de mes reins.

Je me tournai vers Myriam, elle aussi venait d'être immobilisée de la sorte.

Dès lors, tout se passa très vite ; impossible même d'adresser le moindre signe à nos compagnons qui restaient là crispés sous le rocher. On nous fit faire demi-tour et on nous poussa en direction du grand abri, en partie éboulé, où Myriam avait pris l'habitude de laisser sa natte sur un peu de paille.

Deux soldats nous précédaient sur le petit sentier bordé de huttes. Chacun d'entre eux agitait en l'air un gros flambeau afin de faire fuir les nuées de chauves-souris qui frôlaient les rochers et nos têtes.

Enfin nous ne tardâmes pas à comprendre où l'on comptait nous mener exactement. A l'entrée de la cavité il y avait une série d'anneaux creusés à même la muraille. Nous y attachions les animaux de passage. Aucune illusion à se faire, cette fois, ils nous étaient destinés.

"C'est étrange, dit ma sœur de Magdala alors que déjà on lui nouait les poignets à la roche, j'ai vécu cent fois cet instant dans le silence de mes nuits et cent fois je me suis demandée si je saurais aimer le regard de l'homme qui m'attacherait. Ce soir je suis heureuse, Simon, car maintenant, quoi qu'il arrive, je sais que je le peux."

Une fois leur besogne achevée, les soldats nous laissèrent seuls en présence de deux officiers. Ceux-ci cherchaient une contenance en arpentant le sentier qui filait devant le rocher.

L'un deux s'arrêta finalement face à moi.

"Il ne se passe pas une semaine sans que nous recevions une missive de Rome nous signalant des individus comme vous ! Que cherchez-vous au juste ? La paix règne ici... Cela fait bien longtemps que nous avons calmé tous ceux qui s'entretuaient. Est-ce cela que vous nous reprochez ? De quelque côté que nous nous tournions nous n'entendons plus parler que de ce Jeshua dont vous rebattez les oreilles à tous. Que veut-il que vous fassiez, celui-là ? C'est bien pour lui que vous êtes là, non ?"

Je pris longuement ma respiration avant de lui répondre. Il fallait que je le trouve, ce juste sourire à placer sur mes lèvres, un sourire sans ironie, sans agression voilée ni grimace déguisée. Il vint lentement, je le sentis d'abord éclore dans ma poitrine quand mon regard rencontra les rides figées sur le visage du Romain, puis se glisser jusqu'aux coins de ma bouche.

"Si je puis te parler en toute franchise, ce n'est pas pour lui que nous sommes là... c'est pour ce qu'il représente... c'est aussi pour toi ainsi que pour tous ceux que nous croisons. Tu parles de paix et à travers lui nous ne voulons, nous aussi, parler que de paix. Peux-tu me dire alors pourquoi nous sommes attachés à ce rocher ? Y aurait-il deux paix ?"

326

"Cesse de jouer sur les mots. J'en sais beaucoup plus long sur ton Maître que tu ne le crois et la seule chose que je vois, c'est que son nom seul suffit aujourd'hui à troubler l'ordre que je représente et cela je ne puis le tolérer. Soignez, cueillez toutes les plantes que vous voudrez mais tenez-vous en là. Il n'est plus question que son nom et toutes les histoires dont vous l'alimentez continuent à courir la contrée !"

"Ton ordre parle seulement de trêve, mon frère, interrompit Myriam et nous voulons te parler de paix..."

L'homme racla sa gorge comme s'il était soudainement troublé puis reprit d'une voix pâle :

"Tais-toi donc, pourquoi m'appelles-tu ton frère ? Je sais que c'est toi qui mènes tout ici !"

"Laisse, tu perds ton temps, demain nous les dirigerons vers Rome et tout sera terminé..."

Le second officier s'était approché et venait de poser la main sur l'épaule de son compagnon.

Pas un instant durant toute la conversation, il n'avait dirigé son regard vers nous. Maintenant, il haussait les épaules, ajustait son manteau et tournait déjà les talons vers le gros de son détachement.

"Pourquoi m'appelles-tu ton frère ?" reprit l'autre qui persistait. Et dans ses yeux qui voyageaient de la paix de Myriam au sourire de Simon, on pouvait lire une lueur étrange, troublant mélange d'interrogation, de peine et d'espoir;

Qu'attendait-il de nous cet homme jeune encore mais au cheveu grisonnant, ce porte-parole d'une puissance qui avait paru toujours tout savoir et toujours réussi à se poster là où il semblait que la terre appelait nos pas ?

"Pourquoi l'appelles-tu ton frère aussi, celui dont tu parles sans cesse, ce Kristos, ce Jeshua ? Je t'ai entendue tantôt au village près de l'embarcadère."

"Mon frère, dit Myriam avec un incroyable amour dans la voix, mon frère, ne comprends-tu pas que tant et tant de choses sont semblables entre lui et toi, entre toi et moi.

Ne vois-tu pas ce qui nous unit ? Ton soleil est-il différent du mien ? Es-tu même certain que nos yeux qui le contemplent soient si différents les uns des autres ?

"Je ne vois pas où veut en venir ta philosophie..."

"Elle veut en venir au fait que celui que tu crois notre Maître est aussi une parcelle de ton soleil, une parcelle de ton regard et de ce qui s'interroge en toi.

Ne lui donne pas ce nom de Jeshua qu'il a emprunté à notre langue si celui-ci te blesse. Il ne demande pas à être appelé par des mots, ni honoré. Il n'y a que le dieu des enfants pour vouloir être obéi et servi ! Ne me dis pas que c'est le tien !"

"Voilà ce que je voulais entendre ! s'écria le Romain. Ainsi tu prétends bien que ton maître est un dieu..."

"Il est ce qu'il y a de divin en toi comme en nous, dis-je. Il est ce principe de vie qui fait que tu nous poses ces questions. Il n'est ni un dieu, ni Dieu. Il est fils d'Homme pénétré par tout ce que la vie exprime de plus divin. Il est enfin ce que nous allons tous devenir. Et c'est cela qui trouble tant, nous l'avouons, car l'annonce d'un tel espoir ébranle toutes les murailles."

Le Romain baissa les yeux et rabattit son manteau sur ses épaules puis lentement, en redressant le torse, il alla s'accouder à la balustrade de gros bois qui surplombait l'eau.

"Si c'est cela que nous reproche Rome, ajouta Myriam, alors oui, nous sommes coupables et après nous il y en aura toujours pour l'être. Et si c'est cela que toi personnellement tu crains, demande-toi pourquoi. Pourquoi peut-on refuser de se regarder dans une eau claire ?

Si enfin ce sont des terres que veut préserver ton empereur, il ne nous trouvera jamais sur son chemin. L'histoire des peuples sait ce qu'elle a à faire. Seule la glaise dont sont faits les hommes nous préoccupe, mon frère..."

Comme Myriam prononçait ces paroles avec une infinie douceur, le centurion, un poing crispé dans les cheveux se retourna brutalement, le visage blême et se dirigea d'un pas rapide vers quelqu'endroit de l'abri que nous ne pouvions distinguer.

L'instant d'après, il était face à nous un coutelas dans la main.

"Tourne-toi, dit-il à Myriam en glissant rapidement la lame entre ses poignets et le rocher.

Quelque chose venait de basculer dans l'atmosphère de cette fin d'été. Lorsque à mon tour je sentis le froid du métal trancher mes liens d'un coup sec, ce fut une bourrasque de paix dans le ciel de mon âme, l'image d'un vieux rempart de plus qui se lézardait et tombait en poussière.

"Maintenant, enseignez-moi", bredouilla le soldat. Et sa prière ressemblait à un ordre ; elle avait toute la force impérative de ceux qui n'en peuvent plus d'avoir soif et qui grattent la terre pour trouver un peu d'eau.

Sous l'un des gros éboulis de la cavité, il y avait toujours une place où l'on pouvait s'asseoir. C'est là que nous nous installâmes, derrière un mur de torchis qui nous abriterait des regards.

L'homme s'appelait Flavius et lorsqu'il nous donna son nom, il le fit avec une telle humilité que nous comprîmes bien que c'était en vérité un don. D'abord il n'osa pas nous regarder. Il posait ses questions en fixant un point droit devant lui et en ne cessant de s'enrouler nerveusement dans les plis de son manteau.

"Parlez-moi de celui que vous appelez le Kristos. Est-ce vrai ce que l'on raconte de sa vie ?... Mais peut-être ne l'avez-vous pas connu... ?"

Flavius était une inquiétude vivante. Derrière son masque d'officier des armées romaines, il se rongeait de questions car il ne savait plus où le conduisait sa vie. Il avait parcouru de si longues routes sur des terres si différentes, observé tant de visages et de cultures étranges... et voilà que brutalement, partout où il allait, le même nom venait résonner à ses oreilles ; voilà qu'il ne pouvait plus simplement observer les autres et l'image qu'il proposait de lui-même. Telle était sa confession.

"Pourquoi faut-il que soudain, dans cette contrée perdue de Kal, il y ait je ne sais quelle force qui m'oblige à m'observer, moi, en dedans ?"

Nous lui parlâmes une bonne partie de la nuit après qu'il eût convaincu sèchement les gardes et son compagnon abasourdi de ne pas le déranger.

D'abord, il voulut tout savoir, dévorer tout ce que nos cœurs croyaient bon pouvoir lui distiller. Mais ce qui le tenaillait par dessus tout, c'était la mort, ce vide glacé au bord duquel il avait si souvent marché.

Et la mort, telle que nous l'avait enseignée le Maître, c'était comme la pierre d'achoppement ou au contraire la véritable pierre angulaire de toute âme qui avance et échafaude son édifice. La compréhension de son mystère c'était la clé qui ouvre le tiroir aux souvenirs et le portail des horizons.

"Parler de la mort, nous avait-il appris à transmettre, c'est avant tout parler de la vie. Lorsque vous dénouez son nœud, vous commencez à détendre les crispations du masque auquel tout homme s'identifie ; vous apprenez à plonger au fond d'un lac et à en revenir avec l'extraordinaire sensation d'y avoir trouvé vos empreintes."

Ainsi que tant d'âmes en vagabondage sur cette terre, Flavius le centurion avait besoin de cette certitude de l'infinité de la vie pour commencer à prendre sa place parmi ceux qui n'assistent plus simplement à leur existence mais décident de la bâtir pour un peu plus de paix, un peu plus d'amour.

"Et le Kristos, questionnait-il de mille façons en prenant sa tête entre ses mains, qu'avait-il fait de la mort, lui ?"

"Le Kristos, répondait Myriam de mille autres façons, nous ignorons toujours combien de fois il a accepté de mourir, de revenir, puis de mourir encore avant d'être le Kristos.

Le soleil s'est construit, mon frère, il n'est pas soleil par la seule décision de l'Eternel... et c'est cela qui fait qu'il est le soleil... il s'est souvenu de son nom en apprenant à aimer. Si le Kristos qui loge dans le cœur du Maître a su nous parler et projeter ses rayons jusqu'ici, si ton âme en est troublée cette nuit c'est parce que ses paroles viennent du fond des âges. C'est parce qu'elles viennent d'un temps et d'une route qu'il a parcourus avant nous.

Peu importe de quel côté du lac nous nous trouvons, dans les vents qui balaient sa surface ou dans ses profondeurs silencieuses. Tout cela ne fait qu'un. Il faut seulement accepter d'être oiseau ou poisson selon l'appel de la vie en notre âme.

Ecoute-moi bien maintenant, car entre l'air et l'eau aucun ne l'emporte. Il peut assister à l'infinité de ses morts et de ses naissances sans avoir rien vu, celui qui n'accepte pas de mourir à lui-même.

Aujourd'hui, mon frère Flavius, est un jour où tu as accepté de décrocher ta cuirasse pour regarder ton cœur entre tes mains. Puisse-t-il y avoir pour toi beaucoup de jours semblables afin que tu L'entendes..."

Le soldat se leva lentement, contourna le mur de torchis qui nous abritait puis alla s'accouder à nouveau à la balustrade de bois qui dominait la rivière. Il resta seul ainsi un long moment dans l'obscurité puis revint vers nous en brandissant le flambeau qu'un garde avait planté dans le trou d'un rocher.

"Regardez-moi bien, chuchota-t-il, je ne sais pas où César dirigera ma vie, mais ce n'est plus tout à fait à Flavius qu'il s'adressera. Je vous prie de pardonner..."

Et l'homme s'arrêta là ; incapable de prononcer un mot de plus, il tourna les talons dans une sorte de fuite.

"Attends, dis-je, en me précipitant vers lui, attends, sois bien certain que nous n'avons rien à te pardonner ni à toi ni à tes armées.

Je veux te dire, mon frère, que c'est chacun de nous qui doit se réconcilier avec lui-même. Les légions de Rome dont tu sembles porter le poids cette nuit sont en vérité dans le cœur de tout homme.

Ne vois pas dans cette comparaison une belle image de la voix de lait chère à notre peuple. Les légions de Rome, ce sont les écailles de ma petitesse que je combattrai comme toi... sans me tromper de cible."

Flavius esquissa un signe de tête puis avec un air gêné s'enfonça finalement dans l'obscurité du sentier. Que dire de plus de cette nuit sinon qu'elle ne parvint pas à engourdir nos corps. Le regard troublé de Flavius et le ton faussement impératif de sa voix n'en finissaient pas de nous tenir leur discours...

Au petit matin, la brume qui montait de la rivière me saisit grelottant, dans son voile de coton. Dans le ciel blanc de grands oiseaux invisibles lançaient leur cri au dessus de ma tête. Myriam qui s'était retirée au fond de son abri en surgit quelques instants pour humer la fraîcheur de l'air puis s'y enfonça à nouveau afin de prier le Sans-Nom.

Je fis quelques pas dans un demi-rêve sur le sentier bordé de huttes. Quelque part en haut du rocher, des hommes commençaient à hurler des ordres et des bruits de métaux qui claquent leur répondaient.

Je n'osai y croire, les Romains partaient.

Dans le grand abri, je trouvai nos compagnons entassés les uns sur les autres, héberlués de ne plus apercevoir un casque ou une lance. Ce fut une explosion de joie. Elric et tous ceux qui travaillaient en silence depuis des mois, parfois des années, ne trouvaient pas les mots pour traduire leur peur changée en bonheur.

Ainsi les malades pouvaient affluer à nouveau, ainsi chacun dans la contrée, qui sur sa barque, qui au fond de ses bois, pouvait écouter en toute quiétude les récits et les paroles de "ceux du rocher".

Les semaines se succédèrent dans l'enthousiasme d'un souffle nouveau et nous menèrent jusqu'au temps des dernières figues. Il y avait sur le flanc de la colline voisine tout un verger sauvage où nous allions les cueillir afin de les mettre à sécher pour l'hiver. Le ciel déjà se chargeait des lourdes senteurs de l'automne, parfums des broussailles que l'on brûle et de la terre qui exhale sa moiteur.

Myriam paraissait de plus en plus rarement. Elle ne se montrait plus guère dans les champs et les vergers que pour parler au peuple sans cesse plus nombreux qui affluait de toute la région. Quand chacun était assis parmi les blés coupés et les souches vermoulues, on voyait toujours sa silhouette se lever enroulée dans un grand voile couleur bleu de la nuit.

Comme le Maître autrefois, elle évoquait alors les histoires simples de chacun, le vol d'une brebis et la mort des parents ou encore la bonne récolte dont on se souvient et qui entretient les espoirs. Elle y mêlait Sa présence et Ses paroles-clefs qui revenaient comme des litanies dans lesquelles chacun trouvait charpente pour sa demeure.

Quand sa silhouette fine surgit de mes souvenirs, tout me dit qu'à chaque geste accompli, le Kristos la revêtait de sa lumière. Elle ne levait plus une main sans que celle-ci ne soit le juste dessin de ce que son âme chantait. Myriam avait ainsi acquis cette transparence qui faisait songer à la mère du Maître lors des derniers temps où nos chemins s'étaient croisés. Mais à mesure que l'automne roussissait le sommet des collines, de pénibles rumeurs commencèrent à circuler dans les vallées, colportées par les vents insaisissables des raisonnements humains.

Elles vinrent nous griffer un jour qu'avec Myriam et deux femmes de la communauté nous nous déplacions dans un hameau afin de prodiguer quelque soin. C'est l'attitude d'un groupe d'enfants qui nous avait d'abord surpris. En nous voyant apparaître à l'orée du bois, non loin des premières habitations, ils avaient soudain ramassé des branchages sur le sol et s'étaient mis à les claquer les uns contre les autres tout en se sauvant. Pour les âmes simples de ces petites vallées, ce geste était celui que l'on accomplissait face à quiconque était pris par la folie. Il servait à conjurer la malédiction que le déséquilibré était censé traîner derrière lui.

Mais là, c'étaient des enfants et nous ne pouvions que rire de leurs jeux...

Les choses prirent pourtant un autre visage lorsque après avoir attaché notre âne au mur de la première masure, nous vîmes que toutes les habitations étaient hermétiquement closes. Le désordre qui régnait devant elles, les poules qui couraient encore et les cheminées qui fumaient suffisaient à rendre la situation éloquente. Il fallait se rendre à l'évidence, les portes venaient de se fermer devant nous. Comme pour s'en assurer une dernière fois, Myriam frappa à la première d'entre elles, sans autre succès que le fait de déclencher l'aboiement furieux d'un chien. Il était clair que rien n'aurait servi d'insister. Jamais nous n'avions voulu forcer les consciences et nous n'avions pas non plus à nous justifier. Nous rebroussâmes donc chemin.

Tout aurait pu s'arrêter là mais il est des choses auxquelles l'âme humaine se complait avec aisance. Celles-là nous blessèrent le cœur.

"La femme blanche de Migdel est folle, gardez-vous en !" Tel est le bruit qui monta jusqu'à notre rocher et qui commença à roder sournoisement de hutte en hutte. Il y en avait bien sûr pour hausser les épaules et continuer à nous ouvrir leur cœur mais la rumeur prit des proportions si importantes que nous mîmes longtemps à les soupçonner telles. Myriam ne dit rien. Elle avait vu tant de dards empoisonnés traverser l'esprit des hommes depuis le jour où elle avait pris les pieds du Maître entre ses mains que celui-là, aux yeux de beaucoup, paraissait n'être qu'un de plus... un qui, pas davantage que les autres ne pouvait l'atteindre.

Et stupidement, il y en eut parmi nous pour se plaindre du tort que tout cela causait au bethsaïd. Gémissements de tous ceux qui, au fil des temps, se laissent toujours prendre au piège de ce qu'ils donnent, en en faisant leur possession. Gémissement de ceux qui, héritiers d'une Grande Lumière, la gaspillent en rétrécissant le monde jusqu'à leur propre coquille.

Alors, l'hiver nous amena son givre et ses soleils pourpres, ses rouges-gorges qui s'assemblaient à l'entrée de nos abris dès le petit matin.

Myriam ne disait toujours rien de ces mêmes paroles qui continuaient à monter des vallées avec une constance lancinante. Vêtue du même sourire, enveloppée dans son manteau bleu de nuit, elle passait des jours entiers penchée sur les lits de paille des malades.

Un jour pourtant, elle se tourna vers Elric et moi-même alors que nous partagions des galettes et un peu d'une soupe épaisse dans le fond de son abri.

"Bientôt, il faudra que je parte. Dès que les bourgeons éclateront, je sais que ce rocher et ses habitants vivront bien sans ma présence. Je pèse trop sur ce sol... peut-être mes mots frappent-ils trop fort à la porte de certaines âmes..."

Myriam de Magdala n'ajouta rien d'autre et je perçus alors dans ses yeux l'éclair de souffrance qu'elle avait su taire pendant des mois.

Le cœur qui a compris, l'être dont l'âme s'est rendue muette pour laisser parler l'Esprit de toute chose est à jamais une épine dans le talon de la foule des hommes. Il dérange par le feu de sa certitude et sa folie est certaine aux oreilles de ceux qui pensent "bien".

Myriam était de ces êtres pour qui le monde où nous vivons se bâtit à chaque seconde, fruit de l'amour ou des étroitesses conjuguées de ceux qui y vivent. Il était une proposition de l'Eternel remise entre notre volonté et notre capacité d'aimer.

Dès lors il fallait semer, semer des rayons de soleil pour que celui-ci prenne racine et que la sève de la terre monte, monte...

Au cours des semaines suivantes nous convînmes que la communauté de la "roche-fontaine" était désormais assez forte pour pouvoir être remise sans crainte entre les mains de plusieurs personnes dévouées au bethsaïd. N'y a-t-il pas toujours une heure juste pour quitter un nid ? Enfin nous décidâmes d'un commun accord que trois femmes, Elric et moi-même accompagnerions Myriam là où elle se sentait appelée. Cela se ferait paisiblement tout comme nous étions arrivés là. Il fallait simplement apprendre à se gommer pour que la force de Vie continue son œuvre. Myriam n'omit pas non plus de rappeler ce vœu d'itinérance que nous avions fait en posant le pied sur la terre de Kal. Ses rives ensoleillées et ses marécages où les roseaux se courbaient sous le vent étaient désormais loin derrière nous mais ce qui nous avait poussés jusque là n'appartenait pas au monde des souvenirs. Pour les vingt-deux qui s'étaient promis un jour l'infatigabilité, la sécurité des corps valait certes moins qu'un vœu.

"Le voyage, Simon, rappelle-toi, c'est le creuset dans lequel le Maître nous a fait prendre forme. C'est sur les cailloux des chemins et des déserts que notre âme a roulé plus encore que la plante de nos pieds.

Chaque arpent de terre que nous foulions était imprégné de nos pensées, de notre amour en gestation. A chaque homme que nous croisions, c'était une écaille de notre égoisme qui tombait.

Aujourd'hui, notre voyage, c'est... tu sais bien ce que c'est. Je ne veux pas en faire de pauvre peinture parce que dans nos poitrines, Il est peut-être encore plus présent qu'autrefois. Aujourd'hui si nous voulions nous taire en restant accrochés aux contours d'un champ ou à la douceur d'un toit, nous ne pourrions plus le faire... ne le crois-tu pas ?"

Bien sûr je le croyais, ma sœur Myriam et non seulement je le croyais mais je voyais bien que dans cette partie de nous-mêmes que nous regardons si peu il y avait comme un flambeau qui grandissait, grandissait...

# CHAPITRE VI

# Des lumières sous la neige

Les sous-bois n'étaient qu'un tapis de fleurs violettes lorsque nous laissâmes le bethsaïd de la roche-fontaine pour d'autres horizons.

Myriam de Magdala avait senti un appel vers les terres du Sud. Il y avait là-bas, disait-on, une montagne plus haute et plus blanche que toutes celles que nous connaissions ; c'étaient des monts sauvages vers lesquels ceux de l'ancien pays d'Atl avaient aussi pris refuge.

Nous ne comptions pas les journées.. D'ailleurs sous les grands conifères et dans le dédale des troncs abattus couverts de mousse, le soleil apparaissait parfois bien peu. Nous étions six à avancer d'un bon pas et nos discussions entrecoupées de prières silencieuses rythmaient avant tout notre temps. Il semblait que les forêts n'en finiraient jamais et que la Terre de Kal était plus étendue encore que nous ne l'avions imaginé. Et là où la forêt cessait brutalement, se déroulaient de longues bandes d'herbe folles qui s'enfonçaient elles-mêmes sous d'autres arbres, sous d'autres voûtes secrètes. Il y avait certes un gros chemin caillouteux et aux invraisemblables ornières qui nous guidait tant bien que mal mais il s'évanouissait parfois entre les colonnes écailleuses des troncs. De temps à autre c'était un cavalier au petit trot qui nous remettait sur la piste ou encore des troupes d'hommes, l'air obscur, qui, comme nous, marchaient mais avec de grands sacs attachés en travers des épaules. Nous ne comprenions pas leur langue et nous évitions leur compagnie autant que cela se pouvait tant la présence des femmes de notre groupe les rendait goguenards.

A leur vue, nous préférions celle des troupeaux de chevaux sauvages aux poils abondants et à la crinière drue qui traversaient les vallons dans des galops effrénés. Un jour, les terres devinrent plus clairsemées et les troncs moins imposants. Le roc vint à abandonner sa couleur d'or pour des nuances plus pastel et mille essences chargées de fleurs, corolles déployées couvrirent des coteaux entiers. Les villages alors, devinrent moins rares. Ce n'étaient plus des huttes de pierre et de torchis que nous découvrions mais des masures de briques de terre séchées au soleil. Et plus nous avancions dans cette contrée nouvelle plus les masures étaient nombreuses, bâties avec rectitude, et les briques régulières. Dans les grosses bourgades que traversait notre route, le peuple de Kal paraissait avoir fait cause commune avec celui de Rome. Dans leurs ruelles grouillantes d'un monde bigarré, tout baignait dans une gaieté et une richesse évidentes. Des hommes à la peau cuivrée et à la langue étrange s'y étaient installés un peu partout. On les voyait gesticuler devant de minuscules échoppes bourrées de tissus et de métaux, l'œil sans cesse aux aguets. Sur des tables de fortune dressées çà et là dans les recoins des placettes, un petit vin aigre d'un rouge chatoyant coulait à flot. Les hommes s'emportaient vite autour des amphores cependant que les femmes en longues robes de coton drapé se déplaçaient en tous sens, des paniers de légumes sur la tête.

Tout le peuple d'une grande vallée noyée dans une brume moite se révéla ainsi. Non loin d'un majestueux cours d'eau survolé par des myriades d'oiseaux, apparurent enfin les contours massifs d'une forteresse romaine. Mi-pierre, mi-bois, elle paraissait dormir à la sortie d'un énorme bourg semblable à un marché. Quelques soldats traînaient alentour, l'air désœuvré, conversant avec des silhouettes en toge dans un désordre de lourdes charrettes attelées à des bœufs.

A quelque distance, un impressionnant pont de bois mal écorcé se jetait en travers du fleuve. Malgré l'ambiance nonchalante du lieu et de ses habitants, son accès était gardé par des sentinelles en armes, aussi rigides que des statues.

C'est face à l'une d'elles que nous prîmes conscience que la bonhomie et la richesse de l'endroit cachaient peut-être autre chose de plus profond, quelque chose qui là, comme ailleurs, couvait.

"Où allez-vous ?" questionna sèchement le soldat dont le casque un peu trop grand obscurcissait le regard.

Sa lance nous barrait le chemin et derrière lui, adossés à la rambarde, quelques hommes chevelus vêtus de courtes tuniques de peau ajustées avec des lanières nous dévisageaient d'un œil curieux et moqueur.

L'interrogation brutale nous décontenança un peu. Nous ne nous y étions pas préparés après tant de journées de paix passées à travers vallons et forêts. Où allions-nous d'ailleurs ? Nous étions bien en peine de le dire précisément. Nous savions seulement qu'il y avait des montagnes tout là-bas et que lorsque le ciel se dégageait on apercevait déjà leur masse bleue émergeant de la terre.

"Nous allons là-bas, tout droit", dis-je en tendant le bras, dans une langue approximative dont je ne savais plus au juste de quelle contrée elle était. Le soldat esquissa un sourire en coin et se montra particulièrement attiré par nos pieds nus qui portaient toutes les marques d'une longue route. Un autre soldat plus âgé que le premier fit alors son apparition derrière nous, le casque sous le bras et les sourcils froncés. Les deux hommes échangèrent quelques mots dans leur dialecte puis celui qui venait d'arriver se tourna enfin vers nous :

"Des hommes comme toi sont déjà venus par ces collines il y a quelques lunes, fit-il d'une voix bourrue en s'adressant à moi. Je te le dis afin que vous passiez votre chemin. Ils n'ont rien apporté de bon ici si ce n'est des motifs de querelles hostiles à Rome. Je ne vous conseille pas de les rejoindre avec leurs idées folles... Tôt ou tard on se battra !"

Sur ces mots, l'homme se poussa de côté en redressant le menton. Nous franchîmes alors le pont sans rien ajouter, intrigués mais le coeur chaud, comme si une autre vie nous était promise de l'autre côté de l'eau.

En fait de vie, c'était plutôt son contraire qui nous attendait sur la berge opposée.

Après les roseaux il y avait un tumulus que contournait la voie. Ce sont alors de gros oiseaux hurleurs qui nous firent tourner la tête à main gauche en direction de quelques pins.

Là, à plusieurs pieds du sol étaient attachés à de solides pieux de bois les cadavres nus de deux hommes, les membres en croix et couverts d'échymoses. L'horreur nous fit détourner le regard. Depuis les chemins de Galilée, nous avions presque oublié ce sinistre spectacle qui guettait parfois le voyageur à la sortie des villes.

Le cœur soulevé, deux d'entre nous s'éloignèrent quelques instants de notre groupe tandis qu'Elric ne put contenir une violente imprécation contre les Romains.

"Crois-tu bien que ce soit Rome qui commette ces atrocités ? répliqua immédiatement Myriam. Ce que tu ne peux supporter dans la puissance romaine, mon frère, c'est le coin obscur de la conscience humaine dans sa glo balité... Et ce coin obscur qui sent la putréfaction, sache que toi aussi il se peut que tu l'aies encore dans ta conscience. Rome est un nom, Elric, rien qu'un nom. Cette manifestation basse de l'homme qui heurte tant notre cœur et notre esprit en portera sans doute bien d'autres. Le goût de l'atrocité et toutes les expressions nauséabondes de la personnalité sont une gangrène qui ronge l'âme de l'humanité. Ce sont des formes que les pensées des hommes créent dans un monde impalpable[1], ce sont des forces invi-

---

1- On dirait aujourd'hui des "formes-pensées" qui vont alimenter un égrégore, sorte de réservoir d'énergies subtiles du même type créé dans l'univers éthérique et qui influence quotidiennement le monde physique.

sibles qu'ils nourrissent par leurs petitesses successives et dont ils s'abreuvent à chaque fois que le goût du pouvoir leur monte aux lèvres.

Ne t'imagine pas que cette maladie est celle des rois ; le désir de puissance est solidement amarré dans le cœur des hommes et, reconnais-le, il prend les apparences les plus anodines ou les plus insidieuses.

Le Maître nous le disait souvent, à chaque fois qu'un être est supplicié sur cette terre, c'est nous tous qui avons contribué à sa mise à mort, c'est nous tous qui sommes complices. Cela vous heurte ? Mais c'est pourtant la somme de nos esprits mesquins ou endurcis qui génère la force qui, elle -même, alimentera le bras du bourreau.

Quand tu seras seul avec toi-même, rien ne servira cependant que tu te frappes la poitrine, Elric. Cette cité de lumière que tu veux bâtir avec tous tes frères, nul n'en dressera les plans à coups de regrets. Fais fleurir ce qu'il y a de plus beau en toi, alors ton œil d'amour absorbera ton œil de mort."

Deux journées de marche nous séparaient encore du pied des hautes cimes. Ce furent deux journées de soleil où nous nous amusions sans cesse à chercher du regard les rochers couverts de neige au dessus des pinèdes qui s'appropriaient toute la terre. Nous connaissions un bonheur profond à marcher ainsi. C'était un sentiment de plénitude qui nous faisait nous dire "que faut-il de plus ?".

Jamais mieux qu'en ces heures aussi, la présence de celle qui avait été mon épouse, ne se manifesta davantage à mes côtés. La joie redécouverte, retrouvée, rapproche toujours les mondes. Myriam était à nouveau l'enthousiasme qui me faisait m'exprimer et il me parut que si je m'étais trouvé seul en quelque lieu isolé de l'univers il n'aurait pu en être autrement.

Le sentiment de solitude est une disposition du cœur et celui qui trouve son centre est immédiatement habité par un amour apte à faire fondre toutes ces places vides entre les êtres.

La seule ombre faite à notre avance, c'était ces rencontres faites dans les hameaux où nous posions à terre notre sac afin de partager une soupe proposée ou un peu d'eau fraîchement tirée du puits. Elles nous amenaient toujours les mêmes bruits de révolte et la description de ceux qui en étaient le ferment faisait immanquablement jaillir dans nos esprits l'énergie des Frères nazarites.

Aux dires de certains, fort impressionnés par la passion qui se dégageait de ces hommes, un culte à celui qu'ils nommaient le Seigneur Jeshua avait déjà été célébré dans quelques villages côtiers.

En sondant ce que les cœurs de ces hommes simples avaient retenu, il apparaissait que c'était un culte qui se voulait exclusif. Jeshua devenait la Divinité incarnée parmi les hommes, Divinité depuis le commencement des Temps et qui sauverait les humains si ceux-ci l'honoraient et appliquaient ses préceptes. Face à ces récits, je me mis à songer au petit Joseph du village de mon enfance, puis au Frère de Lumière, au Soleil que j'avais vu, cloué sur un bois au sommet d'un mont caillouteux. Ni l'un ni l'autre ne pouvaient se reconnaître là dans ce pays de Kal où une poignée d'hommes en rétrécissaient la force d'Amour.

"Ils parlent de son Amour comme d'un amour à craindre ! m'écriai-je alors que nous avions repris la route. Ils parlent de l'Amour de Kristos comme d'un amour humain qui réclame son comptant d'honneurs et d'obéissance ! Le dieu qu'ils fabriquent sera le roi d'une religion de plus, un maître destiné à les sauver comme les petits enfants qu'ils continueront d'être. Je ne sais ce que les temps permettront, car la liberté est régente de ce monde mais jamais ma volonté ne s'assoupira tant que les horizons de sa vraie lumière ne seront pas dégagés.

Je ne crois pas que nous détenions la vérité, Myriam, ajoutai-je, pas plus qu'aucun homme ne la détient, mais les bribes de vérité que l'on a confiées à notre cœur, à notre mémoire, je ne veux pas qu'elles soient étouffées, comme tant d'autres peut-être l'ont déjà été !"

Le matin du cinquième jour après le passage du pont, les montagnes étaient partout présentes autour de nous, avec leurs pentes couvertes de sapins aux reflets de jade et leurs tapis de clochettes blanches. Pour nos compagnons, habitants des forêts et pour nous aussi dont les souvenirs n'étaient faits que de déserts et d'oliveraies c'était l'émerveillement total.

Contrairement à ce que nous avions imaginé et craint, la contrée s'annonçait très peuplée. Les hommes y étaient petits et sombres de peau. Pourtant, parmi eux il en apparaissait aussi à la crinière rousse, véritables colosses aux pommettes saillantes qui donnaient l'impression de surgir des temps lointains. C'était là dans le creuset de leurs vallées difficilement accessibles que Myriam de Magdala sentait l'appel d'un travail intense à accomplir.

Notre façon d'être, comme partout ailleurs, n'était pas de frapper aux portes et de clamer à tous "écoutez, voici, nous avons une extraordinaire nouvelle à vous annoncer." C'était d'observer les hommes, d'être simplement nous-mêmes en vivant avec eux, selon leurs coutumes. C'était enfin par les mille circonstances de la vie de donner l'occasion à la lumière qui nous gonflait le cœur de percer les barrières de notre peau pour réaliser son œuvre sereine.

Nul ne pénètre dans une conscience qui ne sent pas en elle un vide ou le gong puissant d'un appel.

Au creux d'une vallée couverte de grands et majestueux sapins nous découvrîmes une grosse bourgade autour de laquelle paraissait se concentrer l'essentiel de l'activité de ces montagnes[1].

De loin on en voyait déjà les imposantes habitations de pierres, de briques et de bois. Les Romains y tenaient de toute évidence garnison. Ils y entretenaient aussi avec la population un commerce important, à en juger par les occupations et les habits de la foule qui s'agitait dans ses rues. Tout était étonnamment propre et les maisons dont certaines comportaient plusieurs étages s'alignaient de façon régulière autour des placettes. Une rivière assez fougueuse traversait bruyamment son centre et, dispersés dans le chaos des gros rochers qui la bordaient, des groupes de femmes et d'enfants aux vêtements multicolores lavaient énergiquement du linge. Non loin de là, un élégant bâtiment, heureux mariage de brique et de pierre attirait le regard. Il semblait s'approprier une partie de l'eau qui coulait là en abondance en lançant, dans ses tourbillons, des murets et des arcades, puis des salles entières bordées de colonnades couvertes.

1— Il s'agit vraisemblablement de la ville actuelle de Rennes-les-Bains autrefois Rhedae

C'étaient des Thermes. Nous vîmes qu'on y accédait par de larges escaliers empruntés en permanence par un grand nombre d'hommes et de femmes. La plupart, qu'ils fussent ou non Romains, portaient la toge ou quelque robe habilement drapée.

Rapidement, nous eûmes tous le bonheur de trouver de quoi subvenir à nos besoins en aidant aux semailles dans une vallée voisine. Une grosse hutte adossée à une bergerie nous servit ainsi de toit pendant de longues semaines et nous n'en demandions guère plus pour nous préserver des nuits fraîches.

Le travail de la terre que l'on voulait bien nous confier était rude et il arrivait que la fatigue amenée par la nuit tombante suscitât quelques réflexions sur le sens de notre action en ces terres. La population se montrait hospitalière à notre sujet mais son regard demeurait sombre comme si la mémoire du corps que leur avait légué leurs ancêtres charriait un secret.

"La nature du sol qu'ils foulent pèse sur le dos de ces hommes, nous confia un jour Myriam. Je tiens cet enseignement de mon père, Joseph, qui l'a recueilli lui-même de la bouche de nos Frères d'Héliopolis. Ici les veines de la Terre ne ressemblent à nulle autre. Nous marchons presque dans les airs..."

Nous ôtions les pierres d'un petit champ à flanc de coteau lorsque Myriam laissa cette phrase en suspens. La plus jeune des femmes qui constituaient notre petit groupe, Lérina, fut la première à relever l'échine sous le coup d'une affirmation aussi singulière.

"La voûte de notre terre est presque aussi riche que la voûte de notre ciel, poursuivit Myriam. Il y a sous ces montagnes un roc si creux et si vaste que des milliers et des milliers d'entre nous y trouveraient suffisamment d'air et d'eau pour y vivre des années entières. Et c'est d'ailleurs ce qui fut fait... il y a bien longtemps alors que le naufrage du royaume d'Atl imposait sa nuit à toutes les étendues de notre monde. Je veux vous dire qu'un peuple entier vint se réfugier là, avec sa mémoire et sa connaissance des lois de l'ombre et de la lumière."

"Est-ce ce peuple que nous voyons ici ? demanda Lérina. Est-ce pour lui que tu nous a conduits jusqu'à ces montagnes ? Ou est-ce pour ces montagnes elles-mêmes ?"

"Tu ne peux les désunir. Tu ne peux séparer une mémoire du sol qui l'a reçue car c'est la terre, vois-tu, qui en toute vérité, appelle les âmes et les corps vers elle, et non l'inverse. Elle seule, avec le Père, sait bien ce dont la race des hommes a besoin.

A chaque nouveau jour de l'humanité, elle fait en sorte que certains se souviennent des anciens cieux par la grâce de quelques rochers tandis que d'autres se dispersent afin de défricher de nouvelles voies en leur esprit. L'humanité est un arbre, mes frères ; elle a des racines que l'on ne voit pas et des branches qui partent en tous sens... mais le tout est réuni par un tronc. C'est lui le pont, l'éternel médiateur, et sa sève, c'est l'Amour, la grande Sagesse qui n'oppose pas le Ciel et la Terre, le passé et l'avenir. C'est la grande Connaissance qui plonge sa force dans le roc et s'élance vers les étoiles.

Notre vie et celle de l'univers ne s'établissent pas jour après jour sur une infinie route droite. Elles ne connaissent que la courbe et cette courbe est une roue qui à son tour génère d'autres roues dont les rayons sont au nombre de huit, l'éternité. Ainsi, il en est dans ces montagnes qui sont des hommes et des femmes de la Roue. La Roue est le symbole et l'une des grandes lois de tous les peuples qui ont compris le pourquoi du ressac de la mer sur les rivages. Le ressac des âmes en ce monde est ordonné par la force de ce même mouvement. Toute la richesse de ceux qui ont compris cela consiste à se tenir le plus proche possible de l'axe de la roue, là où l'acte prend sa logique. L'âme qui est centrée en elle-même voit avec justesse tous les rayons de la roue qui mènent les hommes vers leur propre axe.

Ainsi, si la connaissance des méandres de ce que l'on appelle le passé ne conduit pas au cœur de la Roue, elle en facilite parfois l'accès, elle ouvre des portes.

Mais cette connaissance, mes frères, qu'elle soit du domaine de votre être plutôt que de celui de votre avoir. Je veux dire qu'elle doit davantage être stimulée par un contact direct avec certains lieux de ce monde que par l'engrangement d'un savoir extérieur à vous.

La plante de vos pieds de toute éternité sait lire, écrire et entendre, ne vous en êtes-vous jamais rendu compte ?

Laissez-la entamer son dialogue avec la terre qui s'exprime et chante ses vieilles mémoires. Croyez-vous que ce soit pour vous dire qu'il est des hommes de la Roue dans ces montagne et que le sol sur lequel nous marchons est aussi creux qu'une coquille évidée, que je vous aie menés jusqu'ici ?

Non, c'est pour qu'il y ait un mariage de plus entre l'histoire de votre chair et celle de ces rochers, c'est pour renouveler une promesse déjà faite à ces hommes que vous croisez chaque jour.

Regardez au fond de leur cœur, vous verrez qu'ils vous attendent. Non parce que c'est vous ou moi dont les noms ont en vérité bien peu d'importance mais parce que leur sol est fertile et qu'ils se souviennent que quelqu'un doit y replanter un flambeau."

Comme l'avait clairement formulé Myriam, notre installation sur les montagnes et les plateaux de cette contrée fut chose plus aisée que nous ne l'avions imaginé.

Non loin de la bourgade aux Thermes, il y avait un mamelon rocheux qui dominait un ensemble de vallées où la nature faisait se côtoyer les plus belles forêts et les arpents de cailloux les plus secs. C'était le siège d'une petite forteresse. Ses palissades de pieux acérés et les minuscules habitations de pierre qui s'y adossaient servaient de refuge à quelques familles de chasseurs. Malgré leurs mœurs rudes, ils nous accueillirent comme si nous avions toujours été des leurs. Ce n'étaient pas des hommes et des femmes sensibles à la force du Verbe mais plutôt à celle de l'acte. La notion du sacré était inscrite en eux par l'étroit contact qu'ils entretenaient avec les énergies muettes des forêts, des torrents et des cimes. Ainsi se passionnèrent-il pour l'élaboration et l'emploi des huiles que Myriam avait recommencé à enseigner. Une fois de plus, ce que notre langue ne parvenait pas à faire rayonner était véhiculé avec douceur par cette matière mi-ambre, mi-or que nous appliquions sur les corps.

A la fin du premier été de notre installation, il n'était pas rare de voir une foule de malades ou de curieux s'étirer sur le sentier de muletiers venant à l'intérieur de la palissade, là où on nous avait installé à la hâte un abri qui sentait bon la paille fraîche. Le nom de Kristos viendrait après, nous l'avions accepté.

"Il est parfois bon de taire un mot, un son, tant que l'on pressent que celui-ci fera peur ou simplement inquiétera, nous répétions nous l'un à l'autre. Il y a à montrer avant que de dire. C'est une des bases de toute sagesse."

Et Myriam ajoutait :

"Que celui que vous croisez ne vienne pas à se retourner vers vous en songeant "du poids de quels mots m'a-t-il chargé ?" mais plutôt "de quel fardeau son étrange lumière m'a-t-elle soulagé ?" Voilà la qualité de l'amour qui ne doit pas vous abandonner. Ce n'est pas à vous que vous devez faire plaisir en vidant votre cœur de son contenu. Si ce contenu en déborde au point que rien en vous ne puisse le retenir, ayez l'humilité de reconnaître que c'est parce que votre vase n'est pas encore assez grand.

Kristos ne nous a pas demandé de nous faire torrent pour raviner les vallons. Il attend de nous une simple eau vive. Acceptons cette simplicité. Depuis l'aube de nos jours, elle a toujours fini par trouver le mot juste à l'heure juste et l'acte pur qui se sait caresse. Il est des bâtisseurs qui détruisent, ce sont toujours ceux qui imposent leur vérité.

Aussi, mes amis, apprenons à ne parler du Kristos que lorsque les regards réclament le vrai soleil. Auparavant, ayons la sagesse de le rayonner en silence. Pour beaucoup cela suffit à nourrir amplement toute une vie.

Voyez-vous, je me remémore souvent une conversation que j'ai eue avec le Maître alors que nous étions seuls sur une barque au milieu du lac. C'était peu avant son départ pour Jérusalem. Comme je sentais venir du fond de notre cœur quelque raz de marée, je lui demandai, sans doute fiévreusement, qu'elle était notre mission.

"Mais aucun d'entre vous n'a de mission, Myriam ! m'a-t-il répondu. Laisse les missions aux âmes qui se prennent à leur propre jeu. Mon Père ne vous demande rien d'autre que de redevenir vous-mêmes et de laisser cette renaissance transparaître jusque dans les pores de votre peau. Rien d'autre en vérité. Je te l'affirme, il n'y a aucun étendard à brandir. Tout ce qui se veut mission est semblable à un fardeau pesant sur les écorces de l'âme.

Détourne tes regards de ce qui est extérieur à l'Etre. L'extérieur n'est pas l'ennemi, car il n'y a pas d'obstacle assez haut pour mériter un tel nom, mais il est un simple reflet alors que l'Essentiel attend chacun."

Vint le jour où les premiers flocons firent leur apparition au sommet de notre colline. Nos amis de derrière la palissade de bois avaient passé de longues heures à calfeutrer leurs habitations avec des bottes d'herbes et de feuilles séchées puis avaient tendu partout autant qu'il se pouvait de lourdes peaux d'animaux souvent mal tannées. Notre abri qui comportait maintenant deux pièces au plafond bas, avait aussi été arrangé de la sorte par leurs soins. Dehors, sur la petite place qui se couvrait peu à peu d'un tapis blanc, le troupeau de chèvres commun avait été regroupé sous un toit fait d'écorces d'arbres et de pierres plates. Le village s'apprêtait ainsi à entrer en sommeil et seule une épaisse fumée blanche qui s'élevait droit dans le ciel couvert de plomb témoignait d'une vie. La montagne imposait sa paix.

C'est le jour que choisit Myriam de Magdala pour nous entraîner loin sur un  sentier qui s'enfonçait profondément dans les sapins. Il me souvient que nous avions passé un long moment à entourer nos pieds et nos jambes d'épaisses bandelettes de peaux maintenues par des lanières de cuir. C'était une sensation si rare que ce contact avec la présence glacée et paisible de la neige. Nous nous y enfonçâmes sous la voûte sombre des grands conifères battus par le vent. Une poudre blanche et cristalline fouettait nos visages à demi-enfouis dans nos manteaux et nous avancions ainsi comme dans un sanctuaire. Seule Myriam, et peut-être Lérina, savait où nous allions.

L'air faussement secret qu'elle affectait et le monde nouveau que nous découvrions à ses côtés nous mettaient singulièrement en joie. Cependant il nous fallut plusieurs heures de marche avant d'atteindre la destination qu'elle projetait. C'était une minuscule clairière qui paraissait coupée du reste de l'univers et surtout de celui des hommes. Un doigt invisible l'avait dessinée au cœur des sapins hauts comme d'infranchissables remparts. La neige, par gros flocons s'y était déposée ainsi que dans un écrin et nul d'entre nous n'osait y poser le pied de peur d'y briser quelque enchantement.

"C'est là, murmura enfin Myriam en se retournant vers nous. C'est ici que mon cœur a vibré tantôt au rythme de nos frères de la nature. Ce sont des frères que l'on oublie trop souvent, savez-vous ? C'est en partie parce qu'ils m'assistent dans mon travail de chaque instant que j'ai pris bonheur à vous mener ici. Le Maître a su dégager des sables de mon âme la clé qui m'ouvre leur confiance. Mais ne prenez pas cet air surpris car vous savez ce qu'il en est ! A aucun d'entre nous il n'a délivré de mot secret pour que la matière ou sa force subtile se ploie à nos exigences. Il a seulement cherché à nous faire comprendre toute la lumière du mot Amour et c'est avec elle seule que j'ai fait quelques pas entre ces sapins pour la première fois. J'y ai trouvé ce que jamais je n'ai osé espérer : toute la vie des êtres qui pénètrent mes baumes et qui sont en vérité l'Huile elle-même. Et lorsque ces êtres, je les appelle "mes frères", je ne saurais trouver de mot plus juste car nos mondes sont si proches qu'on ne peut les éloigner l'un de l'autre sans les priver l'un et l'autre de leur sève, sans finalement les réduire en poussière. Lorsque tu cueilles une fleur, toi Lérina et vous tous aussi, ou lorsque vous enfouissez une graine dans le sol, vous arrive-t-il de prendre pleinement conscience de votre geste si simple ? Quoi de plus anodin que de couper un épi de blé ou de tailler une vigne ? La vie qui circule en leur centre, je sais trop que mes frères n'y pensent pas assez. C'est "la vie", se dit-on, le Père y pourvoit ! A ce qui pourrait être une question on répond par un mot qui lui aussi est une question. Et ainsi vont les choses depuis que les chemins de l'homme lui tournent les regards vers l'extérieur...

Ne vous méprenez pas sur le sens de ce que j'ai à vous dire ici. Le Maître n'a pas fait de moi un autre maître et je ne peux pas vous enseigner au sein de cette clairière quelque docte connaissance que ne je n'ai pas. J'ai seulement espoir de vous faire partager un instant d'Amour, hors de notre temps, au delà de la pensée de nos coquilles, un instant qui nous fasse approcher de la vie que nous buvons, que nous mangeons ou que nous appliquons sur les plaies."

Comme Myriam terminait ces mots, un immense sourire éclaira son long visage et elle fit en sorte que nous nous rassemblions tous dans le creux de ses bras.

Mes yeux étaient aveuglés de neige et je ne sentais plus mes pieds qui s'enfonçaient dans son coton.

Nul je le crois, ne serait parvenu à prononcer un seul mot. Nos fronts appuyés les uns contre les autres n'en faisaient plus qu'un...

Tout était blanc, blanc au dehors, blanc au dedans... comme un éclat de la Lumière qui chante au delà de notre lumière.

Je fermai les yeux et la blancheur était encore là, plus immaculée encore ; incroyablement palpitante et si vraie ! Je sentis une vague de larmes chaudes jaillir doucement du fond de mon cœur... sans raison exprimable, pour le seul et indicible bonheur d'être là, toute pensée suspendue, fondu en un cristal de neige. Sur l'écran de mon âme, quelque chose se mit alors à tourbillonner lentement, puis avec une force de plus en plus vive. C'était semblable à des pétales de fleurs, cela avait l'éclat de ceux des amandiers que nous apercevions chaque printemps sur les pentes du Mont Thabor. C'était quelque chose qui s'ouvrait et voulait se condenser.

Soudain, je perçus une eau fraîche qui coulait le long de mon dos et qui virevoltait à l'endroit précis de mon cœur. Les pétales étaient devenus mille petits êtres, mille regards sur des visages si fins, sur des corps si nus et si fragiles... Il y avait je ne sais quoi dans l'air ou dans la lumière qui leur tissait parfois des voiles comme des rayons de soleil et qui disparaissait. Et tout cela, toutes ces présences ondoyaient, dansaient et murmuraient des paroles qui tinteront à jamais dans mon esprit. Ce n'étaient pas mille voix ni même une voix, mais un seul souffle, un souffle-caresse, un souffle-couleur...

"Petits frères, disait-il, ce ne sont guère des pas sur un chemin de neige qui vous ont menés jusqu'ici, mais une unique volonté d'amour. Amour, voilà le mot qu'il faut être afin que vos regards rencontrent les nôtres. Laissez couler un peu d'eau de lumière hors de vos cœurs et toujours la porte de nos mondes s'ouvrira ainsi.

La lumière que la race des hommes met au bout de ses doigts et à la racine de ses pieds sent trop souvent mauvais pour que nous la recherchions...[1] Alors nous tissons des voiles de plus en plus épais et nous travaillons dans notre silence. Ainsi nourrissons-nous la Terre, petits frères, les hommes d'un côté et nous de l'autre. Nous sommes un peu de ce qui fait monter la sève, briller les feuilles et gonfler les fruits.

Laissez-nous vous dire comme à si peu nous le pouvons... laissez-nous vous dire que votre soleil et le nôtre ne sont qu'un et que nos âmes épouseraient les vôtres si vous leur accordiez vie.

Celui qui mange nos corps en ignorant notre âme retire de lui sa propre vie. Dites-le à vos frères humains, on n'absorbe pas éternellement la vie sans comprendre qu'elle est la Vie. Ce que nos bras vous proposent, ce qu'ils sont chargés d'offrir ne nous appartient pas. Nous sommes les messagers de l'un des visages du Père tout comme vous en êtes d'autres. Ne brisez donc pas nos bras sans que la cassure porte ses fruits nécessaires et son réel plein d'Amour. Il n'y a en nous rien à dominer ni à asservir, seulement quelque chose à écouter et à comprendre. Car,

---

1— L'aura de tout corps de même qu'elle est un ensemble de couleurs et de sons, émet une odeur.

sachez-le, nous sommes plus que nous, nous sommes plus que la fleur aimée par le soleil et le vent, plus que la tige qui vous offre son bois, plus que la racine qui mêle la terre et les eaux, plus que cet aliment qui vous assurera vigueur ou cette matière dans laquelle vous sculpterez des formes. Nous sommes aussi et peut-être surtout, ce côté de la vie dont vous vous retranchez... car vous vous sentez tellement plus grands et plus forts que tout cela depuis que le Père vous a laissé le Choix comme présent. Le Choix ce n'est pas seulement celui des routes par lesquelles on avance, c'est aussi celui des risques d'oublier, de s'oublier. Nulle brûlure n'est peine perdue dans la grande mémoire des esprits qui s'éveillent mais si nombreuses sont celles que l'on pourrait ne pas infliger à la vie.

Viendra un temps où la race des hommes empoisonnera nos racines et où tout esprit de régénération voudra quitter cette Terre. Peut-être alors, serez-vous parmi nous dans d'autres corps ; sans doute aussi aurons-nous quelque peu changé de visage car le temps nous brasse également à sa façon. Mais sachez cependant que notre parole sera la même. Elle ne peut fluctuer car elle n'est guère le fruit d'un vouloir passager. Ce n'est pas notre vie que nous protégeons, ce n'est pas même le développement harmonieux de notre seul corps ; c'est bien plus que tout cela, cela s'appelle le sens de Communion. Dépourvue de ce sens là, petits frères, la race des hommes se désagrège, elle s'isole dans sa forteresse de grande supériorité.

La Vie nous a mis là à votre service, mais n'oubliez pas que vous aussi vous êtes au service de la Vie. La Vie, c'est la lumière du Père et cette lumière n'a pas attendu l'homme pour se manifester. Ainsi, chacun est au service de chacun et tout demeure bien de la sorte pour peu que l'on ait la grandeur de l'humilité. Nous ne connaissons pas la morale qui est vôtre et nous ignorons presque tout de ce concept de morale car notre vie n'est pas assujettie à ce que vous appelez les civilisations. Il est un monde qui conserve la permanence de l'Amour sans connaître le regret, le jugement, la sanction. Nous buvons à sa source et pouvons vous en indiquer, à notre façon, le chemin. Aussi, ne voyez pas à travers ces mots un doigt qui se pointe vers vous et qui accuse. Entendez plutôt un appel à la grandeur car c'est être réellement grand que de comprendre que l'on ne fait pas route seul.

Prenez la force de nos corps et celle de nos âmes, nous vous les offrons mais ne croyez pas tout dompter car c'est vous que vous asserviriez.

Ne vous occupez pas de savoir plus en détails qui nous sommes et avec quelle poudre d'or nos œuvrons. En seriez vous meilleurs ?

En aimeriez vous davantage votre Terre ? Certains y ont brûlé des existences et trop peu y ont ouvert leur cœur...

Otez enfin de vous cette insidieuse volonté de tout prendre au piège, piège de l'orgueil, de la puissance, piège de l'ombre d'amour, piège de ce que vous appelez intelligence.

C'est le pistil de votre cœur que demande la Vie et reconnaissez-le, de toute éternité il n'y a pas autre chose que votre cœur attend de savoir donner."

Vint une tempête de neige sur l'écran de mes yeux clos et les mille petits regards aux corps frêles et ondoyants parurent s'unir en une seule flamme. Tout s'évanouit alors dans un épais silence puis la morsure du froid me rappela à la clairière où nos corps ankylosés demeuraient autour de Myriam.

Pendant des heures, seuls nos regards surent parler. Nous avions tant reçu...

## CHAPITRE VII

# La Lune pour le Soleil

L'hiver fut paisible. Mais si la vie des corps s'écoulait au ralenti, les âmes, elles, mûrissaient semblait-il à chaque bourrasque de neige et à chaque pluie battante qui les forçaient à se rapprocher.

Ainsi un certain pain circula de hutte en chaumière, de hauteurs isolées en vallons boisés sans se soucier apparemment du reste du monde qui commençait de bouger sur ses assises. Notre retraite parmi ces peuples sombres et chaleureux prit pourtant fin rapidement avec les dernières giboulées. Les nuages se mêlaient aux âmes transies, le matin où le chef de notre village, un solide montagnard toujours flanqué de deux ou trois chasseurs hirsutes fit grincer la porte de notre abri.

C'était un homme de la cinquantaine à la peau très brune et au poil dru. Il réunissait ses longs cheveux en une seule touffe au sommet de la tête et se présentait toujours, quelque soit le temps, sous le même bardage de cuir et de laine. Cet être puissant à la façon d'un roc et peu soucieux de son apparence physique s'était annoncé, au fil des lunes comme l'un des piliers sur lesquels nous pouvions nous appuyer. Son esprit sans détour concevait les choses avec clarté.

Ce qui nous plaisait en lui, c'était sa façon toute personnelle de faire parler son cœur en évitant le sortilège des mots et questions qui ne sont là que pour la malignité d'être des questions et des mots. Baldec s'exprimait dans l'action, fût-elle insignifiante.

Lorsqu'à ses côtés nous évoquions la présence et les enseignements du Maître, il se montrait peu enclin, contrairement à beaucoup, à savoir *qui* il était au juste et s'Il avait prononcé telle parole plutôt que telle autre. Son souci était avant tout de savoir et de comprendre ce qu'Il faisait, ce qu'Il avait accompli et qu'Il continuait d'accomplir. Nous aimions Baldec pour cela. Il estimait l'arbre davantage à ses fruits qu'à ses fleurs, tout en demeurant limpide dans ses convictions.

Ce matin-là, il affichait pourtant un visage troublé lorsqu'il se présenta devant nous.

"Voilà de nombreuses fois que je croise des hommes et des femmes qui mènent commerce entre la mer et ces montagnes, dit-il en s'accroupissant auprès de nous. Et c'est sans cesse la même histoire dont ils me rebattent les oreilles... l'histoire d'un homme qui se déplace parmi les rochers, près de la côte. Il fait des prodiges, assurent-ils et clame à qui veut l'entendre que les peuples doivent voir en lui l'envoyé du Tout-Puissant."

Cette déclaration lâchée d'un ton abrupt nous laissa presque sans voix.

"Qui penses-tu qu'il soit, répliquai-je, à quoi ressemble-t-il ?"

"Je ne l'ai pas vu et j'ignore qui il est... mais s'il fait ce que l'on dit, j'irai le trouver et je lui demanderai de m'enseigner à vivre ainsi que lui."

"Ne sais-tu pas enfin quel est son nom ?" questionna Myriam.

"Il ne m'a jamais été dit... mais ne s'agit-il pas de votre Maître... ? Je n'ai pu faire autrement que de penser à lui et mes compagnons présents ont réagi de même ! Dès demain je descendrai vers la mer..."

Elric, le front plissé lui assura immédiatement qu'il l'accompagnerait.

"Si c'est le Maître, ajouta-t-il nerveusement, il ne sera pas dit que je quitterai cette vie sans avoir croisé son regard et entendu le son de sa voix !"

Alors, Myriam de Magdala se leva. Les traits de son visage demeuraient impassibles, laissant seulement transparaître une soudaine résolution à qui en connaissait les rides.

"Ah ! s'exclama-t-elle enfin d'un ton réellement enjoué, eh bien si le Sans-Nom le permet, nous ferons tous cette route !"

Il faisait encore nuit noire lorsque le lendemain nous abandonnâmes derrière nous, en haut de son promontoire l'enceinte de bois et ses huttes endormies.

La pluie tombait à fines gouttes et Lérina se montrait agitée. Dès nos premiers pas le long du sentier boueux et caillouteux qui descendait la colline, elle avait manifesté son inquiétude, voire son exaspération.

363

"Je ne comprends pas, ma sœur, dit-elle à Myriam. Toi tu as vu le Maître, toi tu sais qui il est, toi tu vis avec Lui sans cesse dans le cœur... et tu te déplaces pour le premier orgueilleux dont tu entends parler !"

"Qui te dis qu'il soit orgueilleux Lérina ? Quelques paroles vagues que tu as entendu prononcer ? Peut-être as-tu raison car il me semblerait étrange que le Maître vienne sur ces rivages... mais nul ne te permet de juger le contenu d'une poitrine face à laquelle tu n'as pas toi-même respiré un peu d'air !

Il n'y a pas d'homme qui ne vaille pas que l'on se déplace pour lui... Et celui-là qui a la force de se dire fils du Tout-Puissant je ne peux pas l'écarter avant d'avoir entendu le timbre de sa voix !

Toi aussi, sais-tu, tu es fille du Tout-Puissant... et si tu le tais, peut-être est-ce parce que ce n'est pas ton rôle de le dire ou parce que tu ne le sais pas assez et qu'il n'y a pas suffisamment de lumière en toi pour le dire à ta place... Pardonne-moi cette franchise, Kristos ne nous demande pas de croire ou de rejeter mais d'abord d'accepter de regarder pour vouloir comprendre. Il y a toujours quelque chose à trouver et nul ne peut parler de la Connaissance et du But Ultime puisqu'il ne s'y trouve pas. Je te le dis, si le Maître Jeshua marchait ici en ce moment même, il dirait "allons voir cet homme" et nous précéderait !"

La journée durant, de sentiers en routes pavées, nous demeurâmes emmitouflés dans nos manteaux de grosse laine tout en échangeant de la sorte.

L'exaspération de quelques uns et la fatigue du petit matin laissèrent place sous l'ardeur de Myriam à une franche gaieté.

A travers elle, nous appréhendions mieux l'éternel éveil vers lequel une âme doit tendre. C'était, selon ses termes, une parcelle de cette jeunesse que chacun doit faire en sorte de reconquérir et qui empêche de tout ranger dans des coffres une fois pour toutes ou de verrouiller des portes à tout jamais.

"Il y a une saine curiosité qui entraîne l'homme vers son soleil intérieur, dit encore Myriam alors que nous faisions une halte à l'abri d'un rocher. Ce n'est pas celle provoquée par l'appétit du papillon qui se pose de fleur en fleur, mais celle de celui qui se refuse à condamner avant même que d'avoir cherché à comprendre.

Cette curiosité là, mes amis, est une preuve de la santé de l'être ! Sa sœur se nomme gaieté et toutes deux engendrent une forme de jeunesse... qui est toujours la marque des vieilles âmes..."

Le soir du deuxième jour nous mena en vue d'une longue ligne grise battue par les vents, c'était la mer. A travers les épineux qui s'accrochaient à nos robes nous descendîmes jusqu'au premier village dont les fumées paraissant sortir des coteaux, nous signalaient la présence. Le soleil était déjà pâle à l'horizon mais la vie y battait encore son plein. Dans toutes les ruelles, devant des brasiers que l'on entretenait face aux habitations, des hommes enroulés dans de grands tabliers de cuir martelaient des métaux. De-ci de-là, au hasard des abris encastrés dans le rocher lui-même, on devinait des forges.

Les hommes criaient pour se parler à travers le bruit lancinant des marteaux. Et même lorsque celui-ci se taisait leurs voix continuaient de sillonner les ruelles du village avec une égale intensité presque agressive.

Personne, semblait-il, ne prêtait attention à notre arrivée. La bourgade, à n'en pas douter, était riche et fréquentée par de nombreux acheteurs venant de toute la contrée. Sur la place attendaient deux petits chariots à demi-recouverts d'une grosse bâche de toile lourde. On les avait emplis d'une cargaison de chaudrons de toutes tailles et d'un grand nombre d'armes, épées et coutelas, entassés pêle-mêle. Après avoir erré un bon moment dans cette ambiance de labeur afin de glâner quelques renseignements, il fallut aviser. Enfin, Baldec monnaya notre entrée dans la salle basse d'une auberge où une longue table et des bancs paraissaient nous attendre. Il y avait là aussi d'autres tables déjà pleines de convives bruyants, tous des hommes, qui partageaient avec maladresse un énorme poisson bouilli encore fumant.

Nous nous étions à peine installés que le patron du lieu, un petit personnage sec à l'allure décidée, vint d'emblée nous servir le même plat bien qu'un peu moins conséquent.

"Celui que vous cherchez n'est pas ici, lança-t-il sans ambage, pour répondre à une question que Baldec lui avait posée. Vous ne le trouverez pas parmi nous, vous pensez bien... ce n'est pas un lieu pour lui ! Les hommes comme ça vivent à part... ils ne sont pas de notre monde... il faut les comprendre. Les hommes comme ça d'ailleurs, si on veut les voir, il faut aller les chercher ! Nous ici, nous ne sommes pas assez respectueux des dieux pour qu'il vienne... Mais je ne sais pas, il y en a qui disent qu'il est un peu fou... moi en tout cas, je ne l'ai jamais vu."

"Où vit-il alors ?" demandai-je.

"Dans une sorte de grotte près de la mer, à une demi journée de marche d'ici. C'est une ancienne étable dont plus personne ne se servait. Mais vous verrez, les gens de là-bas le connaissent, ils vous indiqueront. J'en vois presque tous les jours ici qui veulent aller le voir..."

"Et les Romains ne lui disent rien ?"

"Oh, les Romains, dès le moment où on les laisse faire leur commerce...Nous ils ne nous gênent pas... d'ailleurs, on ne les voit pas trop. Sauf peut-être ces temps-ci. Certains disent qu'il y a des endroits où l'on s'est battu, mais à une ou deux journées d'ici en remontant la côte vers le Levant."

Sur ces mots, le petit homme sec leva les sourcils et les bras comme pour suggérer une sorte d'impuissance ou d'indifférence amusée puis tourna les talons. Il ne réapparut plus guère que muni d'une cruche d'eau et de quelques galettes de pain bis.

A notre table la soirée fut gaie. Dans l'âtre à l'autre bout de la pièce, crépitaient des branchages humides qui dégageaient leur lot de fumée blanche. Celle-ci vint nous prendre à la gorge à tour de rôle, si bien que dans de grands éclats de rire force nous fut de quitter la pièce avant que la fatigue ait eu raison de nous. Mais tout était bien ainsi...

Le lendemain, quand nous reprîmes la voie pavée qui menait droit à la mer, nous vîmes que le vent frais de la nuit avait fait fuir tous les nuages. Le ciel nous offrait un bleu froid vivifiant qui nous obligea à marcher d'un bon pas. Et elle était si belle cette mer qui scintillait derrière les arbres, chargée ça et là de son écume blanche ! Elle seule nous aurait convaincus de faire le chemin jusqu'à son sable et ses rochers. De tous temps, il m'avait semblé qu'elle déroulait sur les rives de la Terre des colliers de perles de vérité aussi pures qu'aurait pu le faire un être de lumière.

Souvent aussi, je m'étais dit que si nous avions su mieux écouter et regarder ce qui tisse la trame de l'espace et du temps qui nous entourent, jamais peut-être le Kristos et tous ceux qui l'ont précédé n'auraient dû endosser les meurtrissures d'un corps lourd.

Mais aujourd'hui, il était trop tard pour regretter. S'infliger à soi d'autres meurtrissures ne pouvait que prolonger les leurs.

"La conquête du bonheur et de la lumière sont un devoir" annonçait souvent le Zérah de mon enfance. Si tu l'oublies, c'est une insulte que tu fais à Celui qui vient."

"Et maintenant qu'Il est venu, me dis-je à moi-même, c'est décidément que tu as la tête bien dure le jour où tu oublies de sourire !"

Quand le soleil fut à son zénith et après avoir un peu erré par d'étroits sentiers sablonneux, nous arrivâmes en vue d'une modeste colline située non loin d'une crique sauvage.

Sur son flanc, dans un désordre de rochers éboulés se dessinèrent alors quelques murs de pierre auxquels étaient attachés des ânes et des chevaux. Comme nous nous approchions de cette construction, un homme chauve et en longue robe bleue très soignée s'approcha de nous, l'air affecté et terriblement pieux.

"Le maître vous attend", chuchota-t-il à l'oreille d'Elric qui s'était avancé avec enthousiasme. Devant notre commune réponse négative, l'homme dont la peau mate s'avérait extraordinairement lisse prit un air étonné et à la limite de l'indignation.

C'était comme s'il venait de dire : "vous êtes bien impudents, vous ne savez pas à qui vous avez à faire".

Tandis qu'il affichait de plus belle une moue où se mêlaient embarras et condescendance, Myriam s'approcha de lui :

"Dis à ton maître que nous reviendrons demain matin à la même heure s'il veut bien nous recevoir... Mais auparavant peux-tu nous dire quel est son nom car nous sommes depuis peu dans ces montagnes."

"Nous l'appelons simplement le maître, répliqua fièrement l'homme à la robe bleue, car il est maître de toutes choses. De très vieux écrits que nous ne comprenions pas ont annoncé son arrivée ici depuis fort longtemps. Je suis heureux que vous soyez venus le reconnaître. Pardonnez-moi cette réserve mais le maître a fait de moi le gardien de son seuil, c'est la plus grande charge dont un homme puisse rêver. Demain, vous voudrez bien demander Arinel, dès que vous franchirez cette enceinte."

Nous ne fîmes aucun commentaire car il était arrivé au Kristos lui-même de s'isoler quelque temps hors de toute atteinte des foules. Nous savions trop bien que tout être aussi nourri de lumière soit-il a régulièrement soif de solitude afin de continuer à cultiver le jardin de son cœur pour la plus grande paix de l'humanité. Nous savions qu'il fallait comprendre et respecter cela comme l'une des lois immuables de la nature. Le soleil déverse ses rayons sur tous mais ne se réserve-t-il pas néanmoins le droit de se coucher chaque soir ?

Il nous impose l'attente d'une nuit cependant qu'il agit ailleurs peut-être avec un éclat différent, sous d'autres cieux. Nul ne peut juger du rythme auquel il s'est conformé et il sait certes mieux que l'homme le pourquoi du nuage qui retarde son apparition.

Le lendemain matin nous vit arriver de nouveau sur le seuil de la construction au pied de la colline. Les animaux avaient disparu et tout respirait un ordre tranquille. Celui qui s'était fait connaître sous le non d'Arinel vint calmement vers nous, le torse bombé, méticuleusement drapé dans une robe différente de la veille.

"Bienvenue à vous, fit-il d'un ton affable mais en remuant à peine les lèvres, mon maître accepte de vous recevoir car sa sagesse a vu que vos cœurs sont purs."

Nous traversâmes deux pièces derrière l'homme dont on aurait dit qu'il se forçait à marcher à petits pas lents comme si son allure pouvait engendrer un respect supplémentaire. Partout il n'y avait que coussins et peaux de bêtes merveilleusement ordonnés et mariés à un mobilier de bois sobre mais d'une grande perfection. Compulsant des rouleaux de parchemin, nous aperçûmes dans un coin, assemblées sous un rai de lumière, quelques femmes qui chuchotaient la tête basse.

Enfin, nous fûmes introduits dans une salle de dimensions moyennes où trois ou quatre personnes étaient déjà assises sur le sol face à une forte silhouette qui trônait sur un fauteuil de bois sombre.

Arinel nous indiqua un endroit précis de la salle puis nous pria de prendre place sur une natte déroulée à notre intention.

Enfin nous pûmes regarder à loisir l'homme qui siègeait face à nous. De corpulence imposante, il n'était guère âgé de plus d'une quarantaine d'années et avait revêtu une ample robe blanche frangée de bleu sur laquelle coulait une chevelure plus longue et plus abondante que toutes celles que nous avions jamais aperçues.

Suspendant le discours qu'il avait entrepris avec nos prédécesseurs, l'un après l'autre il nous toisa sans que le moindre sourire éclairât son visage. Cette apparente froideur me mit un peu mal à l'aise ; cependant, je ne pouvais malgré moi, que constater l'évidente majesté du personnage.

"Qui donc vous amène ici, étrangers ?" dit-il finalement d'une voix grave et chaude.

"Celui qui également t'a placé ici." répondit immédiatement Myriam du ton le plus naturel.

L'homme ne sourcilla pas mais Arinel sursauta légèrement en lançant vers Myriam un regard outragé.

"Ta parole est juste, femme, continua-t-il de la même voix égale, c'est mon Père qui vous envoie."

"C'est notre Père à tous qui fait que les chemins se croisent et c'est humblement que nous venons auprès d'un frère pour recueillir un peu d'amour afin de poursuivre notre route.

Nous venons de fort loin, le cœur chargé de paroles de paix et de liberté et la renommée de ta sagesse est venue à notre rencontre à travers ces montagnes."

Le maître à la robe blanche esquissa un léger sourire puis se cala ostensiblement contre le dossier de son siège avant de recommencer à nous dévisager l'un après l'autre.

"Si vous voulez rester ici, il vous faudra entamer de longues purifications, finit-il par déclarer solennellement. je ne vous enseignerai la maîtrise des choses que lorsque vous aurez fait ce choix. Il faudra vous oublier un peu vous-mêmes, et vous engager sur le chemin de ma cause si vous voulez voir la paix croître en vous. Réfléchissez, il n'y a pas d'autre voie que l'oubli de soi-même."

Je ne pus m'empêcher de prendre la parole :

"Mon frère, notre intention n'était pas de demeurer ici. En venant vers toi nous voulions seulement créer un lien de plus avec une âme qui a cessé d'œuvrer pour elle-même. Il nous semble que notre temps est celui d'un grand réveil où tous les rassembleurs d'hommes doivent s'unir afin d'édifier un immense et seul temple. Notre purification c'est le chemin que nous foulons et les regards de nos frères qui nous sont un miroir."

Tous les visages de ceux qui étaient assis devant nous se tournèrent alors vers moi. Des sillons de curiosité inquiète creusaient leurs fronts.

"Peux-tu douter qu'il n'y ait qu'un chemin ? fit en se levant le maître à la longue chevelure.

Je ne peux t'enseigner s'il n'y a pas plus d'humilité et de clairvoyance en toi. Mon Père m'a envoyé vers vous tous pour briser votre orgueil, et les prodiges qu'il accomplit par mes mains sont la manifestation de sa présence. Fais donc silence car ce n'est pas l'homme que tu vois qui te parle..."

Comme il achevait ces mots, les lampes de son corps s'étaient mises à tournoyer et à lancer vers nous tous mille rais de lumière semblables à des mains. Qu'était-ce donc que ce soleil si conscient de son feu ?

Je fermai le paupières et appelai à moi la fraîcheur dorée du Kristos. Qu'aurait-il dit, Lui, et que cherchait-Il à dire en nous face à cette force ? Elle était toute proche la réponse... presque là à n'en pas douter. J'aurais voulu un peu de quiétude pour la voir, la toucher en dedans de ma poitrine... mais le maître dans son ample robe blanche continuait d'étendre ses mains.

"Crois-tu donc faire fleurir la paix le long de tes chemins si tu ne l'as pas en toi ? Quel que soit ton maître jusqu'alors, il n'a pas su t'enseigner cela..."

J'étais piqué au vif et me suis simplement entendu répondre :

"Accuse plutôt l'élève que le Maître..."

Dehors le vent devait souffler, il faisait craquer les bois de la charpente. Myriam alors prit la parole et tandis que le maître des lieux gardait son impassibilité, je vis les mains d'Arinel qui se tordaient dans sa propre robe.

"Sache, mon frère, que nous n'avons pas franchi ton seuil le cœur empli de morgue et de dualité. Certes nul ne donne totalement ce qu'il n'a pas conquis en totalité... mais je te dirai que chacun a au moins une épaule sur laquelle un autre que lui peut s'appuyer. Celui qui attend sa propre perfection pour servir, engraisse son orgueil plutôt qu'il ne le dissout. L'âme humaine, ne crois-tu pas, ressemble à un labyrinthe dans lequel la ruse ne fait pas défaut. Combien d'entre nous ne s'enorgueillissent-ils pas de leur volonté d'humilité ? On brise l'amour à trop réfléchir à sa propre perfection. Le don tiendra toujours le plus beau des discours. Il est la raison de mon souffle comme celui de mes frères ici présents.

Ainsi que toi sans doute, j'ai entendu maintes et maintes fois des hommes me déclarer :

"Je suis de nulle part et de partout à la fois et je sais aussi que je ne sais pas... "Et dans ces mots qui se veulent transparents je n'ai jamais rien décelé d'autre qu'une terrible fierté, celle de celui qui commence à croire qu'il a trouvé et qui veut le clamer habilement. Y-a-t-il quelque humilité réelle à se proclamer poussière parmi la poussière ? Quant à moi, je te le dis, j'ose affirmer que le soleil est en moi comme en nous tous et je ne veux pas l'avilir en feignant de l'ignorer car il y a autant de non amour à ne pas vouloir le reconnaître qu'à se laisser dire maître de toute chose.

J'ai rencontré un jour, il y a de cela fort longtemps, un être vêtu de blanc comme toi... Et cet être m'a dit :

"Qui crois-tu qui soit supérieur à l'autre, du soleil ou de l'un de ses rayons ?"

"Le soleil évidemment... !" ai-je répondu.

"Eh bien détrompe-toi, aucun ne l'emporte sur l'autre ! Que serait le feu du ciel si ses rayons ne le prolongeaient pas ? Un amour qui se retourne contre lui-même ? Que serait le rayon de soleil s'il n'y avait à son origine un cœur palpitant ? Pas même une ombre. Ainsi tout est au centre de tout et tout s'éveille en tout. Si donc, vous, vous m'appelez votre maître, que ce ne soit qu'un mot qui sans cesse vous renvoie à vous-même."

Arinel bondit comme un fou de la petite estrade sur laquelle il s'était un instant réfugié dans un coin de la pièce.

"Femme, ignores-tu à ce point à qui tu viens de t'adresser de la sorte ? Au nom du maître, je te prie de formuler des excuses. Sa sagesse ne pourra daigner plus longtemps s'entretenir avec toi. Enfin, n'as-tu pas compris qu'en entrant ici on abandonne tout à la porte ?"

"Laisse, Arinel, fit gravement le maître en s'asseyant avec une extrême lenteur, elle comprendra...

Quant à toi qui te caches à demi, approche toi..."

Il avait prononcé ces mots en tendant fermement un bras, le doigt pointé vers un point précis à la droite de Myriam.

"Oui, toi..." surenchérit-il en appuyant sur chacun de ses mots.

Il désignait Elric. Notre compagnon finit par se lever et après un moment d'hésitation, nous le vîmes se diriger vers lui, les jambes flageolantes. Lorsqu'il en fut à deux pas, Elric s'écroula brutalement. Dès cet instant, il ne ressembla plus qu'à un paquet informe aux pieds de la silhouette blanche. Son corps était secoué par un sanglot grave qui jaillissait du tréfonds de son être et qu'il cherchait en vain à étouffer.

La masse impressionnante du maître l'observa quelques seconde puis lui posa une main au sommet du crâne en marmonnant deux ou trois mots inaudibles. C'en était trop pour Lérina. Elle se leva d'un bon et quitta la pièce à grandes enjambées.

Il semblait que tout ait été dit. Alors, profitant de ce mouvement, nous nous levâmes tous à notre tour afin d'aller déposer dans une petite cupule dorée posée au pied du siège qui un grain de blé, qui un bourgeon. Ainsi le voulait la coutume du pays de Kal. Elric ne nous suivit pas. Il demeurait prostré, comme collé au trône de bois.

Lorsque nous nous rassemblâmes à l'extérieur, Lérina était en pleurs au-delà de la palissade qui ceinturait une sorte de cour.

Dès que nous l'eûmes rejointe, elle explosa en s'agrippant à Myriam.

"Pourquoi n'as-tu rien dit... ? Pourquoi as-tu laissé faire cela... ? Ce n'est pas vrai... il ment... je le sais ! Tu ne le sens pas toi... ?"

"Ce que je sens, petite sœur, c'est que chacun a son chemin qui est rarement celui de l'autre. Laisse Elric avec son frère ou son maître s'il en perçoit l'appel puissant. Nous crois-tu tous bien meilleurs que cet homme ? Il a des mots qui ne sont pas nôtres et dont Elric a peut-être besoin pour forger sa volonté. Lève les yeux vers le bleu du ciel et respire... Crois-tu que l'un de nous appartienne à qui que ce soit, fût-ce au Kristos ? Chacun s'appartient. Si Elric demeure ici, ce sera un peu de ton âme et un peu de la nôtre aussi qui apprendra différemment. Rien de plus..."

"Mais nous somme déjà si peu ! Alors, s'il abandonne le Maître... tu ne peux pas le laisser faire !

"Crois-tu réellement que nous soyons si peu ? Déjà beaucoup entendent sans savoir donner un nom à ce qui nous emplit. Quant à Elric, écoute moi bien, comment peux-tu t'imaginer qu'il abandonne le Maître ? S'il sanglote aux pieds de ce frère c'est qu'il continue à le chercher et qu'il lui parle au plus profond de son être. *Qui* crois-tu d'ailleurs, Lérina, qui soit vraiment le Maître ?"

"Mais Jeshua, Myriam, Jeshua !"

"Il a pris le visage, le cœur et les mains de Jeshua mais n'oublie pas qu'il s'appelle avant tout le Kristos et qu'il est la flamme qui brille en tout... Celui qui prend la lune pour le soleil, petite sœur, prend sans doute un chemin de traverse. Peut-être y musardera-t-il quelque temps, mais qui peux dire si les cailloux qu'il y trouvera, il ne saura pas un jour les transmuter en joyaux ? Peux-tu dire le contraire, toi ?

Et maintenant regarde-moi et marque cette journée d'un signe blanc dans ta mémoire. Qu'elle n'évoque pas le souvenir d'une défaite mais plutôt celui de la victoire de la véritable volonté sur un pauvre vouloir. La lutte, comme nous la comprenons encore trop, est le raidissement de ceux qui veulent posséder. Rien ne nous appartient en propre, pas même la vérité qui nous a portés jusque ici. Défais-toi de ces crispations Lérina... je connais une lumière qui t'en prie."

Un bruit de pas qui s'imprime dans la poussière du sol me fit tourner la tête. Elric s'approchait de nous, l'allure hésitante mais excessivement digne.

Alors il se mit à bégayer en ne sachant qui de nous regarder. Ses mots ne se tenaient pas, aussi n'ai-je pu faire autrement que de placer ma main sur son épaule.

Cela voulait dire "tu n'as pas d'explication à fournir. Respire librement et va ton chemin si tu penses l'avoir trouvé."

"Mais... s'exclama-t-il dans un ultime effort, il accomplit des prodiges ! Pourquoi ne croirais-je pas ce que l'on dit de lui ? Les prodiges sont bien une preuve, non ?"

"Non, Elric, un prodige n'est jamais une preuve... répondit Myriam de Magdala. Jadis, j'ai observé les magiciens du désert en faire miroiter par centaines aux yeux des foules. Ils jouaient avec un des jardins de la nature que nous, nous ne cultivons pas.

Maintenant, puisque tu veux mon avis, ce que toi tu vis en cet instant est incontestablement une preuve... ta preuve, la preuve sans doute que tu as trouvé ce dont ton âme avait soif en ces jours.

Ecoute cette soif si elle est autre qu'une simple émotion. Etanche-la jusqu'au prochain puits. Mais garde-toi pourtant de ne pas aller de puits en puits, éternellement, dans l'espoir de toujours découvrir des eaux aux goûts différents..."

"Mais Myriam, on dit qu'il a fait apparaître une bague d'or au creux d'un plat il y a quelques jours ! Des centaines de personnes l'on vu !"

"Tu n'écoutes pas ce que je te dis, mon frère... Je te parle de la source et tu me réponds par les pierres que son flot fait parfois rouler sous lui. Cette nuit, si tu as la force de regarder la vérité et d'observer sans complaisance les pulsations de ton ventre, tu trouveras la raison de ton besoin de merveilleux... non pas que le merveilleux n'existe pas, il nous suit à chaque pas, mais il n'est un argument que pour ceux qui n'ont pas encore su voir le seul et véritable prodige. Je ne suis pas une grande sœur qui donne une leçon à son frère, Elric. Je n'ai de leçon à asséner à quiconque. Je t'adresse seulement une prière, celle d'être fidèle à toi-même. Le reste, vois-tu, n'est jamais que paroles et jeux de l'âme !"

Elric baissa la tête tout en la hochant avec un vague signe d'approbation. Puis sans oser rencontrer à nouveau nos regards, il se dirigea vers un banc de pierre près du seuil de l'ancienne bergerie. Il y avait laissé son sac de toile qu'il empoigna timidement puis disparut dans la pénombre de l'habitation.

Un grand silence paisible comme il en vient après une bourrasque tomba sur la cour où nous étions assemblés. Je me souviens des éclats du soleil encore frais qui nous appela avec force vers la mer. Alors nous jetâmes nos manteaux sur nos épaules, Myriam serra Lérina contre elle et nous prîmes le chemin qui menait aux rochers baignés d'écume.

# CHAPITRE VIII

# Le soleil du Kristos

L e soleil froid caressait la petite plage de sa lumière blanche. Baldec, qui connaissait un peu les lieux, nous attira près d'un ensemble de rochers fouettés par l'eau ? Il nous semblait que nous ayons besoin de l'immensité de la mer pour ne pas oublier l'immensité de la conscience. C'était en vérité une conscience que ces vaguelettes d'un bleu profond nous rappelaient. Nous ne pouvions lui donner un nom sans l'emprisonner et il y avait eu assez de prisons sur cette terre...

Près des rochers, des pécheurs, sans doute, avaient tendu quelques toiles sur des piquets un peu frêles plantés dans le sol. Des filets qui ne servaient plus y étaient également suspendus, les mailles garnies de colliers d'algues sèches.

"Asseyons-nous là quelques instants !" lança l'un de nous.

De l'avis général c'était la meilleure idée de la journée. Baldec avait encore dans une poche de cuir deux ou trois pleines poignées de fruits séchés. Nous les partagerions et tout serait bien. Ce qui devait n'être qu'une halte avant de prendre le chemin du retour se prolongea une partie de l'après-midi. Nos corps et nos âmes réclamaient cette détente où les choses les plus belles pouvaient se dire avec d'autres mots. Confier son cœur aux autres et au soleil, parler d'amour et de lumière sans manier de phrases, c'est une façon de servir la vie et de la remercier, c'est aussi parfois un défi que sur une certaine route on oublie souvent de relever.

Face à nos compagnons, Myriam et moi ne pûmes résister à l'évocation de notre terre avec ses montagnes aux couleurs pastel et la rousseur de ses déserts.

"Les déserts !... Te souviens-tu Simon de cette route qui s'enfonçait dans les rochers jusqu'à Jéricho ?

Je ne sais combien de fois nous l'avons empruntée mais c'était toujours la même histoire ! Il y avait toutes ces grottes en aplomb du sentier avant l'arrivée dans la vallée. Chacune d'elles était occupée par un ermite sans âge... et qui se faisait un devoir de ne pas en avoir ! A chaque fois que nous passions là avec le Maître, il s'en trouvait au moins un pour nous prendre à parti. Il faut dire que dans toutes ces montagnes et autour de sa présence, notre petit groupe était joyeux. Nous parlions toujours très librement et nos rires ou nos plaisanteries qui résonnaient de rochers en rochers ne paraissaient pas souvent du goût de ces vieillards ! J'ai vite compris que ce n'étaient pas leurs prières qui étaient troublées par la gaieté que Kristos faisait éclater autour de Lui. C'était leur façon de voir le monde, le moule dans lequel ils avaient enfermé l'amour et la vie. Ils l'ont si souvent clamé au Maître, du haut de leurs abris : "Ce n'est pas de telle façon que l'on médite et que l'on prie mais de telle autre ! Et il y a des mots que l'on ne prononce pas ! Quant au rire, c'est Shatan qui l'a inspiré aux hommes ; c'est une dispersion de l'esprit qui nous prouve combien nous oublions nos fautes ! "Ah, mes frères, cela donnait parfois lieu à de longs débats..."

"Ne crois-tu pourtant pas, toi, Myriam qu'il y a des mots que l'on ne doit pas prononcer ?" intervint Baldec qui, allongé sous la toile tendue, s'était soudain redressé.

"Si un mot existe, Baldec, c'est que l'idée qui l'a mis au monde demeure encore dans le cœur de l'homme. A quoi te servira de fuir un mot si tu ne balaies pas de ton esprit et aussi de l'esprit de ta race la totalité de son concept ? Je sais que les sons sont une force, mon frère, et qu'il faut éviter de faire résonner ceux qui détruisent. Evite-les alors sans que germe en toi la sensation de faute... la faute est pour les faibles, l'erreur pour ceux qui veulent comprendre et se rendre meilleurs à la vie. En toute vérité, crois-moi, avant que le mot ne sorte de ta bouche, l'idée en a déjà jailli de ton esprit, en un éclair. C'est dans la force de ta pensée que se tient le nœud. Purifie donc ta pensée et aucun mot ne te fera peur ni ne sera porteur de destruction.

Tu ne dois considérer dans tout cela que le rayon d'ombre qui sort de ton être, je te le dis..."

"Je connais des hommes comme ceux dont tu parles Myriam, intervint Lérina en cherchant à escalader le petit rocher qui nous protégeait du vent. Moi aussi en les voyant vivre j'ai longtemps cru que les visages inspirés par l'amour de l'Awen devaient être sans sourire et pétris de privations. Aujourd'hui je sais que l'on peut simplement être sur une plage ou construire une palissade puis rire et manger sans pour cela être un impie ou une âme futile. Moi aussi j'ai trop vu de masques. Tu m'as montré la vraie façon de recevoir Kristos et si je m'émeus encore c'est parce que cette vraie façon est en vérité si simple que je ne peux la saisir dans toute son évidence. Le jour où l'amour sera non pas dans chacun de mes actes, mais la chair même et l'influx de chacun de mes actes, alors, je le sais Myriam, je le vois bien, il n'y aura plus rien qui soit stupidement profane ou pompeusement sacré... Tout Sera !"

Lérina, dans sa longue robe couleur bois de rose descendit alors rapidement de son rocher et courut se jeter dans les bras de Myriam.

Baldec cependant avait fait quelques pas vers les broussailles qui longeaient la plage. Je le voyais se passer énergiquement la main dans les cheveux, l'air songeur.

"Je serais heureux que nous dormions ici ce soir, dit-il enfin d'un ton résolu que nous lui connaissions bien. il y a de quoi nous abriter et je ferai un peu de feu."

Sa proposition déclencha l'enthousiasme, quant à lui il s'empressa d'aller rassembler des brindilles et du bois pour lorsque la nuit viendrait . Mais notre compagnon ne s'était pas plutôt éloigné du campement improvisé que nous le vîmes surgir de derrière un petit talus en agitant les bras :

"Venez voir, criait-il, approchez-vous !"

Entre les rochers, les herbes et les racines sèches il y avait une barque en parfait état. Elle semblait nous inviter avec son beau bois gris, poli par les eaux et le vent. A la fois longue et large, elle pouvait contenir six personnes. L'idée immédiatement commune fut, qu'après tout, elle pouvait certainement nous amener en mer, le long de la côte, afin de prolonger encore un peu la joie d'être là ensemble.

L'instant d'après nous la faisions rouler jusqu'à la plage sur de petits troncs d'arbres abandonnés et qui avaient déjà dû servir à la sortir de l'eau.

Dès qu'elle fut à flot, les deux femmes y montèrent tandis que Baldec et moi-même dûmes la pousser jusqu'à ce que les vagues nous aient saisis à la taille. Quelques coups de rames et le rivage s'éloigna... Myriam, drapée dans son grand voile de laine couleur bleu nuit s'était postée sur le banc situé à l'avant de l'embarcation. Lérina, de son côté, avait choisi de se blottir à l'arrière près des vestiges d'un aviron cependant que nous cherchions à coordonner nos efforts pour demeurer à bonne distance de la plage.

L'air vif et l'azur argenté de cette fin de journée apaisèrent tout de suite notre envie de communiquer autrement que par le silence. Le clapotis des vagues sur la coque et le bruit des rames que l'on plonge dans l'eau constituaient une sorte de rythme sacré qu'il me semblait avoir oublié depuis longtemps. Il évoquait en moi toute la force subtile des senteurs d'autrefois lorsque les barques accostaient sur la grève à Capharnaüm.

Soudain, tandis que les pensées de chacun voguaient vers des rivages secrets, je m'aperçus que le vent était tombé et que nos rames, insensiblement, s'étaient couchées d'elles-mêmes au fil de l'eau, le long de la coque. La plage n'était plus guère qu'une bande blanche adossée aux courbes ambrées des montagnes et tout s'immobilisait...

"Comme il fait bon être parmi vous, mes amis..."

Une voix chaude et puissante s'est alors infiltrée en moi, une voix qui m'a fait sursauter, une voix si longtemps cherchée, si connue...

Je vis Myriam, assise droite devant moi sur son banc. Son voile avait glissé de sa tête et son visage livide regardait fixement l'arrière de la barque. Il se passait quelque chose... elle aussi avait entendu...

"Myriam..." dis-je alors qu'il me semblait que toutes mes forces fuyaient mes bras. Mais je ne pouvais continuer. Un froid intense coulait le long de mon dos et il fallait que je me retourne. Il le fallait.

Quelque chose dans le temps s'arrêta. Je me sentis glisser à genoux dans le fond de la barque, tout en me retournant, les yeux rivés dans la même direction que Myriam.

Assis à côté de Lérina qui semblait d'une pâleur extrême, un homme de haute stature et vêtu d'une longue robe blanche souriait. Ma gorge se serra... C'était le Maître...!

Il était là avec le même visage qu'autrefois... Autour de sa chevelure abondante, je crus deviner de petites flammèches qui dansaient, qui crépitaient.

A mes côtés, je sentais Baldec s'affaiser lui aussi et maintenant il tremblait.

"Comme il fait bon être parmi vous mes amis..."

La voix du Maître venait de répéter les mêmes mots avec la même chaleur, le même amour. Et je vis que ses lèvres remuaient, que son sourire grandissait... Ce n'était pas une image née de nos rêves, il était bien là, un coude appuyé sur le bord de notre embarcation.

"Que craignez-vous ainsi ? Faut-il que vous ayez si peu confiance en l'Amour de mon Père pour douter de ma présence parmi vous ?

En vérité, avez-vous jamais douté de cette présence le long de chacun de vos chemins durant toutes ces années ?... Si ma conscience vit depuis ce temps dans vos cœurs mes amis, mon corps aujourd'hui peut bien vous accompagner dans cette barque...

Que votre conscience à son tour soit "une" avec la mienne et elle verra en toute paix qu'il n'y a pas d'ici" et pas de "là-bas". Comprenez que votre conscience est votre seul corps. Le vrai secret n'est pas de lui permettre de s'envoler vers d'autres cieux ni même de lui faire construire d'autres mondes. Le vrai secret est de la savoir présente en tous les cieux, intimement, en permanence même dans ceux dont la forme ne s'est pas encore manifestée.

Là où il y a ne serait-ce qu'un cailloux, il y a ma conscience, mes frères... et un jour il y aura la vôtre et celle de tous les hommes, de toutes les vies qui se seront retrouvées.

Ne faites donc pas ces yeux hagards... ! Ce n'est ni un mort, ni un reflet qui vous parle et je veux m'adresser à vos cœurs comme jadis je l'ai fait.

Je veux vous parler de la façon la plus simple qui soit en promesse du jour où tant et tant de choses peuvent être dites, car il n'y a rien qui puisse demeurer voilé aux hommes lorsque les hommes se dévoilent à eux-mêmes.

La volonté que le Père et le Kristos ont placé en moi œuvrera à jamais aux côtés de ceux qui, comme vous, veulent extirper l'esprit de conquête du cœur de l'humanité. Ma volonté est que ceux qui suivront vos traces n'oublient pas de dire aux hommes qu'ils sont leur propre cible. Je sais que peu encore dans les siècles à venir auront suffisamment de clarté dans les yeux pour le comprendre. Mais je le dis dès aujourd'hui afin que vous le répétiez à votre tour et que cela se sème partout où il y a terre fertile. Ce n'est pas vers ce que vous appelez Dieu qu'il faut amener la race des hommes. Il n'y a pas deux réalités qui se regardent. Il n'y a pas en vérité une Création qui contemple son Créateur, ni de Père qui observe ses enfants en leur donnant récompenses et châtiments. Il y a la Vie et vous êtes à la fois une partie et la totalité de celle-ci. De la même façon, il est une Flamme en vous qui est tout ensemble le reflet de l'Un et l'Un dans sa globalité.

Chacun de vous, mes amis, mes frères, est un peu de la chair de l'Eternel des Jours ; dès qu'il s'élève en amour, il sait alors aussi qu'il est un peu de son âme puis vient le temps où il comprend qu'il est enfin une parcelle de son esprit. Et lorsqu'il voit qu'il est tout ensemble, un peu de sa chair, de son âme et de son esprit, il est en Lui et il est Lui en totale conscience. Sachez que rien d'autre n'importe...

Ce qu'il faudra accepter jusqu'au jour où ce souvenir s'imposera, ce n'est pas la lenteur du chemin mais celle de ceux qui cheminent.

Je vois déjà des bannières en mon nom et des signes comme des gibets, des armées en marche et des honneurs que l'on s'octroie... L'homme de cette Terre fait encore le brouillon de lui-même et ne peut renvoyer du soleil que ce qu'il a le courage de capter de lui. Quant à vous, faites en sorte que tous ceux qui poseront leurs pas dans les empreintes véritables de Kristos préservent la même simplicité et la même joie. Qu'ils sachent qu'il n'y a ni souffrance ni image de potence en mon cœur, que je suis deux bras qui s'ouvrent... qu'ils n'ont rien d'autre à être que cette ouverture jusqu'au jour où je reviendrai..."

"Tu reviendras Maître... ?"

Derrière moi, la voix de Myriam avait percé l'air comme le cri d'un oiseau qui déchire le ciel.

"Tu reviendras donc ?"

"Je reviendrai quand les hommes n'en pourront plus de ne pas reconnaître le Kristos. Je reviendrai quand les prêtres et les rois auront usé un peu plus les prétextes du pouvoir, lorsque les peuples qui leur auront donné vigueur seront las de leur méprise."

Tu veux dire qu'ils ne vont pas nous suivre, que le feu de nos poitrines va s'éteindre dans les déserts !..."

La question de Myriam avait été poignante. C'était notre question à tous, celle que cent fois, lorsque la pluie tombait quelque part nous avions eu envie de lancer vers le ciel : "vont-ils comprendre, vont-il nous suivre, tous ceux là pour lesquels nous avons tant de peine à trouver les mots justes ?"

"Ils ne vous suivront pas, ma sœur Myriam. C'est ta chair qui raisonne et qui se rebelle ainsi. Tu le sais pourtant, ce n'est pas vous, ni ceux qui vous tendront la main lorsque vos jours seront comptés, qu'ils suivront. La vie qui prend corps ne suit jamais qu'elle-même. Il faut qu'elle remonte avec sa propre mémoire le fil de son écheveau. Nul ne doit espérer être plus qu'un rappel pour ceux dont la mémoire s'enlise, plus qu'un souffle de vent pour ceux qui veulent hisser leurs voiles. De qui donc la Lumière est-elle la propriété ? disais-tu à ton frère ce matin même. Je suis là parmi vous pour que vous vous souveniez de ceci : ce que vous êtes dans le futur vient déjà vous chercher."

Je me sentis murmurer quelques mots, mais peut-être est-ce mon cœur qui se mit à penser avec tant de force que le Maître tourna ses yeux vers moi.

"Tes parchemins... Simon ? Est-ce pour eux que tu demeures si chargé de questions ? Je te le dis, ils sont à la fois tellement et de si peu d'importance. Quelques feuilles d'entre eux aideront ce pays et des rois à se bâtir car il est une lumière qui attend une proposition de la terre... mais ces rois et ces territoires, cette proposition même seront encore un artifice. Accepte celui-ci, parce qu'il joue le rôle d'une pierre blanche afin que le voyageur ne se détourne pas trop de sa route. Le temps qui est aussi notre frère fera le reste. Ne cherche pas à le devancer ainsi que lorsque tu le fis avec ta compagne après avoir quitté Zachée. Vois comme les veines de la terre ne l'ont pas compris et comme la moitié de ta vie s'est retirée en haut d'une montagne pelée. Maintenant que tu as retrouvé le sillage du sol qui t'appelait en vérité, tu les transmettras à qui les attend, tes parchemins, Simon. Ils feront leur office. Il fallait seulement accepter que ton vouloir et ton empressement ne tracent pas la route à leur place.

Ce que je te dis est vrai pour tant d'hommes qui dans l'accomplissement de leur tâche, courent au devant de celle-ci au lieu d'aller sereinement à sa rencontre par le maître que sont toujours les voies détournées de la vie."

Il y eut alors un long silence dans la barque. Nous avions la sensation de voguer au sein d'un œuf de lumière, dans une paix si profonde que les clapotis de l'eau s'étaient tus. Aux pieds du Maître, Lérina avait fermé les yeux et semblait engourdie. Où était la mer, où étaient la rive et ses montagnes ?

Plus rien en nous ne s'en souvenait. il y avait juste ce visage et ces yeux qui ne nous quittaient pas, cet échange doré de cœur à cœur qui annoblissait le bois poli de la barque, l'air, le temps et tout ce que l'on appelle si étrangement "le reste"...

"Lorsque je reviendrai, reprit le Maître, lorsque vous comprendrez par la couleur du temps que je suis de retour, vous aurez déjà changé maintes fois de visages et de noms. Vous verrez alors que j'aurai aussi changé de nom et que c'est mon cœur seul qui ira à la rencontre des vôtres et de ceux qui leur ressembleront. Il sera l'unique signe de reconnaissance, le seul point de ralliement. Bien nombreux sont ceux qui attendront des prodiges comme preuve ultime de ma présence. Il y aura effectivement des marques indélébiles dans les Cieux et sur la Terre ; elles ne seront pas de ma main mais de celle de l'Univers que mon cœur aime au point d'en adopter la respiration. C'est par mon silence que vous me reconnaîtrez car c'est là et dans le regard, que Kristos a ancré ma force. Vous laisserez les actions d'éclat à ceux qui ne se seront pas encore enfantés. Il faut que certains usent leur orgueil à ce jeu avant de comprendre qu'il n'en est pas un.

Et je vous le dis, lorsque vous m'aurez reconnu, m'effaçant encore devant Kristos, vous n'oublierez pas qu'aucun de nous ou de mes Frères des autres Cieux n'est venu vous sauver mais simplement élargir une porte. Nul n'applique sur une âme le sceau de l'amour si cette âme n'en dessine pas elle-même les contours et ne les chauffe pas à blanc avec son propre feu...

Je vous ai dit, mes amis, "lorsque je reviendrai", mais pourtant mes pieds et mon souffle ne quitteront pas cette Terre avant qu'une page décisive de son livre n'ait été tournée par ses habitants. Ainsi, ce n'est pas moi qui déciderai de me donner à nouveau dans la réalité de ce que je

suis, c'est l'appel des hommes qui générera ma présence...
comme c'est votre amour qui nous a rassemblés ici."

Je fermai les yeux et il me sembla que le fond de la
barque était devenu le sol d'une prairie couverte de millions de clochettes blanches. Je le sentais palpiter sur d'immenses étendues, à perte de vue. Et il y avait dans tout cela
un tel bonheur, une telle certitude de la simplicité première
du monde. Sans préjugés, ni règles, sans artisans en
chausse-trappes ni vies où l'on se bâtit des impasses à
grands coups de "moi-je"... alors qu'il y avait là, là à portée
de main quelque chose de si beau si l'on voulait bien se
dénuder un peu et le laisser parler !

La grande prairie et ses millions de clochettes blanches
disparurent alors sous moi comme si j'avais été un aigle
qui prend son envol, à tire d'ailes, avec force, avec paix..

Mes mains retrouvèrent le bois poli de la barque, les battements de l'eau sur sa coque puis mes yeux s'ouvrirent...

Le Maître avait disparu. Seule à l'arrière de l'embarcation se tenait Lérina, le front posé sur les genoux qu'elle
avait ramassés contre son corps.

Avant que j'eusse même le temps de me redresser, je
sentis la pression d'une main sur mon épaule.

"Viens, entendis-je, il nous faut descendre."

C'était Myriam de Magdala avec son grand voile bleu
dans lequel elle s'était à nouveau enveloppée.

Il y eut une brève secousse et je sursautai.

"Viens", répéta-t-elle en me montrant du doigt les rochers. Alors je me redressai une dernière fois et je vis que
les courants nous avaient ramenés vers la plage et que déjà
notre barque roulait sur les galets.

# CHAPITRE IX

# A l'ombre du pressoir

Derrière les palissades de bois de notre village, nous laissâmes bientôt le printemps venir accomplir doucement son œuvre de résurrection. Les petits ruisseaux qui dévalaient les pentes comme du vif argent étaient gonflés de vie et la Présence qui vibrait encore en nos poitrines nous rendait semblables à eux, nourris d'une force intarissable. Chacun se remit à quelques menus travaux ; le potier plaça son tour sous le soleil et on sortit le grain des réserves où les souris s'étaient taillées une belle part. Je me souviens d'un Simon qui, comme jadis dans son enfance, éprouvait le besoin de s'attarder longuement au sommet de sa colline, appuyé contre l'enceinte. Tout en bas sur le sentier tortueux, c'était presque le même spectacle qu'autrefois : des caravanes de muletiers chargées à l'excès, des chariots qui se traînaient et des marcheurs solitaires. Les

Thermes de la ville attiraient du monde et je m'imaginais la foule se presser à ses portes et grouiller sur la place aux herbes.

Baldec avait repris la culture de ses arpents de terre et réorganisait le village afin d'y établir un vaste lieu d'accueil.

Après le choc que lui avait causé la rencontre du Maître, il ne dirigeait plus ses pas que vers ceux qui souffrent, ceux à qui la vie n'a pas souri... ou qui n'ont pas su sourire à la vie. Aidée de Lérina, Myriam de Magdala avait repris l'élaboration de l'Huile. C'était elle qui avait assigné leur tâche précise à Baldec puis à quelques hommes et femmes du village : faire de leur communauté d'âmes une place structurée, solidement arimée entre ciel et terre où chaque voyageur, chaque être qui ne savait plus comment tenir les rênes de son existence, pouvait trouver un toit et de quoi panser ses plaies.

Quant à moi, au fil des jours qui s'allongeaient, je me pris à penser qu'il fallait tourner mes regards ailleurs. En contemplant le vol des migrateurs qui traversaient le ciel dans d'immenses mouvements ordonnés, je me souvins une fois de plus de ma promesse d'itinérance. Son appel était fort. Je sentais comme un cadeau au bout de mes mains, un cadeau que je ne pouvais pas garder pour moi.

C'est dans un élan intraduisible qu'un matin je fis mes adieux à mes compagnons. Depuis longtemps ils avaient appris à lire en moi et furent à peine surpris de me voir surgir, le sac de toile au côté.

De part et d'autre je vis naître comme un pincement au cœur, mêlé d'une grand joie. Etrange sensation que celle de quitter l'autre en sachant que la route qui nous séparera sera une façon de plus de prolonger notre force et notre union.

Il était clair que cela devait être ainsi et que depuis des années et des années, les mots n'étaient guère adaptés à ce que nous vivions.

Une fois encore je me retrouvai seul sous les grands sapins. Il fallait que je reprenne la direction du Levant, vers les côtes. Quelque chose me poussait irrémédiablement vers les contrées où vivaient toujours les fils de Benjamin. Le moment en était-il réellement venu ? Je l'ignorais. Mais le sol m'appelait et je ne pouvais lui résister. Ce que j'entrevoyais ne ressemblait pas à une errance, bien au contraire, cela avait la puissance d'une immense clarté aux contours très précis.

Lorsque les montagnes s'adoucirent, je découvris des étendues de petits chênes et de tamaris dans lesquelles je m'enfonçai. Çà et là un coteau rocailleux laissait apparaître une vigne bourgeonnante parmi la lavande sauvage. Ce monde était davantage le mien que celui des hautes crêtes. J'y puisai vigueur durant trois ou quatre belles journées de marche jusqu'à une petite ville qui avait poussé à quelques pas de la mer.

Il me sembla, dès le premier jour de mon arrivée, que l'atmosphère exhalée par le cœur des hommes était lourde et surchauffée. En franchissant ses portes où se cotoyaient bruyamment des soldats romains et des guerriers de Kal au teint basané et au port de tête fier, j'eus la soudaine sensation de plonger dans l'univers des émotions. Le monde se bousculait dans les rues ordonnées autour de la forteresse romaine. Chacun entretenait des discussions qui me paraissaient toutes plus vives les unes que les autres.

Dans le dédale des ruelles inondées d'une lumière blanche aveuglante et sous les porches où l'on vendait la farine brune et les poissons, l'homme n'était qu'exclamations et regards perçants. Ma première réaction fut d'imaginer que les Frères nazarites étaient la cause d'une telle agitation. Il n'en était rien pourtant. Je m'en aperçus à la table d'une modeste auberge où crépitaient encore quelques brindilles dans un immense âtre. Les Frères nazarites ? Ils ignoraient leurs noms. Certes, récemment il y avait bien eu encore des révoltes dans bon nombre de villages. Des hommes vêtus de robes blanches et portant l'épée en étaient les instigateurs au nom d'une foi dont on disait ne pas connaître grand chose, mais ils étaient, semblait-il, de moins en moins nombreux.

Tandis que je m'appliquais à bien comprendre la langue chantante de celui qui servait, je me surpris un instant à me réjouir de ces nouvelles et je me le reprochai.

Les avais-je à ce point considérés comme des ennemis sans même m'en rendre compte, ces Frères nazarites ? Eux aussi pourtant étaient un peu de moi-même, un peu de nous tous et de cette révolte que chacun porte encore au fond de soi. Certains brandissent une épée, d'autres leur langue... Y a-t-il tant de différence dans le principe qui les anime ? Assurément, il se révélait là, ce principe dont il fallait démonter les rouages, sans concession.

"C'est tout ce tumulte qui t'inquiète ? finit par me demander l'aubergiste en me regardant du coin de l'œil d'un air un peu moqueur.

Il y a, depuis trois jours, un homme qui fait de grands discours à un mille d'ici en dehors des murs. C'est lui qui émeut tout le monde. On voit une bâtisse avec un grand pressoir près de la voie. Tu verras... si cela t'intéresse il y sera peut-être encore demain. En tout cas, méfie-toi, les soldats le surveillent de près ! C'est pour lui que tu as fait tout ce chemin ?"

L'homme en avait déjà trop dit. Je ne parvenais plus à entendre le son de sa voix où se mariaient curieusement la pierre et le soleil.

"Non, répondis-je enfin sans réfléchir aux mots que je prononçais. Je suis venu ici pour le Maître Jeshua, pour le Kristos..."

"Eh ! lança l'homme d'un air provocateur et amusé tout en remontant ses épaules de façon exagérée, c'est bien ce que je disais... c'est pour lui que tu es venu. D'après ce qu'on m'a raconté, il ne parle que de ce Maître Kristos !"

J'achevai mon repas à la hâte, ne sachant que choisir entre le bonheur de retrouver un des nôtres ou la crainte de découvrir quelque chose d'inattendue. Mais peu importait... le lendemain je serais hors de la ville à côté du pressoir, dès la première heure.

Dans le creuset de ma conscience la nuit fut interminable. Aussi, dès que je vis le ciel pâlir, je jetai mon lourd manteau sur mes épaules puis descendis énergiquement l'escalier du réduit où je logeais.

La voie romaine qui sortait de la ville déroulait devant moi son ruban rectiligne et vide. Entre ses dalles froides, quelques maigres touffes d'herbe s'aventuraient parfois, toutes miroitantes de rosée. L'air vif du petit matin me procurait une singulière force et un enthousiasme qui avaient dû surprendre les sentinelles à demi-transies aux portes de la bourgade. Mais à quoi bon hâter le pas ? A cette heure je serais seul près du grand pressoir... et encore n'étais-je pas certain que l'homme qui bougeait les foules viendrait comme les jours précédents. Peut-être même aurait-il résolu d'aller parler à ceux du village voisin.

Lorsque j'arrivai en vue du pressoir, une grosse bâtisse carrée, au toit plat, assise près de trois grands arbres à l'écorce pâle, il y avait pourtant un homme allongé sur une pierre. Les jambes repliées, il portait ses deux mains sur ses yeux comme s'il voulait encore prolonger la nuit.

Je me dirigeai résolument vers lui et en entendant mes pas qui pesaient sur la poussière du sol il se leva d'un seul élan.

C'était un très jeune homme à la barbe irrégulière. Il était vêtu d'une courte tunique enfilée sur des braies crasseuses. Je ne pouvais croire qu'il s'agissait de celui dont on parlait en ville.

"Non, il vient... répondit-il un peu gêné à ma première question. Ça fait trois jours que je suis ici, mon village est trop loin dans la montagne, je préfère attendre là..."

Le jeune garçon me parut épuisé et en proie à une excitation intense. Je lui proposai un peu d'eau de ma gourde et il la but avec avidité.

"Mais que dit-il, cet homme, pour que tu l'attendes ainsi ?" crus-je enfin pouvoir lui demander.

"Il parle de celui qu'il appelle Kristos, bredouilla-t-il nerveusement. Il dit qu'Il est Dieu sur la Terre, qu'il L'a rencontré et que c'est à cause de Lui qu'il a parcouru tant de routes pour venir jusqu'ici... Ce doit être vrai, ajouta-t-il d'une voix forte, il y a tellement de puissance dans ses yeux et dans ses mots ! Je n'ai jamais rencontré quelqu'un comme cela. Il m'a dit de si belles choses... je crois que je vais le suivre partout où il ira !"

Il y avait tant d'émotion et de souffrance contenues derrière chacune de ses phrases que je ne pus m'empêcher de le serrer entre mes bras selon la coutume de notre peuple. Mais je le sentis comme un animal blessé, l'âme à fleur de peau. Tandis qu'il se décontractait et commençait à parler du Maître dans des termes qui étaient les siens, nous vîmes quelques personnes arriver dans une charrette tirée par un cheval velu. Elles nous firent de grands signes puis s'affairèrent comme si elles allaient installer un véritable campement au pied de l'un des arbres.

"Mais d'où viens-tu toi ?" questionna mon compagnon.

"... Peut-être du même endroit que lui..." dis-je malicieusement.

Cependant que je m'amusais de la surprise que je venais de déclencher, un bruit de chevaux s'approchant au trot m'obligea à tourner la tête.

"C'est lui !" cria le jeune homme en tendant un bras dans leur direction"

L'instant d'après, trois cavaliers faisaient halte à quelques pas de nous et attachaient leurs montures au mur du pressoir. L'homme qui paraissait se tenir à leur tête avait passé la cinquantaine. Le visage souligné d'une forte barbe grise, le front largement dégarni et vêtu d'une grande robe d'un rouge brun, il imposait assurément un certain respect.

Il marqua une longue pause près des chevaux puis se tourna enfin vers moi avec un regard scrutateur. Sans réfléchir et porté par une joie intérieure, je poussai quelques pas dans sa direction afin de mieux distinguer ses traits. De son côté je le sentis s'attarder longuement sur ma robe puis sur ma main qui s'était portée machinalement à l'endroit de mon cœur.

Plus j'avançais, plus il me semblait le connaître ce visage qui tentait de plonger en moi. Plus les images d'autrefois défilaient dans ma mémoire plus les rides de son front s'estompaient et plus son visage s'encadrait de boucles noires savamment étudiées.

Etait-ce possible que ce soit lui ? Je m'arrêtai sur le champ et c'est lui qui esquissa un mouvement vers moi.

"Saül... ? dis-je d'une voix qui devait être pâle. Es-tu Saül[1] ?"

"Comment le sais-tu ? répondit-il en fronçant les sourcils. Qui es-tu, toi ? Ta robe et tes cheveux m'en disent déjà beaucoup..."

"Simon, fils de Joshé... mais tu ne peux me reconnaître... nous étions si nombreux aux côtés du Maître, les derniers temps dans les rues de Jérusalem."

Son visage s'éclaira et le timbre de sa voix s'adoucit :

"Bienvenue à toi", fit-il simplement dans un sourire.

Et je sentis quelque chose d'indéfinissable qui nous retenait l'un et l'autre, et nous empêchait stupidement de nous retrouver dans une grande accolade.

Faute de trouver des mots justes, j'eus un peu envie de rire et lui aussi... mais nos rires étaient embarrassés.

Peur peut-être de devoir s'expliquer ou d'évoquer tant de choses avec des yeux si différents...

"Myriam... lui dis-je en songeant à ma sœur de Magdala que je venais de quitter, mais je me retins d'aller plus

---

1— Saül de Tarse (voir p.291) Bien que sa venue en Gaule ne semble guère attestée par les historiens, des traditions laissent entendre qu'il aurait fui Rome après y avoir été emprisonné et cela vers une destination inconnue.

loin... Myriam était le nom de mon épouse... Nous sommes venus ensemble ici avec quelques autres sur la demande du Maître... et maintenant que son corps n'est plus, je continue à parcourir les routes comme toi..."

"Ah oui, fit Saül... les Frères en blanc... il me semblait bien que vous aviez été quelques uns à atteindre cette côte !"

"Tu peux reléguer ce nom parmi les souvenirs, Saül... Tant d'yeux intérieurs se sont ouverts chez chacun depuis ce temps. Nous étions si peu et nous sommes si nombreux aujourd'hui à poser les pieds sur le même chemin. Regarde, c'est pour t'entendre parler du Kristos qu'ils viennent tous ici, m'a-t-on dit et c'est avec la même foi que j'ai parcouru cette terre depuis tant d'années !"

Cependant, un petit groupe d'hommes et de femmes commençait de s'assembler autour de nous. Saül en parut réellement indisposé et, demandant un peu de quiétude à la foule qui s'amoncelait rapidement aux alentours, il m'entraîna à l'écart près de quelques souches et des touffes éparses de genêts.

Dès que nous fûmes seuls, je ne pus m'empêcher de lui dire ma surprise de le rencontrer là. Tout d'abord, il parut ne pas vouloir répondre à la question implicite que suggérait ma remarque. Puis quelque force en lui monta d'un coup, changeant à nouveau la qualité de son regard.

"Je n'ai pas à regretter quoi que ce soit, fit-il. J'ignore ce que l'on t'a dit de moi mais cela importe peu... je croyais pouvoir rayer de ma vie les années d'autrefois pourtant je vois qu'il se trouvera toujours des visages comme le tien pour me les rappeler."

"Je ne suis pas là en juge, Saül, crois bien que je n'ai fait que marcher vers l'homme qui fait bouger tout ce peuple

399

au seul nom de Kristos !... et je suis heureux que ce soit toi que je connais pourtant si peu, je suis heureux de savoir que les mêmes mots naissent dans nos poitrines pour la même lumière."

"Es-tu seulement certain que ce soient les mêmes mots ?" lança-t-il aussitôt d'un ton qui me fit l'effet d'une provocation.

"Si ce ne sont pas les mêmes mots, c'est la même force..."

"J'ignore où en est ta réflexion mais ce que je sais, c'est que la puissance de Jeshua s'implantera en cette terre et partout où j'irai, comme sur du roc. Je bâtirai son Eglise quoi qu'il puisse m'en coûter et quoi qu'il puisse en coûter à ceux qui n'ont pas d'oreilles pour entendre. J'en ai connu qui plaçaient son cœur et sa force en un lieu brumeux entre ciel et terre, quant à moi, j'ai choisi délibérément le sol. La race dont nous sommes tous, n'a que trop attendu..."

Quelque peu interloqué, je l'interrompis :

"Mais quelle Eglise veux-tu bâtir ? Veux-tu donner des lois à tous ces hommes ?"

"S'il le faut je leur donnerai ce qu'ils réclament. Un idéal auquel se soumettre, des remparts pour qu'ils ne s'égarent pas."

La seule idée de soumission me fit bondir et en même temps j'eus la certitude que je ne pouvais rien formuler qui puisse être totalement compris. Pourtant, je hasardai quelques mots :

"Crois-tu bien, mon frère, que la crainte de l'Eternel et les remparts dont tu parles puissent centrer tous ces hommes en leur propre cœur ?

Tout cela va générer un culte de plus !"

"Cela générera un culte... et c'est par le culte de Kristos que ceux-là seront sauvés. Que veux-tu donc leur enseigner toi ? Que Kristos demeure en eux ? Ne surestime pas leur capacité de compréhension... Ils ont besoin de craindre et de respecter avant tout. Si je suis fort aujourd'hui, c'est parce que mon âme a été rebelle et qu'elle a appris à craindre une puissance qui l'a dépassée. Non, Simon, je ne crois pas que l'on puisse parler aux hommes avec d'autres mots. L'amour que j'ai reçu de Kristos est comme un coup de tonnerre qui vient briser les nuques trop raides.

Ecoute-moi, il y a peu de temps encore, j'étais à Rome où l'on m'a fait croupir dans un cachot pendant des années. Si j'en suis sorti, c'est par cet amour-là et aussi par ma volonté. Dès lors, je me suis juré d'utiliser le fouet s'il le fallait pour sortir l'humanité de son bourbier..."

Je regardai Saül, immobile, et l'éclat qui sortait de ses yeux me faisait songer au Baptiste frappant l'imagination des foules sur les bords de sa rivière. Ils semblaient être de la même souche, endurcis au fil de la même épée. Le premier avait su décroître à la vue du Soleil ; quant à Saül, en ce matin étrange parmi les touffes de genêts, je ne savais au juste pour qui il s'exprimait ainsi. Il parlait et à chacune de ses phrases j'avais la sensation qu'il me plaquait au visage, *sa* vision du Kristos bon gré mal gré. Lui, il avait trouvé, il avait été choisi et il fallait que les autres le suivent.

"Saül, lui dis-je enfin, le Kristos que je connais, c'est aussi le premier rayon de soleil qui m'ouvre les yeux tous les matins. Je sais que ce rayon n'a pas forcément la même saveur, ou la même chaleur pour tous. Il n'est pas ma découverte mais celle de chacun ; c'est cela qui fait de lui ce qu'il est, quelque chose d'irremplaçable. C'est pour cette raison que je ne peux concevoir l'imposer aux autres, imposer la couleur par laquelle il se manifeste à moi. Je ne veux pas penser à la place de celui dont la tâche est d'apprendre à penser. Le Maître que j'ai connu ne nous a pas confié les graines d'une religion. La religion a toujours été un travail d'homme, une élaboration de sa volonté de densification.

Peut-être as-tu raison, peut-être ne sommes-nous pas encore assez lourds, peut-être nos âmes et nos corps ne sont-ils pas encore suffisamment usés au contact du pouvoir et de ses remparts. Mais pour mon compte j'ai toujours vu que les remparts, ceux-là ou d'autres voilaient l'horizon."

Les mâchoires de Saül se crispèrent puis ses lèvres se desserrèrent à peine afin de lâcher quelques phrases.

"Laisse-moi accomplir ma tâche, mon frère. J'ai trop souffert de n'avoir rien compris en un temps où j'aurais pu beaucoup plus ! Je vais donner à ces hommes une image de Jeshua qu'ils n'oublieront pas et sur laquelle ils baseront tout espoir !"

"Mais l'espoir, c'est maintenant Saül... ne fabrique rien !"

L'homme à la tunique rouge-brun me regarda avec un sourire énigmatique, me serra nerveusement un bras avec l'une de ses mains puis s'éloigna d'un air décidé en direction de la foule qui l'attendait au pied des arbres.

Je restai pétrifié. A la fois subjugué par la puissante volonté de cet homme et effrayé par sa détermination farouche, j'éprouvai le besoin de faire quelques pas, seul, parmi les souches et les broussailles. Puis lentement, quand la nature eut à nouveau distillé en mon cœur ses effluves de sérénité, je décidai de me rapprocher du peuple assis, muet devant Saül.

Ce dernier s'était dressé sur un gros bloc de pierre et haranguait tous ceux qui se trouvaient présents ainsi que j'en avais vu peu savoir le faire. Il me semblait que chacune de ses paroles avait l'énergie d'une bourrasque. Toutes étaient habitées, je n'en pouvais douter. C'étaient des paroles d'amour, d'un amour où l'incroyablement divin et le terriblement humain l'emportaient tour à tour.

Saül parlait-il pour Saül, Saül parlait-il pour Kristos ou Saül bâtissait-il un autre Kristos ?

En m'approchant de lui afin de mieux l'entendre, j'étais traversé par ces interrogations auxquelles rien en moi ne pouvait fournir de totale réponse.

..."Et vous ressusciterez ! clamait-il avec une chaleur inouïe aux hommes et aux femmes en riches drapés ou en guenilles qui ne le quittaient pas des yeux. Commencez donc par renaître dans votre âme qui n'a fait que sommeiller !

Maintenant que vous savez la grande nouvelle de Sa venue, reconnaissez-vous comme moi, héritiers de Jeshua le Kristos. Moi qui l'ai vu telle la plus éblouissante des lumières, je vous le dis, par lui seul passe votre chemin d'éternité.

Après moi, d'autres viendront, puis d'autres encore jusqu'à la conclusion des Temps. Comme moi ils vous diront "croyez" et heureux seront ceux qui, déjà, auront ouvert les portes de leur cœur sans avoir vu, car une place dans le Royaume leur est réservée...!"

Saül s'exprima longtemps ainsi, plaçant avant toute autre vertu une croyance inflexible, tel un feu qui devait tout consumer dans sa purification.

Il y avait autour de lui des volutes de lumière blanche et des flammes pourpres qu'il semblait puiser dans l'azur puis redistribuer à la foule en de vastes gestes parfaitement maîtrisés. Une seule fois ses yeux se dirigèrent vers les miens. Une seule fois si brève mais si intense... Et je crus comprendre qu'ils me répétaient aussi à leur façon "laisse moi accomplir ma tâche, mon frère !"

Le soleil était presque à son zénith lorsque je quittai le lieu du grand pressoir encore grouillant de monde. Saül était descendu de son bloc de pierre et, prenant à parti des hommes et des femmes, il venait à leur expliquer des points précis selon sa fougue et "ce qui était bon pour eux".

Ainsi naquit le germe d'un dogme nouveau, enfant d'un amour fou et d'une volonté brûlante. Nécessité de desseins impénétrables ou détour dans l'histoire des âmes, seuls les Frères du Destin pourront un jour en livrer la clé...

# CHAPITRE X

# La transmission

L a rencontre avec Saül me fit redoubler de force. Pendant des mois et des mois je ne cessai d'aller d'un village à l'autre. Mes seules préoccupations étaient de soigner au nom du Maître et de désamorcer les luttes partisanes là où je les voyais crisper les hommes.

Souvent on venait me chercher d'un air provoquant afin que je m'exprime de plus en plus clairement sur des questions qui pour moi n'en étaient pas. Qui était le plus puissant, le plus fort de tous ? Esus, Lug, Cernunnos, le Kristos de Saül ou Celui dont je parlais ?

Sans cesse on me demandait des preuves et chaque jour dans un cocon de silence je me retrouvais à demander à l'Eternelle Force un peu plus de lumière au creux de mes mains.

Et dans toutes les huttes qui m'accueillaient, sur toutes les places où des attroupements naissaient spontanément, inlassablement, il me fallait dire à ceux prêts à l'entendre que les preuves viennent toujours quand l'amour a fait la première moitié du chemin.

"Lui seul fait bouger et s'ouvrir les âmes, ajoutais-je à chaque fois que cela s'avérait possible. Les preuves que vous réclamez ne sont même pas des récompenses. Kristos ne distribue ni gratification ni sanction ! C'est vous tromper de route que d'imaginer le contraire. Les preuves véritables vous vous les donnez vous-mêmes, vous les attirez à vous par surcroît, dès que votre volonté d'aimer et toute la lumière de votre cœur ont pris possession de votre être ! Ce sont les conséquences naturelles d'une purification de votre conscience qui n'en peut plus de juger de tout, de classer, en un mot d'opposer plutôt que d'unir."

En avançant ainsi seul parmi les peuples de la contrée chaude et humide[1] que je découvrais chaque jour davantage, je compris que plus rien en moi ne luttait. Je n'imposais pas "mon Kristos" ni celui de Myriam, de Joseph ou encore des Frères d'Héliopolis. Il parlait de lui-même dans la paix profonde qui m'était inspirée. Les chefs des petites tribus qui venaient parfois me toiser du haut de leurs montures pouvaient bien lui opposer un Lug triomphant dans le secret espoir de déclencher une réaction, plus rien en moi ne se sentait concerné par de telles provocations.

"Je respecte vos dieux et leurs prêtres, ne faisais-je que répéter. Jeshua le Kristos dont je suis venu vous parler n'est pas né pour les annihiler mais pour les unir en une

---

1— La région s'étendant actuellement entre Carcassonne et Sète autrefois plus boisée.

406

seule et unique Force, en une immense Lumière qu'il peut révéler en vos poitrines maintenant, ici, ou dès que vous en sentirez l'urgence.

Croyez vous que mes frères et moi ayons brûlé notre vie sur tant de routes pour vous imposer un dieu de plus ?

Vous en avez déjà tant, mes amis, que souvent il en est parmi vous qui ne savent plus dénombrer leurs multiples visages.

Je ne nie pas le maître de la foudre, ni celui des eaux mais je demande à ce que vous vous souveniez un peu plus de cette Grande Volonté d'aimer qui leur donne visage et bras sur cette terre. Je demande à ce que vous la reconnaissiez pour la faire vôtre. S'il arrive que mes frères et moi guerrissions vos plaies et les meurtrissures de vos âmes, ce n'est pas nous qui aurons agi mais elle. Ne me dites pas maintenant " où est-elle donc afin que j'aille la chercher ?" Elle est autour de vous et en vous. C'est en vérité tout ce que mon frère le Kristos attend que vous compreniez."

Il fallait réellement que je ne fusse pas seul sur les routes balayées par le vent et grillées par le soleil car au fil des saisons, il se constitua, une nouvelle fois, presque à mon insu, une véritable communauté d'âmes formée de chefs de villages, de marchands ou de simples paysans, tous prêts à ouvrir les portes de leur cœur et à déposer les armes que la conscience humaine se forge pour lutter contre ses peurs.

Mais nos rassemblements étaient parfois si nombreux dans les petits ports ou sur les flancs des coteaux que la puissance romaine, déjà irritée auparavant par les Frères, nazarites puis par Saül, se montra plus intransigeante et dominatrice.

Un soir que j'étais hébergé chez un de ces chefs guerriers qui faisaient peser leur autorité sur toute la province, je découvris mon visage dans un miroir de métal poli abandonné sur un coffre de bois. Il y avait tant d'années que je ne m'étais pas trouvé solitaire face à un tel objet que je fus troublé de ce qu'il me fit brutalement découvrir. Je me rendis compte que le visage qu'il reflétait m'était presque devenu étranger. Etait-ce bien *cela*, Simon, maintenant ? Ce visage un peu trop craquelé et ces reflets gris qui en teintaient la barbe ? Je me mis alors à essayer de compter les années depuis que nos barques avaient accosté sur ces rivages ; combien y en avait-il eu ? Je ne savais plus... Douze... Quinze ? Cinq depuis que Myriam avait pris son envol pour d'autres terres... Peut-être davantage encore ; cela n'avait guère d'importance, mais au fond de moi-même je savais que si ce miroir avait été posé là négligemment c'était pour me dire quelque chose. Peut-être pour me faire comprendre qu'un corps s'use parfois plus vite qu'une âme, sans doute pour que je m'apprête à tendre mon flambeau...

Tous ces enseignements cachés que l'on confiait aux petits moines du Krmel, les paroles voilées que le Maître nous avait dispensées de transmettre aux foules, faudrait-il un jour que tous ceux qui en avaient été les dépositaires partent avec ? Certes, tout cela ne représentait pas l'Essentiel. Le véritable joyau brillait ailleurs... tellement ailleurs et à l'air libre, que si peu le voyaient !

Pourtant, bien qu'un livre soit fait pour être ouvert et lu par beaucoup, celui qui demeure fermé et que quelques hommes seulement feuillettent chacun leur tour a aussi sa raison d'être. Ce n'est pas que ce livre là soit plus grand que les autres ni que ceux qui le découvrent soient meilleurs mais c'est que son poids est lourd et qu'il convient mieux à des ouvriers travaillant dans certaines mines...

J'entrevoyais mal de trouver un seul homme aux mains duquel tout remettre. Une certitude inexplicable me poussait plutôt à imaginer un groupe d'êtres, porteurs des mêmes données et de la même foi. Un tel groupe, il n'était pourtant pas concevable que je le cherche. S'il devait être, il existait déjà, manifesté quelque part tout au moins par d'invisibles liens. Il suffisait alors qu'il tisse sa trame de lui-même et que j'y sois simplement attentif.

Joseph nous avait jadis parlé de son rêve de voir un palais s'édifier à la fois dans le cœur de chaque homme et aussi au cœur des multitudes d'hommes réunis. Il nous le décrivait comme la demeure suprême de tous ceux qui, revêtant encore un habit de chair, avaient placé l'idéal de la vie au delà de leur propre personne. Il ne nous le dépeignait nullement comme le refuge de quelques sacrifiés à une cause commune mais au contraire comme un château sans muraille parce que ne redoutant rien ni quiconque et habité par des êtres pour qui le service était devenu une joie, plus qu'une peine. Loin d'être une citadelle de rêveurs, il ne craignait pas de ressembler lorsqu'il le fallait à une immense forge. Son accès était néanmoins gardé par une vallée aux cent détours qu'il appelait la vallée de la folie.

Chacun des habitants du palais, tous ceux qui avaient trouvé la route de leur propre cœur c'est à dire l'axe de la vie, s'étaient perdus un temps dans les méandres de cette vallée. Ils s'y étaient vus embourbés parmi les marécages de leur personnalité étroite, escaladant des arbres orgueilleux dans le but d'en deviner l'issue... pour enfin s'apercevoir de leur vanité.

"Qu'imaginez-vous que ce soit, ce palais ? avait enfin conclu Joseph. C'est le domaine inaltérable de l'Amour Conscient. Chacun de nous l'a en lui et des groupes d'êtres doivent le créer entre eux afin que progressivement s'incarne le règne de Kristos parmi nous. Nous errons encore souvent chacun notre tour, dans les sentiers de la folie. Ne les maudissons pas, ne maudissons pas nos égarements et nos peines car c'est par eux que la grandeur s'accomplira. Je vous dis *s'accomplira* et voyez comme les mots nous piègent car pas plus que je ne vous demande de regarder vers les années passées, je ne vous engage à projeter vos espoirs vers l'avenir.

L'avenir est une fuite, un répit que l'on s'octroie. C'est dans le présent immédiat, retenez le bien, que se franchit définitivement l'obstacle."

En me remémorant ces paroles, je me mis à dérouler de leur toile de lin les parchemins qui reposaient depuis tant d'années au fond de mon sac. Je les regardai longuement et les trouvai beaux. S'ils devaient un jour remplir leur rôle, j'en étais maintenant certain, un groupe d'hommes viendrait les chercher et dirait les mots qu'il faut pour me le faire comprendre.

Pourtant, si l'heure était à transmettre, je ne pouvais concevoir agir en pleine lucidité en une contrée où le sang coulait encore à flots.

En vérité, en ces temps là, les chefs des tribus de Kal qui m'hébergeaient franchissaient souvent le seuil de ma porte avec le récit de nouvelles émeutes sur les lèvres. Les hommes commençaient à penser autrement et Rome s'inquiétait.

"Ne sors plus d'ici, me dit un jour l'un deux en me rattrapant à cheval alors que j'allais franchir l'enceinte de bois de son village. Ce sont des hommes comme toi que les Romains cherchent en ce moment. je sais qu'ils ont reçu des ordres de leur empereur. On dit que celui que tu appelles Saül aurait été arrêté par les soldats, il y a un peu plus d'une lune. J'étais hier dans les ruelles de la ville afin de troquer quelques peaux et j'ai vu combien le seul nom de Jeshua hérisse les Romains. Les paroles que ceux de ta race prononcent destabilisent notre monde... ou celui que l'on a construit autour de nous... et c'est cela qui me plaît ; il y a un vent de liberté que ni les autres ni moi ne voulons laisser passer. Je veux aimer comme vous nous l'enseignez. Alors, aujourd'hui, demeure ici, car ta vie nous est chère."

Pendant près d'une semaine je me trouvai ainsi à moitié captif derrière les palissades massives et acérées d'un petit village perdu dans les roches grises et les vignes.

Mes hôtes émettaient des prières qui étaient semblables à des ordres et lorsque je les voyais parfois revenir hache au poing je contenais difficilement des mouvements de révolte.

"Est-ce tout ce que vous avez compris de notre venue parmi vous ? finis-je par hurler en me hissant sur un chariot. Où voyez-vous Kristos avec toutes ces lames tranchantes en mains ? Notre monde a soif d'amour et d'action et vous l'abreuvez de bestialité. Vous n'êtes que le masque déformé de ce que j'ai espéré en venant ici !"

Mon mouvement de colère les laissa sans voix. Je n'en trouvai pas un pour objecter quoi que ce soit ni pour soutenir un regard que je sentais n'être plus tout à fait le mien lorsque je me mis à les dévisager l'un après l'autre.

"Regardez-vous avec vos peaux de bêtes, finis-je par ajouter plus paisiblement. Ne craignez-vous pas qu'elles viennent à vous coller à la chair ? Il y a peu de temps encore certains d'entre vous me disaient : Nous voulons aimer comme tu nous l'enseignes." Si je ne vous ai jamais parlé de glaive ou de hache, c'est pour trancher votre personnalité par le milieu, il n'y a pas d'autre combat à mener que celui-là si vous tenez vraiment à combattre !"

Le lendemain, à l'aube, je fus tiré de mon sommeil par des hennissements de chevaux et des voix à demi-étouffées. Pressentant une nouvelle fois quelque terrible événement, je me précipitai dehors.

A l'horizon, la ligne sombre de la mer semblait encore dormir. On y voyait à peine dans les ruelles du village. Trébuchant dans les ornières où pataugeaient déjà des canards, j'arrivai finalement jusqu'à la placette d'où venaient les bruits.

Il y avait là trois chevaux et autant d'hommes qui s'exprimaient à voix de plus en plus haute et avec force gestes. Je hâtai le pas.

"L'armée romaine est venue questionner les chefs d'un village de pêcheurs, là-bas en bas, déclara l'un des hommes en apercevant ma silhouette. Cela s'est terminé par un combat et les soldats occupent toujours le village. Je te le disais, nous ne pouvons plus arrêter cela... il n'est plus temps de rester tièdes !"

"N'opposez plus jamais la violence à la violence, répliquai-je, plus jamais !

Il y a trop de flammes qui sortent de vos corps et qui vont embraser le cœur de ceux que vous continuez à voir comme vos adversaires... Menez-moi là-bas !"

412

"Mais s'ils te prennent, que ferons-nous, que deviendrons-nous ? Nous n'aurons plus personne pour nous rappeler la parole de Jeshua !"

"Que croyez-vous que vous deveniez maintenant ?"

Tandis que je prononçai ces mots, je m'approchai de l'un des chevaux afin de l'enfourcher. Je ne vis pas immédiatement que, dans la pénombre, l'homme qui en tenait la bride me dévisageait étrangement. Il me semblait seulement qu'il était un peu différent des autres. Sur sa longue tunique blanche qui recouvrait en grande partie des braies serrées aux mollets par des lanières de cuir, aucune arme ne pendait. J'allais attraper l'animal par la crinière lorsque je remarquai soudain que l'homme venait de poser sa main droite sur le cœur.

"Simon... ?" entendis-je

J'interrompis mon geste en tentant de mieux pénétrer le regard et les traits de celui qui tenait toujours la bride du cheval.

"Simon... ! entendis-je une seconde fois alors qu'il faisait un pas en avant. Simon... c'est moi !"

Celui qui s'était avancé avait de longs cheveux blonds et la barbe drue. En une fraction de seconde, des centaines de visages, peut-être des milliers, défilèrent derrière mes yeux. Presque instinctivement alors, un nom jaillit de ma poitrine comme une interrogation :

"Belsat ?"

Pour toute réponse, l'homme se jeta dans mes bras et me serra longuement.

"C'est moi... bredouilla-t-il enfin en relachant l'étreinte. Tu vois, Il a permis que nous nous retrouvions. Hildrec est encore au village... là où tout s'est passé hier soir. Il faut que tu viennes..."

Je me souviens d'une émotion intense qui m'envahit alors. Je crois que je ne répondis rien d'autre que par un sourire qui ne pouvait pas finir car aucun son ne voulait sortir de ma bouche.

Belsat et Hildrec... parmi les myriades de noms qui s'étaient imprimées en moi au fil de toutes ces années, pourquoi ces deux-là étaient-ils restés intacts, aussi forts qu'au premier jour ? Mystère des âmes qui se croisent et se recroisent, secret merveilleux des doigts de lumière qui ont tissé la Grande Trame sur cette Terre...

De part et d'autre, aucun questionnement ne fut utile. Cette fois, je ne trouvai personne pour m'imposer de rester au village.

Ce matin-là, il y eut quatre chevaux qui s'enfoncèrent dans les forêts de pins pour rejoindre au petit trot les sables de la côte. Je n'étais habité que par une seule idée : désamorcer toute passion. Le regard de Belsat que je sentais planté dans ma nuque tandis que nous chevauchions était pour moi un signe. Il voulait dire que tout continuait, qu'à mon insu et qu'à celui de tous ceux qui comme moi s'étaient éparpillés sur ce sol, des hommes se montraient prêts et avaient écouté l'appel des veines de la Terre pour être là où il le fallait.

Lorsque la forêt se changea brutalement en épineux aux feuillages gris, nous aperçûmes de grandes fumées blanches qui montaient haut dans le ciel et que le vent emportait vers nous.

"C'est là-bas cria Belsat, ils ont brûlé la moitié du village.

Je ne trouvai rien à répondre mais j'imaginai la même scène qu'autrefois. Que ce fût sur les routes de Galilée ou dans n'importe quelle contrée de la terre de Kal, l'incom-

414

préhension finissait toujours par prendre le même visage, celui de la violence.

Nulle part pourtant il n'y avait de forteresse à défendre ou de camp pour lequel il fallait prendre parti. Celui qui clôture son morceau de ciel et son carré de terre fait un nœud à sa vie et tourne le dos à la vie tout entière... C'était aussi bien à ces hommes-là qui voulaient écouter Kristos, qu'aux Romains eux-mêmes que j'étais résolu à le dire.

Bientôt, les gros nuages de fumée que nous avions aperçus vinrent nous capturer dans leur épais manteau. Nous abandonnâmes alors nos chevaux au pied d'un groupe de grands arbres et nous avançâmes vers ce qui restait du village. De son enceinte subsistaient seuls quelques pans de boue séchée et des bois calcinés. L'armée romaine semblait de toute évidence avoir quitté les lieux désormais privés de vie. Je m'étonnais de ne trouver aucune trace de lutte, aucun corps.

Cependant Belsat partit en avant de nous en courant vers quelque point qu'il connaissait. Les toits de branchages qui continuaient de brûler çà et là nous renvoyaient une odeur âcre qui rendait notre avance pénible. Dans cette atmosphère presque irrespirable finit par apparaître un mur de pierre en grande partie intact et qui avait dû constituer comme une seconde enceinte au village. C'était par là que Belsat s'était vraisemblablement dirigé. La double porte qui en commandait l'accès était toujours debout et simplement entrebâillée. Notre compagnon apparut sans tarder dans son embrasure, le visage tourmenté :

"Venez", fit-il

Nous nous avançâmes à grandes enjambées et aussitôt derrière lui se détacha du cœur de la fumée une autre silhouette. C'était une forme féminine qui toussait à perdre haleine, un morceau de tissu devant le nez. Elle semblait harassée et lorsque je la vis se blottir contre Belsat je compris qu'il s'agissait d'Hildrec. Hildrec... je pouvais à peine la reconnaître ainsi... Les cheveux défaits et le visage maculé de traces de bois calciné elle avait l'air un peu hébété :

"Entre...", me dit-elle avec émotion en m'attrapant par le poignet.

Le spectacle qui nous attendait de l'autre côté du mur était effroyable. Il n'y avait que des corps allongés sur le sol, ensanglantés, la plupart inertes. Peut-être étaient-ils une centaine à être étendus dans la terre sablonneuse, pêle-mêle et guère plus d'une douzaine à se pencher sur eux à tour de rôle afin de nouer quelque bandage ou de tendre une cruche.

"C'est à cause des Romains..." maugréa plaintivement un vieil homme qui perdait son sang en abondance et vers lequel je m'étais précipité :

"C'est à cause des Romains... " Combien de fois ne l'avais-je pas entendue ta complainte, vieil homme... ? Avec ta blessure à la tête et ta force qui fuyait, c'était bien plus qu'à toi qu'il me semblait m'adresser, c'était assurément à ce vieil homme dont les fibres remuent encore au fond de chacun de nous.

"... Non, vieil homme, me surpris-je à dire, non, ce n'est pas à cause des Romains... c'est à cause de notre orgueil à tous, à cause de cette racine de je ne sais quoi qui veut que nous ayons toujours raison et qui nous fait croire que nous devons imposer cette raison. Crois-tu qu'il t'ait soutenu une seconde Celui pour lequel tu as cru bon défier les soldats ?

416

Il soutient celui qui dit "Amour", celui qui plante "Amour" dans la terre mais qui ne veut pas en transpercer le cœur de son voisin.

Jeshua le Kristos est un semeur de liberté, mais la liberté, vois-tu, la vraie liberté, on ne la récolte pas ainsi que la multitude des hommes a toujours voulu le faire.

Dis-moi donc, vieil homme, est-il si libre celui qui ne s'affranchit qu'en dominant ou en tuant ? Ne me clame pas que tu as raison... peut-être en effet la raison et le bon droit sont-ils pour toi... mais ce que nous sommes venus te dire sur cette terre est tellement plus grand, tellement plus vrai que le bon droit que chacun se modèle. Non, mes frères et moi ne voulons plus que ni toi ni les tiens reproduisiez les schémas des vieux royaumes humains. Ceux-là font piétiner la race au point qu'elle s'embourbe ! Il est maintenant l'heure de rompre la chaîne. Même si cela doit prendre des siècles et plus encore, même si les marécages du non-amour s'étendent loin autour de nous, il existe d'ores et déjà dans le cœur de chacun une Terre où l'on pense différemment la liberté, vieil homme !... Je n'entends que ce mot depuis notre arrivée sur ces rives. Pourtant, sait-on bien ici comme ailleurs, ce qu'est la liberté ?

Le Maître qui a commencé à me rendre à mon propre cœur disait d'elle qu'elle est simplement et totalement le pouvoir d'Aimer. "Vivre libre, ajoutait-il, ce n'est pas vivre sans contrainte, mais c'est vivre au delà des contraintes que l'univers, immanquablement dans sa course, nous suggère. Vivre libre, c'est retrouver la possibilité de tendre la main, sans effort à l'adversaire dont on croit qu'il nous barre le chemin. La liberté... c'est l'espace infini dans notre conscience !"

Ces mots qui surgissaient du tréfonds de mon cœur et de ma volonté, je ne sais plus combien de fois je les pronçai tout au long de cette journée, penché sur les blessures des corps et les âmes meurtries.

Hildrec, Belsat et tous ceux qui restaient valides ne cessaient de me tendre des regards qui valaient mille mots. Devant tant de souffrances à calmer, nous finissions par faire fusionner nos yeux et par y découvrir une force de paix insoupçonnable.

Peut-être cette tourmente ne servit-elle qu'à cela ?

Deux mille ans après, je ne puis penser autrement car de cette journée dont l'aube fut si féroce naquit une communauté d'âmes prête à porter un flambeau aussi longtemps qu'elle le pourrait...

Je me souviens de cette volée de haches et de coutelas qui monta un instant dans l'azur avant de se perdre dans les marécages du bord de mer. C'était la promesse de ces quelques chefs jadis guerriers du pays de Kal et qui découvraient enfin la voix de Kristos. Lorsque cela s'accomplit, je n'eus pas à prononcer de grandes phrases, ni de serments à recueillir. Les serments sont comme les règles de nos sociétés humaines, on les invente par manque de confiance et par peur de l'autre. Ils sont faits pour ceux dont la parole est faible et la volonté au souffle court.

Enfin, dans la profondeur d'une de ces nuits où l'on se retrouve parfois face à soi-même au sommet d'une montagne, mes dernières hésitations se dénouèrent...

Dès lors, je vis que la route que j'avais cherchée était libre. Il fallait que je confie à Belsat, secondé de quelques autres, l'organisation d'une communauté d'âmes amoureuses du ferment de paix.

Au creux du petit village de Kur, Belsat et Hildrec n'avaient jamais oublié les quelques liasses de parchemins que des mains leur avaient dévoilées sous la neige. Si la vie les avait maintenant menés là, près de la grande étendue bleue qui ondoyait jusque chez nous, sans doute était-ce aussi afin qu'ils les reçoivent à leur tour. Tout cela s'accomplit en plein midi sous un soleil écrasant, sans cérémonie et les mots qui furent échangés de part et d'autre demeureront à jamais voilés par le chant des cigales. Ce que Belsat et Hildrec en firent alors, nul ne le sait, mais la Mémoire du Temps parle d'hommes qui surgirent peu à peu en ces contrées inondées de lumière blanche et qui s'allièrent à ceux de Benjamin. Elle parle aussi de Marcus[1] qui voulut en parfaire les unions afin que brillent d'un commun éclat la Lune et le Soleil. Elle parle enfin d'une racine, comme un pivot, qui s'enfonça profondément dans le roc de Kal, patiente et certaine de l'heure où des hommes la dégageront.

---

1— Voir le chapitre III livre II "Histoire de Myriam", la christiani- sation du sud de la Gaule par Marcus, connu plus tard sous le nom de St Trophyme aboutit à une union avec les chefs de tribus rassemblés par Belsat et quelques autres. La descendance de Marcus s'unit enfin à celle de Benjamin donnant ainsi naissance à la dynastie mérovin- gienne.

# CHAPITRE XI

## Il y aura d'autres gouttes...

Désormais les jours et les mois s'enfuirent derrière moi comme un attelage au galop. Il me semblait que l'homme que j'avais été ne se ressemblait plus, qu'il était maintenant habité par une force différente de toutes celles que les routes lui avaient enseignées. Elle se plaçait au delà de ma volonté et faisait surgir sur mes lèvres des mots qui n'étaient pas de moi et que je n'aurais jamais su prononcer. Il m'apparaissait aussi par dessus tout que j'étais "quelque chose" qui logeait dans un corps. Cela, bien sûr, depuis mes premiers pas hésitants sur les dalles du Krmel, je le savais, la conscience ne m'en avait jamais quitté, mais cette fois, c'était si différent... Je n'habitais plus tout à fait ma chair ; ses articulations, son moule me semblaient brutalement si étroits. La vie ne la fuyait cependant pas cette charpente rompue à tant de chemins.

Je la voyais parfois de l'extérieur, nourrie par une belle énergie qui voulait encore servir.

Pourtant, je n'en étais plus totalement maître, ignorant le matin où je m'allongerais le soir, ne faisant plus la différence entre le baiser de la pluie et la caresse du soleil. Simplement, ma conscience s'en dissociait, emportée dans des vagues d'amour où je voyais le corps du Maître présent à mes côtés.

Et sans doute était-il là, sur toutes ces places, sur ces embarcadères où il m'arrivait si souvent de parler... où il me faisait parler. La crainte du regard en ligne brisée et de l'oreille qui n'écoute que son propre son était enfuie depuis longtemps. Les bras qui s'ouvraient ou les épaules qui se soulevaient ironiquement, tout m'était bonheur, parce que tout témoignait de la Force.

"La seule chose que le monde ait à redouter me répétais-je parfois sur mes routes solitaires entre deux bourgades, c'est l'indifférence. Par elle, la Vie ne s'exprime pas, par elle le Kristos est bafoué. Elle est de cette sorte d'immobilité qui fait flétrir le cœur. Certains écoutent sans entendre, certains refusent d'écouter... pourtant toutes les âmes engrangent de la lumière à leur façon... Alors Simon, comprends que tu ne poursuis même plus de but. Tu as arrêté de courir parce que le but est là, parce qu'en fait, il n'a jamais cessé d'être là. Si tu ne le voyais pas, c'est parce que tu le croyais toujours ailleurs, même en prétendant le contraire. L'ailleurs est plus beau, plus fort paraît-il, mais simplement parce qu'il ne nous place pas face à nous et qu'on peut encore y esquiver notre propre rencontre. Mais là, maintenant, regarde, parce que ton cœur n'a plus de retenue, parce que tu ne crains pas de voir tes frères en tous ceux qui croisent ton chemin, parce que la vérité n'est plus du tout "ta vérité", tes liens enfin se brisent. Alors, tu peux, non plus agir, mais être l'action, être tout à la fois ce coup de tonnerre et cette paix que les mots évoquent si mal."

Lorsque les visages, les rivages et les montagnes de ces temps viennent encore emplir ma mémoire, il me semble que je me déplaçais en eux comme en un océan sur lequel il faisait toujours beau.

Que tous ceux qui aujourd'hui sentent cette même Force les soulever ne s'y trompent pas. En ces heures de grande clarté, ni Simon ni aucun de ses Frères de la vieille Essania et d'ailleurs, ne devinrent des rêveurs. Ils n'hésitèrent pas plus qu'auparavant à tailler le bois, assembler la pierre et réparer les filets, pour que perdure la réconciliation avec la Terre. Ils cherchèrent des mots de plus en plus simples, ceux qui sentent bon la glaise et la chaleur quotidienne du soleil car nul ne dévoilera le grand temple de l'homme à renforts de philosophie.

Si tous les frères du Kristos éparpillés sur la terre de Kal avaient oublié depuis longtemps les textes sacrés de leur enfance, la flamme qu'ils voyaient au creuset de toutes les poitrines les leur faisaient retrouver en totale essence... et c'était cela leur vie... et c'est cela aussi la vague du fond des âges de l'homme, la vague de fond à ressusciter !

Un jour de soleil ardent alors que tout un peuple bigarré réclamait la parole du Kristos sur la place d'un petit port, je vis apparaître une fois de plus les casques rutilants d'un détachement romain.

Les soldats marchaient vite, regard fermé et glaives au dehors. Les cris de la foule demeurent toujours en moi ainsi que le frottement des lances que l'on fit jouer sur la toile de ma robe...

Un instant, la place ne fut plus que le spectacle d'étals de poissons renversés, de paniers bousculés et de fruits piétinés. Puis vint le silence, un silence curieusement aérien. Enfin quelqu'un hurla un ordre et on me noua les poignets derrière le dos. Je sais n'avoir pas vu naître en moi ni la moindre surprise ni la plus légère inquiétude. Il me sembla même, le temps d'un éclair, que je pouvais lire dans ma vie à livre ouvert et que cette place, ces soldats, ces mots hachés qu'on me lançait aux oreilles et que je ne parvenais pas à comprendre y étaient bien inscrits.

Alors, ne pouvant offrir que mon mutisme, je vis deux hommes dont l'un portait un manteau pourpre qui commencèrent à discuter vivement à quelques pas des soldats. L'un s'agitait, l'autre polissait son casque avec un coin de sa tunique.

"Oui, c'est encore moi, me mis-je à leur dire dans la langue silencieuse de mon cœur tandis que je contemplais les flammes de leurs corps qui dansaient. C'est encore moi, même si demain ou dans mille ans j'ai un autre visage. Ce Simon que vous tenez importe peu... Il est une goutte d'eau dans l'océan, mais de ces gouttes-là, la vie qui coule à travers vous en trouvera toujours sur son parcours. Vous pouvez faire en sorte qu'elles s'évaporent, il est un doigt de lumière qui les fera toujours abreuver le sol qui a soif même s'il refuse de l'avouer. Soyez remerciés de me montrer si clairement qu'aujourd'hui et à jamais ma force n'est pas *ma* force et que ma vie n'est pas *ma* vie."

Flanqué de deux légionnaires, pilum au poing, on me fit serpenter, derrière un cheval, dans les ruelles blanches de soleil qui menaient au dehors de la ville. Elles étaient désertes et muettes mais de l'autre côté des portes fermées et sur les terrasses des toits, je savais qu'il y avait des visages cachés, des regards, des oreilles qui un jour bougeraient en eux-mêmes.

Les hommes qui m'escortaient devaient tout ignorer de moi. Ils me posèrent quelques questions d'un air naïf et froid dans leur langue que je comprenais si mal. Une fois de plus je ne sus qu'y répondre ni comment y répondre... mais cela m'importait si peu de me justifier encore et toujours. Alors, ils me poussèrent pour que je marche un peu plus vite afin que nous sortions du dédale des maisons de brique et de terre.

Lorsque les portes aux grands vantaux de bois furent franchies, la campagne chauffée à blanc et ses arbres noueux qui longeaient la voie rectiligne et dallée se déroulèrent devant moi. Où allions-nous ? Certainement, je le savais car il me semblait que je l'avais toujours connu cet instant-là, que je les avais déjà sentis ces pieds nus que l'on forçait à marcher vite sur la poussière des pierres et entendu ce chant lancinant des insectes que l'on ne voit jamais mais qui vous grignotent la tête.

Nous allâmes ainsi pendant un bon moment. Les soldats échangeaient parfois trois ou quatre mots qui les faisaient rire puis se taisaient à nouveau.

Bientôt, la voie laissa la place à une petite route caillouteuse d'où il arrivait que l'on aperçoive la mer entre des touffes de grands épineux. En contemplant ses miroitements argentés je me mis à penser à Myriam, à Sarah et à tous les autres dont le temps a englouti les noms et qui continuaient de s'éparpiller sur ses rives. J'aurais voulu

425

boire, m'arrêter un peu pour emplir mon esprit des images de ce lien qui nous unirait toujours...

Quand nous arrivâmes en vue d'un bosquet plus gros que les autres, du plat de sa lance l'un des soldats me fit comprendre qu'il fallait en prendre la direction. L'herbe était rase et sèche et je garde en mémoire les milliers de petites sauterelles que la plante de mes pieds faisait s'enfuir en quittant le chemin. Trop heureux de trouver un peu d'ombre, je pris quelques pas d'avance sur mes gardes, juste un peu pour sentir encore une fois la présence des arbres, leur parfum.

Le voyage était fini. Je le compris dans un éclair de paix lorsqu'autour de nous les bruits de la nature se turent soudain. Il y eut une vague de silence qui pétrifia tout, qui fit taire l'oiseau au milieu de son chant.

Alors,brusquement, je me retournai vers les soldats. Je me retournai, juste le temps d'entrevoir la fulgurance d'un pilum qui se plantait au creux de ma poitrine. Le choc fut violent et la douleur sourde, exactement là où tant de fois j'avais porté la main. Puis plus rien... pas même le bruit d'un corps qui tombe dans l'herbe.

Il était pourtant là ce corps, je le voyais sous moi, la face pâle et encore ruisselante de sueur. A ses pieds il y avait deux hommes presque aussi pâles que lui et qui essuyaient la pointe d'une lance avec des feuilles. Je ne les entendis pas prononcer un seul mot mais je les vis rejoindre le chemin d'un pas précipité après avoir jeté succinctement quelques branches sur ce corps.

C'était donc cela la mort... cette montagne de silence autour d'une enveloppe vide, ces arcs-en-ciel qui montaient des arbres et qui commençaient à tourner autour de moi... "moi !" Comme il était étrange ce terme qui se mettait à résonner différemment dans ma conscience...

Dans un élan de béatitude indicible, je me rendis alors compte que ce "moi" n'était plus là, fondu dans cette silhouette étendue quelque part sous un arbre, mais partout à la fois dans la moindre lumière jaillissant de cette nature si belle. Pour la première fois, j'étais dans son inspir et son expir, dans sa sève, emporté par le torrent de son amour, soulevé par une si sereine spirale blanche...

C'était donc cela la mort, la mort qui vient à soi lorsque en toute quiétude on a fini de s'écrire sur une page de Vie. L'âme hors... sur le seuil de si vastes horizons !

De ces secondes d'éternité, jaillit encore un peu plus l'incroyable Présence de cet Amour sans Nom, infatigable balayeur de toutes les crispations, Amour qui nous fait reprendre la route, reprendre la plume aujourd'hui...

Deux mille ans ne sont rien...

Que par ces lignes ne soit pas entretenue la nostalgie d'un temps qui ébauchait le nôtre. Que dès cette heure l'on comprenne bien que la promesse reprise par les douze, les vingt-deux ou les cent huit n'en est plus une parce qu'elle est réalité immédiate. Les cartes couleur de feu surgissent à nouveau là, plus flamboyantes encore, plus fortes des millions d'âmes unies à elles aujourd'hui !

Aujourd'hui pour aujourd'hui !... car ce joyau qui porta un jour le nom méconnu de l'Amour, cette idéale fleur de paix que tous les êtres gardent en sommeil dans leur cœur, c'est maintenant qu'il doit éclater à la face du monde.

**DES MEMES AUTEURS :**

RÉCITS D'UN VOYAGEUR DE L'ASTRAL

TERRE D'ÉMERAUDE

DE MÉMOIRE D'ESSÉNIEN
L'autre visage de Jésus

LE VOYAGE A SHAMBHALLA
Un pélerinage vers Soi

LES ROBES DE LUMIERE
Lecture d'Aura et soins par l'Esprit

*Achevé d'imprimer en avril 1989*
*sur presse CAMERON*
*dans les ateliers de la S.E.P.C.*
*à Saint-Amand-Montrond (Cher)*

Dépôt légal: avril 1989.
$N^o$ d'impression: 889.
*Imprimé en France*